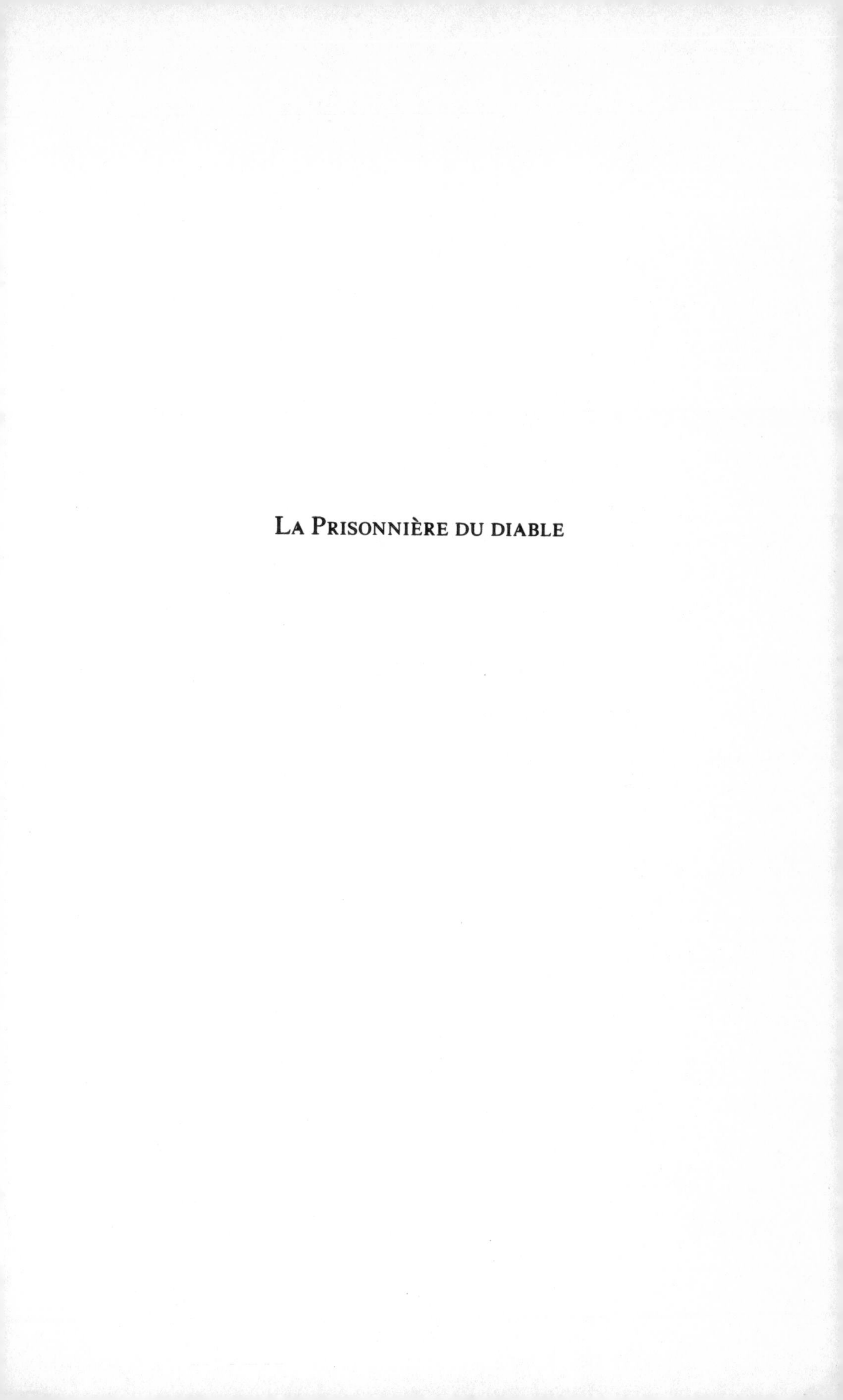

La Prisonnière du diable

ISBN : 978-2-37448-129-6

Mireille Calmel

La Prisonnière du diable

roman

À ce vaisseau de pierre
que le diable n'a pas vaincu.
À Notre-Dame…

Prologue

3 mai 1494
Quelque part en Égypte

Ce fut un silence soudain, d'une épaisseur de tombeau, qui dressa Anabeth sur sa couche. Durant quelques secondes, elle resta immobile, aux abois, mais elle savait déjà que la roue s'était immobilisée.

La roue.

Bien qu'elle se tînt, immense, contre l'un des murs, elle ne pouvait la voir depuis ce renfoncement. Pourtant le bruit, ce raclement perpétuel qu'elle émettait en tournant sur son axe depuis la nuit des temps, s'était suspendu. Et son cœur venait d'en faire autant.

Elle déglutit. Se reprit. Elle ne devait pas avoir peur.

Elle était préparée depuis l'enfance à ce que cela arrive. Préparée comme toutes celles qui l'avaient précédée dans cette salle inconnue de tous sinon de Dieu et de l'Ordre qui veillait sur Sa volonté.

Comme elles, comme sa sœur, elle était l'une de ces filles recueillies aux quatre coins du monde par des prêtresses, des nonnes, dans le seul but de lire un jour le message que le Tout-Puissant inscrirait sur cette pierre. Avoir été choisie parmi tant d'autres pour l'attendre avait fait sa fierté.

Même si cela avait impliqué d'être emmurée dans cette pièce dont la seule ouverture était un étroit rectangle par lequel chaque jour on lui déposait à boire et à manger.

L'essentiel.

À l'aube de ses quatorze ans, elle n'avait besoin de rien d'autre, sinon d'évacuer en retour les eaux usées, les déchets organiques, afin que rien ne souille ce temple. Jamais.

Allons. Il est temps.

Combien de fois avait-elle appelé le miracle de ses vœux, malgré l'effroi qu'une part d'elle en ressentait ?

Elle repoussa la couverture de laine, déposa un pied nu au sol. Dans cette cavité souterraine, la température était toujours la même. Elle y vivait sans feu, en toge, nuit comme jour. Incapable de discerner l'une de l'autre ou seulement la ronde des saisons. La majeure partie du temps en prière, égrenant son chapelet, au point d'en avoir des cals aux doigts et aux genoux. Cela lui était égal. Cela lui avait toujours été égal. Elle n'était que pureté et piété. Emplie de l'espoir de devenir la prochaine messagère de Dieu.

Et c'était maintenant.

Elle avança en retenant son souffle, domptant son excitation mâtinée d'angoisse pour ne pas troubler l'œuvre du Tout-Puissant. Longtemps elle s'était demandé quelle forme ce dernier revêtirait pour inscrire sa sentence. Las, son imagination s'était heurtée aux limites de sa foi.

Je vais savoir, enfin...

Elle frissonna, presque honteuse de son irrespectueuse impatience, quand l'enjeu de tout cela était crucial.

D'ici à quelques minutes, elle serait dépositaire d'un nom, d'un lieu, d'une date. Elle les transférerait sur un papyrus, puis glisserait celui-ci par l'ouverture, afin qu'il retombe dans le couloir qui ramenait à la surface. Ensuite cela ne lui appartiendrait plus. Quelqu'un viendrait récupérer ce billet et le porterait à l'une des communautés de femmes qui, de par le monde, servaient de relais entre l'Ordre et les familles d'exécuteurs divins.

Anabeth n'en savait pas davantage. Et toutes les questions qu'elle eût pu se poser s'étaient depuis longtemps résumées à ce constat: Dieu était juste. Dieu était bon.

Et Sa volonté primait: quelqu'un devait mourir, frappé avant l'heure.

Non pour ses actes, mais parce que le diable s'était emparé de son âme pour préparer son arrivée sur Terre.

Ce n'était pas la première fois que Satan s'y essayait. Toutefois la vigilance de Dieu, Sa confiance en l'Ordre étaient telles qu'il avait toujours échoué.

Et c'est à moi, aujourd'hui, de veiller à ce qu'une fois de plus il soit repoussé.

Elle s'arrêta devant la roue. Telle, dans son immobilité, elle n'était plus qu'une pierre épaisse de sept coudées[1] de diamètre, grossièrement taillée. L'axe était pris dans un mur qui formait un retour. De sorte qu'Anabeth ne pouvait pas voir le quart droit de la pierre.

Un passage discret y menait.

Pas une seule fois elle n'avait dérogé à l'interdiction de l'emprunter sans raison. Elle s'était seulement imaginé y rencontrer Dieu comme en un confessionnal lorsque le moment viendrait.

Elle prit une profonde inspiration et tourna l'angle de la paroi. L'espace qui se trouvait derrière était éclairé

1. Une coudée correspond à cinquante centimètres environ.

par un sol de pierres luminescentes. Il se révéla plus vaste qu'elle ne le pensait. On pouvait y tenir à deux sans peine.

La tranche de la roue lui faisait face, mystérieuse, marquée par l'empreinte des précédents messages.

C'est à leur suite que le nouveau va s'inscrire, comprit-elle, déterminée à accomplir sa mission.

Elle chercha une forme évanescente du regard, avant de se désoler de ne pas même en ressentir le souffle.

Elle continua d'avancer à pas comptés, cérémonieusement, se souvenant des paroles de celle à qui elle avait succédé :

« Tu n'auras que peu de temps pour saisir le poignard dans le casier que tu verras sur ta droite, t'ouvrir la paume et la presser sur la pierre. »

Elle éprouva un léger vertige, une forme de jouissance en sentant le fil entailler sa chair, le sang affleurer sa peau. Tout aussitôt, un crépitement troubla le silence. Son cœur s'emballa dans sa poitrine.

Elle pivota, écarquilla les yeux devant les lettres, les chiffres qui se découpaient en caractères de feu.

Sans plus réfléchir, elle les recouvrit de sa main. Une lumière ardente la détoura, fusionnant ses chairs au granit. Elle eut l'impression que cette brûlure remontait le long de son bras jusqu'à sa gorge, ses tempes. Elle lutta pour résister à la douleur, hurla malgré ses résolutions.

L'obscurité retombée, elle courut presque jusqu'à l'écritoire en soutenant son poignet, la paume vers le ciel, refusant de regarder ce qui s'y était imprimé.

Fébrile, elle arracha un papyrus à un panier en osier, y apposa son message. Ensuite seulement, laissant la feuille l'absorber, elle s'en fut plonger sa main dans un baquet d'eau fraîche.

Il lui fallut quelques secondes avant d'éprouver un discret soulagement. Il fut de courte durée. Un crissement la fit sursauter, redresser la tête.

La roue s'était remise à tourner.

Elle s'attarda sur le passage qui menait derrière, espérant encore que Dieu en jaillirait, avant de se résigner. Le Très-Haut n'avait besoin que de penser pour agir. Elle ne le verrait pas.

Surmontant une fois pour toutes sa déception, elle revint vers le papyrus. Date, lieu et nom s'y détachaient à présent lisiblement. Elle replia les bords, les cacheta, puis, pressant sa blessure pour qu'une goutte de sang nourrisse sa plume, inscrivit au verso :

« *Vésubie* ».

Elle se hâta de le glisser par l'ouverture, celle par laquelle on lui portait sa pitance, le laissa tomber de l'autre côté.

Tout avait été accompli selon les règles.

Elle eût dû se sentir soulagée. Pourtant, était-ce l'intensité du moment ? la fin d'une attente qui avait duré deux ans ? Sa gorge se noua et des larmes gonflèrent ses paupières. Une autre viendrait bientôt prendre sa place. Saurait-elle, elle, simple Anabeth, se satisfaire d'une cellule, de la règle, même drastique, d'un couvent ? Après avoir vécu cela ? Certaines anciennes gardiennes réclamaient d'être recluses, ailleurs. Pour tenter d'approcher une nouvelle fois cet état de grâce. Mais même cette solution lui sembla pauvre tant cette expérience l'avait transcendée.

Quelques secondes durant, elle demeura désemparée face à cette cavité qui serait bientôt élargie pour lui permettre de sortir. Apeurée à l'idée de revoir la lumière du jour, la ronde des heures, fût-elle scandée par l'appel liturgique des cloches.

Semblable honneur n'est pas donné à toutes. Soyez loué Seigneur, pour avoir eu besoin de moi, se ressaisit-elle.

À cet instant, de la chaleur irradia dans son dos, une chaleur de plus en plus forte dont la lumière gagna la pièce. D'abord surprise, elle ne douta plus de se retrouver face au Créateur. Elle s'emporta de reconnaissance, se retourna lentement, prête à s'agenouiller, un sourire de Madone aux lèvres.

Elles s'arrondirent aussitôt.

Et tout en elle n'exprima plus que l'épouvante.

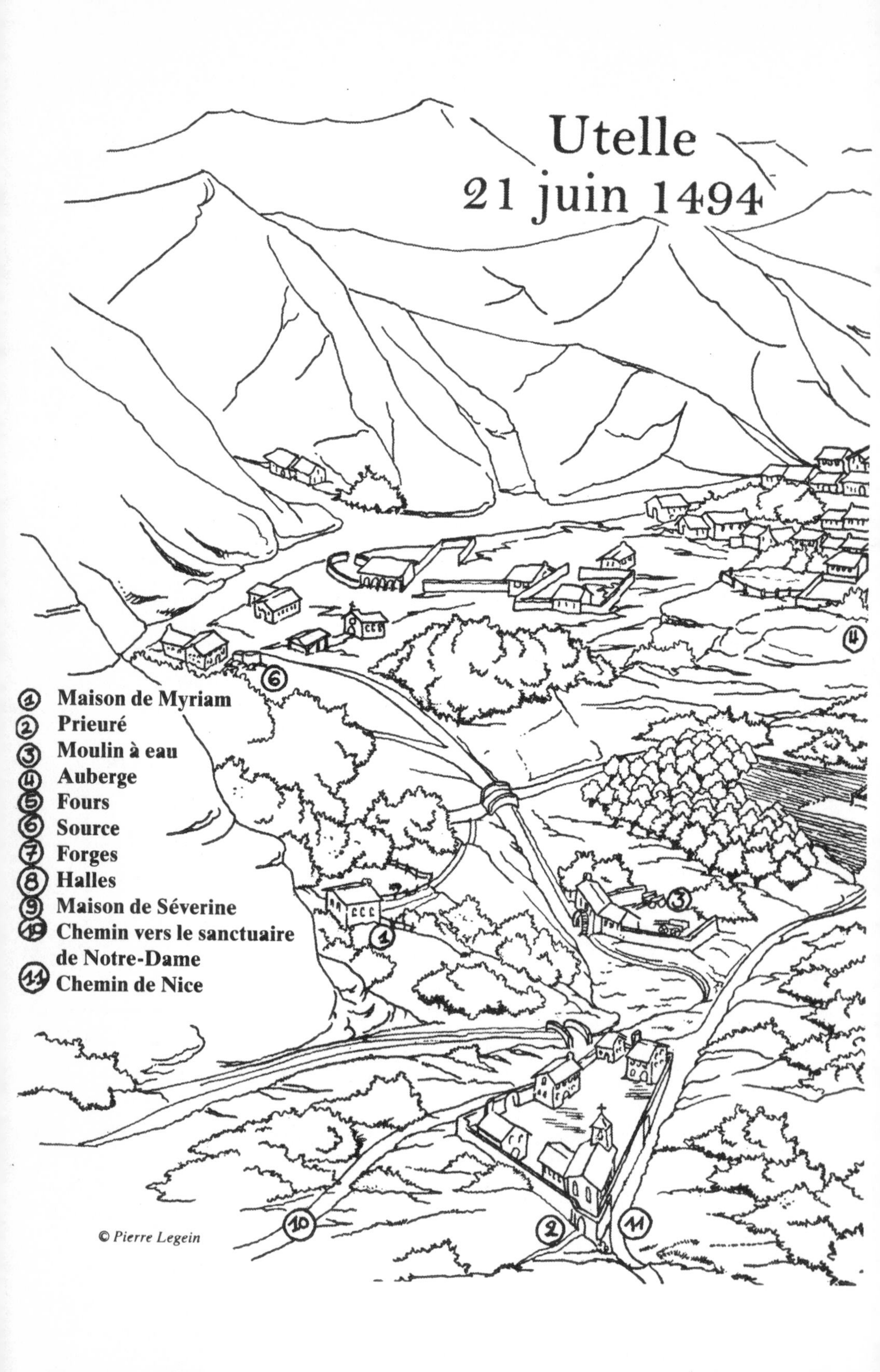
Utelle
21 juin 1494
1 Maison de Myriam
2 Prieuré
3 Moulin à eau
4 Auberge
5 Fours
6 Source
7 Forges
8 Halles
9 Maison de Séverine
10 Chemin vers le sanctuaire de Notre-Dame
11 Chemin de Nice
© Pierre Legein

9
7
8
5
MRO.

1.

Vésubie
Combe d'Utelle
20 juin 1494
Cinq heures de l'après-midi

Les jolis traits de Myriam se déformèrent dans une grimace fataliste. Elle porta une main à son ventre tendu, en caressa la pointe pour apaiser les mouvements incessants de l'enfant qu'elle portait. Son œil gris-vert, en amande, passa d'un modeste tas de monnaie à l'autre.

Recompter ne servira à rien. Il n'y a pas assez, soupira-t-elle en relevant la tête de la table sur laquelle son pécule était étalé.

Une larme piqua ses prunelles. Elle les promena avec inquiétude sur le mobilier déjà succinct de l'unique pièce de son logis. Une armoire, un lit et un berceau tout au fond, derrière une courtine ; trois coffres, un vaisselier et, pour encadrer la table devant laquelle elle était assise, deux bancs et deux tabourets qui branlaient légèrement sur les planches inégales du sol. Seul l'évier de granit creusé, posé sur ses supports élégamment taillés, avait une réelle valeur. Les montants de la cheminée, entrelacés de feuilles d'acanthe aussi. Cependant, si elle s'en privait, elle ne pourrait plus se chauffer.

Myriam remit sa maigre fortune dans le sacquet de cuir. Peinant sous cette charge qui alourdissait de jour en jour sa taille, elle s'en fut dégager quatre écuelles dans le vaisselier pour atteindre la petite cache qui se trouvait dessous.

Elle fit jouer un mécanisme et libéra l'intérieur creux de l'étagère, déjà encombré par un codex de la taille d'une main, à la reliure de cuir noir.

Le monnayer, lui ? Mais auprès de qui ? Il n'est pas fait mention des autres membres de cet Ordre.

Elle frissonna.

Non. C'était le secret de Pascal. Son héritage. Je ne dois pas y toucher. Pas plus qu'à ses outils. Je trahirais sa mémoire et c'est tout ce qu'il me reste.

Elle rangea ses économies à côté, entendit un rire joyeux franchir l'encadrement de la fenêtre voisine.

Elle s'approcha de l'ouverture béante, sourit.

Son garçonnet, Antoine, était tout le portrait de Pascal, son défunt père. De grands yeux noirs, des joues rondes, une chevelure brune abondante et bouclée. Âgé de cinq ans, il se battait contre un pantin de paille avec l'épée que Pascal lui avait forgée dans l'atelier du ferronnier. Répondant à ses injonctions de reddition, Capucine, leur chèvre, bêlait depuis son enclos situé à une trentaine de pas de lui.

Myriam ne comptait plus les fois où son petit monstre assiégeait la pauvre bête, faisant de cet épouvantail la dernière garde à abattre pour enlever la place. Comme à l'accoutumée, il finit par l'abattre sous ses élans guerriers.

— Ahahah ! C'est moi le vaillant chevalier ! hurla-t-il en levant les bras au ciel.

Il courut presque aussitôt en direction de la barrière, escalada lestement les planches ajourées et s'assit dessus, recueillant la tête blanche de l'animal, complice, sur son genou. Il lui accorda une caresse, cherchant déjà une nouvelle épreuve chevaleresque, avant de relever le menton.

— Tu joues avec moi, Margaux ?

Myriam vit paraître sa fille.

— Parce que tu crois que je n'ai que cela à faire ! le rabroua la fillette, une main sur la taille, l'autre autour du panier de petit linge qu'elle avait calé au-dessus de sa hanche.

Elle tourna les talons et le cœur de Myriam se serra un peu plus devant son visage éteint, ses traits tirés.

Depuis quelques semaines, Margaux insistait pour accomplir les tâches ménagères à sa portée. Du haut de ses sept ans, elle avait compris que sa mère s'épuisait à son travail à l'auberge du village.

Myriam en avait conclu que sa fille craignait de la perdre comme elle avait déjà perdu son père. Elle avait tenté à de nombreuses reprises de la rassurer, sans y parvenir autrement qu'en lui permettant de la seconder.

Elle se détacha de la croisée, s'affaira devant le chaudron dans lequel bouillaient quelques légumes, préférant que Margaux la voie active et souriante. Jusque-là, elle avait réussi à lui cacher ses dettes, à négocier discrètement avec le viguier[1] pour garder cette maison.

---

1. Magistrat qui avait des fonctions analogues à celles du prévôt, dans le Midi de la France. Il était chargé du recouvrement des dettes, mais aussi de faire régner l'ordre et la justice.

Cela faisait trois mois à présent, trois mois que Pascal était tombé de cet échafaudage, trois mois qu'elle le pleurait, qu'elle s'efforçait de continuer, d'assurer le quotidien de sa famille.

Trois mois, et l'échéance que lui avait accordée le baron Raphaël était sur le point d'expirer. Si elle ne le payait pas, il saisirait ce terrain qu'elle lui devait. Ce terrain et cette maison que Pascal avait bâtie de ses mains.

La porte s'ouvrit sur Margaux.

— Il a encore éventré la quintaine[1], lâcha-t-elle, dépitée, en déposant son fardeau sur la table.

— Ce n'est pas grave. Je demanderai à Célestin de la rempailler.

— C'est la troisième fois, maman, s'énerva Margaux.

Myriam s'approcha d'elle, souleva son menton à l'ovale délicat, eut l'impression de se mirer dans ces pupilles dont la teinte était la réplique des siennes. Margaux avait aussi hérité de son petit nez fin et de son sourire qui lui remontait haut sur les pommettes.

Un sourire capable d'illuminer les anges, disait Pascal avec tendresse, faisant espérer à Myriam qu'il soit désormais à leurs côtés pour s'en régaler.

Restée leste malgré sa grossesse presque arrivée à terme, Myriam s'accroupit, attira sa fille contre elle et déposa un baiser dans sa chevelure disciplinée par la tresse. Un beau châtain aux reflets dorés qui répondait au sien.

— Je sais, chérie. Mais ton frère noie son chagrin dans cette curie, comme toi tu apprivoises le tien en aidant

---

1. Pantin de paille qui servait aux exercices de chevalerie.

mamée Séverine à sa couture et en m'assistant dans cette maison.

Margaux se blottit davantage contre elle.

— Moi je ne casse rien, se défendit-elle.

Myriam ne fut pas dupe. Sa voix s'était mise à trembler.

— C'est vrai. Mais tu es plus âgée. Et puis, tu sais bien que ce pauvre Célestin ne demande que cela, jouer avec Antoine, aider un peu. Si sa tête est vide, son cœur est empli de générosité. N'oublie pas que je le connais depuis l'enfance. Tu sais, nous sommes nés à quelques mois de différence. Et, comme moi, c'est un enfant trouvé.

Margaux se détacha d'elle, lui sourit.

— Alors, il est un peu comme votre petit frère…

Myriam éclata de rire.

— Un petit frère bien plus turbulent qu'Antoine ! J'ai cru mille fois qu'il se briserait le cou tant sa sottise l'empêche de voir le danger.

— C'est pour cela que Dieu protège les innocents, rebondit Margaux.

Myriam rajusta une mèche échappée de sa tresse, passa un index caressant sur l'arrondi de sa joue rosée.

— Exactement. Allons, aide-moi à ranger ce linge avant que ton frère ne déboule et ne ruine nos efforts.

Margaux acquiesça, son sourire revenu avec son désir de se rendre utile.

Lors, s'efforçant de le lui garder, Myriam se mit à chantonner.

2.

Vésubie, village d'Utelle
Auberge Le Fumet des cimes
20 juin 1494
Six heures du soir

La clochette de la porte retentit, faisant sursauter Élise qui s'activait de l'autre côté de la cloison. D'ordinaire, à cette heure, les habitués de l'auberge étaient encore à leurs travaux, la plupart d'entre eux œuvrant à la réfection de l'église. Il ne pouvait donc s'agir que d'un voyageur tardif.

— Pouvez-vous enfourner, Patrice ? demanda-t-elle au second cuisinier de son père en lui tendant la tourte qu'elle venait d'achever.

Le rouquin, d'une trentaine d'années, la débarrassa dans un sourire.

Du haut de ses vingt-cinq ans charmeurs, Élise frotta ses mains couvertes de farine à son tablier et, laissant les commis à leurs épluchures, passa sous l'arche de pierre qui reliait la cuisine à la grand-salle.

— Bonsoir ! lança-t-elle, chaleureuse, à la femme qui se tenait encore près de l'entrée, enroulée dans une pèlerine légère, les mains croisées devant elle sur une besace en cuir.

— Bonsoir, lui répondit-elle avec un fort accent.

Élise s'avança au mitan des tables déjà dressées. Myriam était de congé, aussi ses deux sœurs et elle avaient-elles dû prendre de l'avance. Christine et Catherine s'occupaient des chambres, tandis qu'elle remplaçait leur père, descendu chez l'un des éleveurs du village pour y choisir trois agneaux sur pied.

Aucune d'elles ne s'arrêtait jamais. C'était une constante de leur caractère, de cette énergie débordante qui les poussait à dormir peu et d'une certaine manière à tout gérer dans le sillage de leur père.

— Vous êtes ici chez maître Jacquot et je suis Élise, sa fille aînée, se présenta-t-elle une fois parvenue devant cette silhouette immobile, au visage encore dissimulé par le repli d'un capuchon.

L'étrangère le rabattit enfin, révélant un ovale mat, parfait, une chevelure d'un noir de jais. Elle aurait été d'une beauté à couper le souffle si ses traits n'avaient pas été si creusés et son regard serti dans des cernes violacés.

Un bruit sourd éclata soudain contre l'une des vitres, ajoutant une pâleur brutale sur ce visage défait.

Elle doit être bien fatiguée pour réagir ainsi, devina Élise.

Espérant la détendre, elle lâcha un petit rire.

— Deux jeunes écureuils ont élu domicile avec leurs parents dans le gros châtaignier que vous avez vu en arrivant. Ils s'envoient tout ce qu'ils trouvent. Le bon sens voudrait qu'on les déloge avant qu'ils ne brisent une de nos fenêtres, pourtant nous n'en avons pas le cœur. Ils apportent de la joie dans cette demeure.

— Et la preuve que vous êtes de bons hôtes.

— C'est pourquoi je ne vous laisserai pas plus longtemps sur le seuil. Rien n'est encore prêt en cuisine, mais je peux vous servir du vin en attendant, lui proposa Élise, peu convaincue par son sourire discret.

Tout dans l'attitude de la voyageuse, jusqu'à ces deux plis entre les sourcils, révélait une crispation profonde.

Elle ne répondit d'ailleurs pas à l'invitation de cette main qui lui désignait une table.

— C'est aimable à vous, damoiselle. Cependant je ne peux m'attarder. Je n'ai pas vu de fontaine en traversant le village, ce qui m'a incitée à entrer chez vous dans l'espoir que vous consentiriez à remplir ma gourde.

— En ce cas, donnez-la-moi. Et de grâce, asseyez-vous au moins le temps que cela me prendra. Vous avez l'air éreintée.

— Je le suis, c'est vrai. Merci, accepta enfin la visiteuse en écartant le pan de sa pèlerine.

Élise vit apparaître un long bliaud de lin crème, une ceinture de cuir tressé à laquelle, près de la gourde de peau qu'elle décrocha, était suspendu un sabre recourbé. Elle tiqua, se souvint des récits épiques que racontaient les chantres lorsqu'ils échangeaient leurs histoires contre un repas.

— Est-ce un cimeterre ? demanda-t-elle, cédant à sa curiosité.

La femme sembla hésiter, puis, devant cette main amie qui se refermait sur la vessie de peau, se fendit d'un signe de tête.

— En effet. Les dangers sont nombreux pour qui voyage loin. Je viens d'Égypte.

— Bigre ! s'enthousiasma Élise qui n'avait guère dépassé les limites de la Vésubie.

— J'ai abordé avant-hier à Nice, dans le sillage d'un haut dignitaire. Je l'ai laissé vaquer à ses affaires pour me rendre au sanctuaire de Notre-Dame qui m'a été recommandé, lui consentit la visiteuse en s'asseyant avec une grâce naturelle sur l'un des tabourets.

Élise fronça les sourcils.

— Est-ce votre destination au sortir d'ici ?

Elle acquiesça.

— Alors je crains qu'il ne vous faille revoir vos priorités. Dans moins d'une heure le sanctuaire sera bouclé et il vous en faudra deux, à pied, pour y monter. De sorte que vous vous retrouveriez là-haut sans asile et sous le manteau de la nuit. Avec les loups qui rôdent, croyez-moi, ce serait plus que hasardeux.

Le regard de l'Égyptienne se voila de terreur.

— Les loups... Oui... bien sûr... Les loups et les djinns...

Élise la vit resserrer ses doigts autour de sa pèlerine, comme si un froid brutal l'avait envahie. De nouveau les récits de croisade lui revinrent en mémoire, et avec eux l'existence des djinns, ces créatures surnaturelles qui, selon les sémites, peuvent tourmenter l'âme humaine.

Elle aurait parlé de démons, si elle était chrétienne, s'étonna Élise, avant de songer qu'en Orient les croyances populaires prenaient sûrement le pas sur la religion.

Quoi qu'il en soit, cette femme était bien trop épuisée pour continuer chemin.

— Je peux vous proposer une chambre si vous le souhaitez. Et vous y monter une part de tourte sitôt sa cuisson achevée.

Semblant s'arracher à d'horribles songes, l'Égyptienne posa sur elle un regard à nouveau hésitant.

Élise insista.

— Un escalier relie l'étage à la cour arrière qui donne sur la rue. Il vous suffira de l'emprunter au petit jour pour être sur la route du sanctuaire. Reposée et mieux à même, ainsi, de vous recueillir devant la Vierge.

Un soupir las ébranla l'Égyptienne.

— C'est entendu. Par contre, je vais vous régler d'avance de manière à partir aux prémices de l'aube.

— Bien, acquiesça Élise. Dès que vous serez installée, je vous rapporterai cette gourde pleine, ainsi que de l'hypocras. Cela vous ragaillardira un peu en attendant votre collation. Elle ne tardera pas, je vous le promets.

La jeune femme maintenait toujours sa besace devant elle, sur ses genoux cette fois.

— Je vais porter votre bagage, décida Élise en avançant sa main.

Une paume lui fit aussitôt barrage. Surprise, Élise marqua un mouvement de recul.

L'Égyptienne se leva, gênée.

— Pardonnez mon geste, damoiselle. Il était stupide en ce contexte. Seulement le résultat d'une méfiance acquise durant ces longues semaines de traversée, puis ces deux jours de voyage depuis Nice.

— Vous n'avez pas à vous excuser. Je comprends, assura Élise en désignant la porte derrière laquelle s'ouvrait le couloir qui menait vers l'étage des chambres.

Mais tandis qu'elle l'y précédait, elle ne put s'empêcher d'éprouver une détestable sensation. Le sentiment qu'elle s'était trompée. Que ce n'était pas sa fatigue ou la nuit que l'Égyptienne fuyait.

C'est autre chose. Quelque chose de terrifiant. En lien avec le contenu de son sac.

Un sac frappé du même symbole que celui qu'elle venait de voir, tatoué à l'intérieur de cette main dressée comme un rempart.

3.

Vésubie, Utelle
Sanctuaire de Notre-Dame
20 juin 1494
Sept heures du soir

Le tintement joyeux de la cloche de la chapelle emplit l'air parfumé, répondant à celui, assourdi, de ses sœurs de la vallée.

Vêpres, sourit Hersande en humant avec gourmandise l'odeur du pain chaud qui se dégageait du four situé à une trentaine de pas.

Ici, dans ces montagnes, le début de l'été était toujours enchanteur. Thym, origan, sarriette, romarin... Le moindre souffle appelait à fleurir une assiette.

Cumulant les fonctions d'herboriste et de révérende mère de cette petite communauté de femmes, elle passait d'une activité à l'autre sans bouder son plaisir. Mais cela lui laissait peu de temps pour le repos.

Depuis quelques minutes, elle était assise sur un banc de pierre et offrait son visage gracieux aux rayons du soleil déclinant. La lumière nimbait d'un gris doré le plateau de Notre-Dame, situé à une dizaine de lieues[1] de Nice, l'enveloppant de douceur.

1. Une lieue correspond à quatre kilomètres environ.

Quelques secondes encore.

Elle s'était mise à l'écart pour permettre aux nonnes de préparer tranquillement leur surprise. Son regard d'un vert profond, à peine souligné de pattes-d'oie et de ridules, balaya la vallée qui plongeait presque à ses pieds.

Elle aimait ce paysage de fin de journée, cet horizon de hauts sommets, le chemin bordé de châtaigniers et de pins sylvestres qui, serpentant d'étage en étage, menait au village d'Utelle en contrebas.

Un bruit de grelot, puis un bêlement répondirent au nouvel appel de la cloche. De nombreuses têtes moutonnaient sur les herbages du plateau.

À cette heure-ci, Camilla, la sœur portière[1], bouclait la chapelle et ce long corps de bâtiment qui leur servait de logis. Un petit prieuré qui n'en avait pas le nom tant, de toujours, le lieu avait été appelé « le sanctuaire ».

C'en était un. Pour ces marins qui, autrefois perdus en pleine tempête, avaient voulu remercier la Vierge de les avoir sauvés. Pour les quinze âmes de cette sororité.

Pour Hersande, jusqu'à ces trois derniers mois.

Son œil tomba sur le château qui dominait discrètement Utelle depuis son tertre rocheux. Malgré la distance qui l'en séparait, un peu plus de une lieue, elle pouvait deviner la ligne des remparts qui emprisonnaient le donjon carré, le corps de logis et ses annexes, à quelques coudées seulement du village.

Elle ne put réprimer un frisson.

---

1. Qui a la garde des clefs et la responsabilité d'ouvrir et de fermer toutes les portes.

À l'intérieur de cet enclos crénelé vivait le baron Raphaël Galleani. Raphaël et son terrifiant secret.

Raphaël.

Les terres du sanctuaire dépendant du château, c'était lui qui, cinq ans plus tôt, avait fait bâtir ces murs autour d'elle, qui l'avait incitée à y fonder une communauté. Dans l'unique dessein de mettre une distance physique entre eux.

Comme si cela avait suffi !

Elle sentit ses lèvres fines se gonfler, son nez aquilin frémir sous la brusque poussée de ce désir interdit qu'il éveillait en elle.

Elle essaya de repousser l'image obsédante de son corps nu contre le sien, de son souffle rauque sur ses seins, son bas-ventre.

Va au diable ! Si tu ne l'as déjà fait... Mais sans moi cette fois...

— On vous attend, Hersande.

Ses joues s'enflammèrent de honte. Elle les tourna vers la sœur portière qui l'avait surprise, espérant qu'elle y verrait seulement l'effet du soleil sur sa peau.

— Pardon, je rêvassais.

Le visage creusé de la sœur portière se fendit d'un sourire affectueux.

— Ne vous sentez pas coupable. Cette douceur ferait presque oublier tout le reste !

Hersande chassa ses pensées pour revenir à la réalité.

— Je voudrais que vous le puissiez aussi, assura-t-elle en remontant la butte qui les séparait.

— Je m'y essaie. Allons, venez ! insista la sœur portière en lui tournant le dos pour l'inviter à la suivre.

Hersande ne put s'empêcher, une fois de plus, de louer son courage.

Camilla était une fille solide, charpentée, aux cheveux noirs, épais, qui encadraient des traits un peu grossiers. Une impression donnée par un nez droit légèrement disproportionné, des sourcils broussailleux et une bouche trop épaisse. Hersande l'aimait surtout pour sa piété et sa droiture sans faille, faisant d'elle une amie, un roc sur lequel elle pouvait s'appuyer.

Depuis le début du trimestre, pourtant, ce roc était ébranlé. La souffrance rongeait les os de la sœur portière. Sa jambe droite était la plus attaquée, aiguillonnée par intermittence de coups de poignard. Ils la frappaient, retombaient, frappaient à nouveau, la forçant parfois à mettre un genou à terre. À d'autres moments, elle se disait grignotée de l'intérieur. Comme si des rats se repaissaient de son tibia. Les poussées n'obéissaient à aucune logique. Et des poches prononcées rétrécissaient ses yeux gris, d'ordinaire rieurs, faisant saillir la petite verrue sur sa pommette gauche. Un crève-cœur pour Hersande, impuissante à la soulager.

Même si Camilla refusait tout élan de pitié.

Elle suivit la nonne boitillante jusqu'à la porte du réfectoire, pénétra derrière elle dans la longue pièce voûtée aux niches garnies de chandelles.

— Joyeux anniversaire, Hersande ! lança sœur Adélys la première en s'avançant vers elle.

Hersande la serra dans ses bras.

— Était-ce bien la peine ?

— Quarante ans, ma mère. C'est un grand âge. Vous devriez vous ménager…

Hersande éclata d'un rire clair, sachant combien les piques moqueuses de la jouvencelle étaient le fruit de sa tendresse.

Hersande la lui retournait généreusement. Sœur Adélys était d'une ferveur intense depuis que la Vierge lui était apparue alors qu'elle venait d'avoir sept ans. Sa mère la leur avait confiée à douze, peu de temps après que ce lieu eut été construit. Si bien qu'elle pouvait s'enorgueillir, malgré son jeune âge, d'être l'une des plus anciennes de leur communauté. De fait, elle en illuminait le quotidien. Même si, Hersande devait le reconnaître, elle paraissait triste depuis que Camilla dépérissait. Adélys lui était profondément attachée.

Elle prit le temps d'embrasser chacune, d'ouvrir leurs présents.

Au moment de passer à table, la nuit s'était installée et une ombre sur l'un des murs accrocha son regard. Elle n'y aurait pas prêté attention s'il ne lui avait semblé qu'elle s'était mise à ramper, refusant de suivre la logique du mouvement des autres, généré par la lueur des bougies.

Glacée, elle observa cette chimère se détacher de la paroi et disparaître.

— À quoi pensez-vous ? s'étonna Camilla qui venait de prendre place à sa droite sur le banc.

Hersande se réchauffa à son sourire, posa la main sur son bras et murmura, pour chasser le détestable sentiment qui venait de l'envahir :

— Que demain sera aussi une belle journée.

4.

Combe d'Utelle
20 juin 1494
Huit heures du soir

Myriam débarrassa d'une main leste l'écuelle de son fils. Antoine ne tenait plus les paupières ouvertes et, tout comme Margaux, assise en face de lui, elle voyait arriver le moment où il allait s'affaler sur la table, envoyant tout valser.

— Au lit, ordonna-t-elle en lui piquant un baiser sur le haut du crâne.

— J'ai pas dit bonne nuit à Capucine, se défendit-il alors même qu'il venait de bâiller à s'en décrocher la mâchoire.

— Je crois qu'elle ne t'en voudra pas, lui objecta Myriam.

Il pivota sur son tabouret, chercha ses yeux et y plongea les siens, aussi charmeurs que suppliants.

— S'il vous plaît, maman, rien qu'une minute.

Myriam se sentit fondre. Elle avait beau lutter, par moments c'était Pascal qu'elle revoyait devant elle ; Pascal qui savait toujours la faire plier.

Antoine le sentait, en jouait. Il joignit ses mains en prière.

— Vous savez bien qu'elle a peur des loups, renchérit-il. Je dois lui dire qu'elle ne risque rien dans sa cabane. Que la Madone veille sur elle. S'il vous plaît. Je ferai vite, vite...

Margaux poussa un soupir exaspéré.

— Je vais l'accompagner, maman.

Myriam lui décocha un sourire soulagé.

Elle ne se voyait pas ressortir maintenant pour caresser la chèvre. Son ventre la tiraillait. Elle n'avait qu'une seule journée de repos par semaine. Non qu'on ne lui en eût pas accordé d'autre, mais c'était tout ce que, financièrement, elle pouvait se permettre.

Et il y avait tant à faire ! Ramasser du petit bois dans la forêt attenante, les œufs dans le poulailler, désherber le potager à présent que la végétation explosait. Arroser aussi, ce qui nécessitait de monter et de descendre jusqu'au torrent pour emplir la cuve de pierre que Pascal avait juste eu le temps d'achever. Sans compter la cuisine, le ménage. Sa maison n'était pas bien grande – cent quatre-vingts coudées au carré –, située à dix minutes à pied du village et de l'auberge Le Fumet des cimes. Pourtant, après son service, elle n'avait le courage de rien.

Réveillé par le plaisir de son entreprise, Antoine avait bondi de son siège. Il tournait déjà la clef dans la serrure.

— Allez, Margaux ! trépigna-t-il en la voyant mollement allumer une lanterne.

— Pas plus de quelques minutes, ordonna Myriam à son trublion.

— C'est proooomis ! assura-t-il en filant, de peur qu'elle ne se ravise.

Margaux referma derrière elle et Myriam vit trembler la lueur du falot au travers de la vitre. Attentive, elle s'attarda derrière.

Les loups s'avançaient rarement jusque-là, surtout en cette saison où le gibier abondait sur les hauteurs. Néanmoins, sa maison était proche de la paroi étagée qui, à cet endroit, dominait la combe. Et elle craignait toujours que l'un d'eux ne s'embusque sur le gros rocher qui la surplombait. Elle n'avait pas besoin d'un malheur supplémentaire.

Elle vit la lanterne se déplacer dans l'enclos jusqu'à l'abri que Célestin, le benêt du village, avait bâti pour satisfaire aux angoisses d'Antoine. Puis revenir quelques minutes plus tard, preuve que Margaux avait tenu bon face à son frère que rien ne rassasiait.

Rassurée, elle se dirigea vers le lit pour le défaire et ôter les sachets de lavande des oreillers.

Antoine passa la porte le premier, l'air boudeur, quand sa sœur affichait un visage satisfait.

— Elle a dit que si je traînais, elle me bouclait avec Capucine ! Sans lumière et sans mon épée ! râla-t-il en fondant sur sa mère.

Myriam se retint de rire.

— Puisque tu t'y es refusé, il ne te reste plus qu'à te dévêtir et à te débarbouiller.

Il repoussa les mains de sa sœur prête à l'aider, ronchonna dans son menton. Cinq minutes plus tard, il était couché contre elle et ronflait.

Myriam repoussa les volets intérieurs avant de se couler elle aussi dans les draps parfumés. Sa journée serait longue demain.

Elle déposa un baiser sur l'arrondi de l'épaule de Margaux, moucha la chandelle, ferma les paupières et joignit les mains sur son gros ventre.

Elle s'efforça de ne penser à rien mais une chouette hulula dans l'un des arbres de la clairière, faisant renaître l'écho d'une étreinte sensuelle, ardente. La dernière dont l'avait couverte Pascal, à quelques pas de l'enclos de Capucine.

Les enfants grandissant, c'était souvent dehors qu'ils jouissaient l'un de l'autre à la nuit tombée. Dans l'attente que Pascal rebâtisse leur maison, en beaux moellons cette fois, et y ajoute une pièce. Il aurait dû la commencer à la fin du chantier de l'église d'Utelle sur lequel il travaillait.

Un rêve qu'ils avaient nourri ensemble et qui s'était brisé le 10 mars dernier.

Pressé de poser la pierre qu'il venait de monter, Pascal avait fait fi du froid et de la brume matinale. Il avait glissé sur une fine pellicule de verglas qui recouvrait le bois de l'échafaudage. Il était tombé.

Bouleversée à nouveau, elle refusa l'image de son aimé, le crâne ouvert, hoquetant dans ses bras un « pardon » en guise de dernier souhait.

— C'était son heure. Et la Madone le veille en sa sainte garde, avait voulu la réconforter le prieur Grimaldi en charge des âmes d'Utelle.

Ce jour-là, elle n'avait vu de son ancien tuteur que sa face de gargouille et le chagrin qui la révulsait.

Impuissants, les autres maîtres d'œuvre, descendus en masse de leurs échelles, s'étaient contentés de se signer. Aucun n'avait compris qu'elle perdait bien plus qu'un mari, le père de ses enfants ou celui qui rapportait l'argent du foyer. Elle avait dit adieu à l'être qu'elle aimait.

Elle n'en voulait à personne. Et moins encore au tailleur de pierre qui l'avait remplacé quelques jours après, refusant de croire à ce vieil adage selon lequel, pour combattre le mauvais sort, il fallait se tenir éloigné de celui qui remplaçait un mort sur un chantier. Maître Benoît séjournait à l'auberge. Elle le servait, lui parlait, s'autorisait à rire, refusant qu'on le laisse isolé. Las, son deuil de Pascal était loin d'être fait.

Une larme coula le long de sa joue. Elle la laissa caresser la pulpe de ses lèvres, comme un baiser humide, inachevé.

Tu me manques, mon amour… Tu me manques tellement, murmura-t-elle en se berçant de l'éclat de son sourire.

Lors, elle n'espéra plus que s'endormir vite pour qu'un rêve le ramène à ses côtés.

5.

Sanctuaire de Notre-Dame
21 juin 1494
Huit heures du matin

Le soleil avait achevé son ascension derrière les sommets enneigés, aussi Hersande s'écarta-t-elle de la petite fenêtre à meneaux qui donnait sur la vaste étendue désertique du plateau.

Le froid l'avait tirée du lit et menée jusqu'à son cabinet de travail. Elle frotta ses mains l'une contre l'autre, souffla sur ses doigts pour les réchauffer, mais ne put contenir un frisson – ce qui ne lui arrivait jamais en cette saison. Elle resserra son châle autour de ses épaules.

Adélys a raison, je vieillis, soupira-t-elle au souvenir des présents que les sœurs lui avaient offerts la veille pour son anniversaire.

Une nouvelle paire de gants, un miroir enchâssé dans une de ces pierres luminescentes dont la montagne était truffée, un peigne de corne, un nouveau codex pour ses recettes, un herbier… Tant d'attentions qui avaient vu le jour en secret au fil des semaines et de leurs doigts agiles. Tant d'attentions qui montraient la place qu'Hersande tenait dans leur cœur et au sein de la sororité.

Émue, elle s'installa devant son écritoire qu'une bougie de belle cire éclairait. Elle frappa dans ses mains pour les désengourdir puis nota dans son registre le nombre de pots de miel vendus la veille.

D'ordinaire, leur communauté tirait ses revenus de ses ruchers auxquels s'ajoutait la vente de fromages de brebis, de confitures de pissenlits, de mûres, de châtaignes, et de tisanes aux multiples vertus. Et depuis sept mois, leurs recettes avaient doublé grâce à la présence des bâtisseurs à Utelle.

Ils rénovaient et agrandissaient l'église sous l'impulsion du baron Raphaël. Une heureuse initiative, qu'elle aurait plus encore approuvée s'il n'avait pas confié la surveillance des travaux au prieur Grimaldi. Elle appréciait peu le religieux. C'était un être pétri d'ambition qui la jalousait. Elle n'avait jamais réussi à savoir s'il avait été marri qu'on lui confie la garde du sanctuaire ou soulagé que le baron l'ait éloignée de la vallée, lui réservant ainsi, à lui, tout pouvoir spirituel sur ses habitants.

Quoi qu'il en soit, le prieuré d'Utelle se trouvant au bas du village et au carrefour des routes de Notre-Dame, du sel et de Nice, Claudio Grimaldi en profitait pour vendre à prix d'or l'huile tirée de ses oliviers, ce qui grevait considérablement le budget d'Hersande.

Elle aurait pu se servir ailleurs, las, le fourbe en soutane louait son moulin fort cher aux autres producteurs d'huile de l'Université[1], au prétexte qu'il était le mieux placé.

Une manne pour le prieuré.

Du coup, Hersande lui parlait peu. Elle se contentait de banalités lorsque chaque mois elle descendait au village

1. Groupement de plusieurs communes en Vésubie. Ce qui s'apparenterait aujourd'hui à une communauté de communes.

pour verser au baron Raphaël la part des bénéfices qui lui revenait.

Refusant que son esprit ne réinvente leur dernière étreinte aux portes mêmes de ce sanctuaire, elle se replongea dans ses comptes. Durant quelques secondes, le crissement de la plume sur le parchemin couvrit le sifflement du vent dans la cheminée. De nouveau glacée, elle posa un œil inquiet sur les flammes qui se couchaient, prêtes à s'éteindre. Le feu tardait à ronger les bûches qu'elle avait déposées dans le foyer à son arrivée.

Tout de même… C'est curieux… Ce froid en moi. Cet âtre agonisant…

Elle se signa, rattrapée soudain par le souvenir de cette ombre rampante sur le mur, hier au souper. Souvenir effacé par la joyeuse soirée qui avait suivi.

Son cœur se tordit, frappé de certitude.

Quelqu'un va mourir.

Il y avait longtemps qu'elle n'avait plus éprouvé de sentiments prémonitoires. Des années. Elle en avait presque oublié la sensation détestable.

Oui. Ce ne peut être que cela. Quelqu'un va mourir. Quelqu'un de proche, se répéta-t-elle, oppressée.

Elle se leva, s'empara d'un tisonnier et piqua les braises pour les inciter à mordre le bois. Une gerbe de flammèches remonta dans le conduit. D'ordinaire, elle s'en serait réjouie. Elle recula, surprise.

Quelle fantaisie te saisit donc encore ?

L'espace d'une seconde, il lui avait semblé que cet entrelacs formait un visage cornu.

Elle sursauta aux trois coups qui ébranlèrent la porte.

Une voix alarmée s'éleva derrière le battant :

— Hersande ?

Elle ramassa le tisonnier lâché abruptement et l'appuya contre le montant de la cheminée sur lequel grimpait une salamandre de pierre.

Elle ouvrit à la sœur portière, fronça les sourcils devant sa main qui tremblait autour du bougeoir.

Elle souffre de plus en plus.

Jusque-là, elle s'était persuadée que Camilla était atteinte du mal qui tord les êtres, déforme les silhouettes jusqu'à les faire ressembler à des racines noueuses. Rien qui soit mortel.

Me serais-je trompée à son sujet ? s'interrogea-t-elle, désemparée.

Un crépitement plus ardent dans son dos lui apporta la certitude, enfin, que le feu venait de prendre. Elle préféra y voir la fin de sa superstition. Et chassa son détestable pressentiment.

— Voulez-vous vous réchauffer un peu ? lui proposa-t-elle en s'écartant du passage.

L'œil de Camilla s'arrêta, tenté, sur la flambée, puis elle secoua la tête.

— Non, non ! Je ne suis pas venue pour cela. Une femme vient d'arriver.

Le long corps malade de Camilla fut parcouru de frissons. Elle se signa furtivement, ajouta :

— Une Égyptienne. Elle m'a ouvert sa main, m'a montré son tatouage…

Instinctivement, Hersande retint son souffle.

— … La croix dans le triangle. Aucun doute possible, Hersande. C'est l'une d'entre elles.

6.

Sanctuaire de Notre-Dame
21 juin 1494
Huit heures dix du matin

— Asseyez-vous, je vous prie. J'imagine que vous devez être lasse. Sœur Camilla est partie vous préparer une collation. Avez-vous débarqué à Nice ? Quand ? enchaîna Hersande.

— Est-ce important ? la coupa l'Égyptienne.

Dans ses yeux de jais crayonnés de cernes profonds, Hersande lut de l'arrogance. Soulignée par son accent qui faisait claquer le françois comme une injure.

Malgré ce froid en elle dont elle connaissait désormais l'origine, Hersande redressa le buste.

— Rien ne l'est sinon ce message que vous transportez. Mais Dieu nous a voulues humaines, vous comme moi. Et je n'entends pas donner à Sa création moins de valeur qu'à Ses vœux. Vous êtes fatiguée. Et moi troublée. Deux raisons qui nous autorisent à converser.

L'œil de l'Égyptienne fulmina avant de s'éteindre, comme fauché par un vent intérieur. Elle dénoua les lacets de sa cape de voyage et la lui tendit. Avec une grâce presque aérienne, elle s'installa enfin sur le siège qu'Hersande, les bras chargés, persistait à lui désigner.

— Vous faites partie de l'Ordre. Vous en connaissez et en avez accepté la mission sacrée. Vous savez donc que les mots sont inutiles.

Hersande accrocha la pèlerine à une patère, près d'une niche dans laquelle trônait un coffret, ajouta quelques bûches dans l'âtre, puis s'installa derrière son écritoire.

— Certes. Néanmoins aucune de nous n'est vraiment préparée à ce que cela arrive. L'étiez-vous ?

Pour toute réponse, l'Égyptienne détourna les yeux, fouilla dans sa besace et en sortit un papyrus replié sur lui-même. Lorsqu'elle le lui tendit, ses doigts tremblaient.

Elle en a peur...

Hersande s'en saisit avec moins d'assurance qu'elle n'en laissa paraître. Lut :

« Vésubie »... Aucun doute. C'est à moi qu'il est destiné.

Elle reposa le billet devant elle.

Plus jeune, lorsqu'elle avait été recrutée par l'Ordre, elle s'était posé mille questions. Où se trouvait la roue ? Comment tournait-elle ? Depuis quand ? Qui veillait ? Par qui avaient été choisies les familles d'exécuteurs divins ?

En grandissant, elle avait découvert les différents protocoles. Seul l'emplacement de la roue était resté inconnu. Pour protéger son secret. Elle l'avait admis. Frustrée pourtant dans sa nature curieuse. Laisserait-elle passer l'occasion de le savoir enfin ? On racontait que le billet ne devait pas passer de main en main jusqu'à son destinataire, que c'était à celle qui le récupérait au pied du temple de le délivrer.

Elle croisa les mains devant elle.

— L'Égypte. C'est donc là que la roue se trouve. J'imagine que vous ne me direz pas où exactement.

Un voile ombragea à nouveau les traits de la visiteuse. Hersande y répondit par un sourire contrit.

— Vous êtes celle qui transmet le papyrus, moi celle qui doit donner l'ordre de tuer. Laquelle de nous a la tâche la plus facile, à votre sens ?

— Vous ne savez pas de quoi vous parlez.

— Vraiment ? Il y a un assassin potentiel en Vésubie. Un être qui prie peut-être en ce moment même dans l'espoir de n'avoir jamais à lever la main sur l'un ou l'une de ses semblables. Et qui devra pourtant se convaincre de combattre son tempérament, ses réticences, sa nature profonde pour accomplir la volonté de Dieu.

— C'est son rôle.

— Mais pas sa décision. Vous comme moi avons eu ce choix, à l'enfance. Nous nous sommes engagées dans l'Ordre. Hériter de la charge d'exécuteur divin ne fait pas d'un innocent un criminel.

Pour la première fois depuis son arrivée, l'Égyptienne parut troublée.

— Je n'avais pas réfléchi à cela, j'en conviens. Êtes-vous proche de l'exécuteur ?

Hersande sentit une profonde tristesse l'envahir.

— À votre avis ? N'est-ce pas ce que l'on nous recommande, à nous qui, dans chaque contrée, attendons ce jour ?

L'Égyptienne sembla brusquement mesurer le poids qu'Hersande portait sur les épaules depuis que Camilla lui avait annoncé son arrivée. Elle se décomposa.

— Alors vous devez connaître la vérité.

La terreur qui venait de s'inscrire dans son regard en dissuada pourtant Hersande.

— Point n'est besoin, au final. Vous détenez ce secret. J'en détiens un autre. Chacune de nous fut bénie par Dieu. Je vais vous conduire au réfectoire.

Mal à l'aise soudain, elle repoussa sa chaise et marcha jusqu'à la patère. Elle n'aspirait plus désormais qu'à être seule, à découvrir le nom inscrit sur le papyrus et à le délivrer à son tour. Elle entendit l'Égyptienne se lever dans son dos, pivota pour lui rendre sa pèlerine de voyage. La trouva livide, crispée.

— C'était ma sœur, grinça la messagère entre ses dents en évitant de la regarder.

Hersande s'immobilisa, le vêtement au bout du bras.

— Plaît-il ?

Un mouvement du menton désigna le billet qui trônait toujours sur l'écritoire.

— Enfermée dans la crypte, avec la roue... c'était ma sœur.

Hersande marqua un temps.

— C'était ?

Prise d'un vertige, la jeune femme vacilla et Hersande se précipita pour l'aider à se rasseoir.

— J'avais raison. Ce long voyage. Vous êtes épuisée.

L'Égyptienne s'agrippa à ses manches et l'attira au-dessus de son visage défait. De la superbe affichée à son entrée, il ne restait plus rien.

Comme si on lui avait arraché un masque.

— Vous ne comprenez pas. Du sang. Il y avait du sang partout. Un sang rouge, caillé, qui maculait la petite ouverture dans le mur par laquelle, chacune à notre tour, nous lui portions à manger.

Hersande se tendit.

— De quoi parlez-vous ?

Il y avait de la folie dans ces pupilles.

Est-ce la même femme ? On la dirait happée par les ténèbres.

Elle frissonna, tenta de se libérer de ces serres qui lui broyaient les bras au travers du tissu. L'Égyptienne n'entendait pas la lâcher.

— J'ai vu le message à terre. J'ai appelé, appelé, elle n'a pas répondu. C'est alors que j'ai compris que quelque chose lui était arrivé. Quelque chose de terrible. J'ai ramassé le billet et j'ai couru prévenir les autres. Elles voulaient que je parte immédiatement pour vous le remettre, mais je devais savoir, avant. On a ouvert le passage. J'étais là quand la précédente gardienne en était sortie, l'air exaltée. J'étais là, assistant à sa joie, partageant la lumière dont Dieu l'avait baignée. Elle rayonnait d'une félicité sans nom. J'avais toujours espéré que ce serait ainsi que je reverrais ma sœur...

Hersande acquiesça par réflexe quand tout en elle, pourtant, s'était figé.

— Anabeth. Elle s'appelait Anabeth. Nous avons crié son nom. En même temps. Cela n'a servi à rien. On l'a trouvée morte. Debout, inexplicablement plaquée à la paroi. Déchiquetée de la tête aux pieds à l'exception de ses yeux. Oh mon Dieu, ses yeux...

Elle relâcha brutalement Hersande pour prendre son visage dans ses mains. Hersande recula, tour à tour brûlante et glacée. Elle heurta le mur derrière elle, sursauta et s'en dégagea aussitôt, comme si, à l'image de cette Anabeth, elle allait y rester collée.

Son œil terrifié accrocha le papyrus et elle comprit alors combien il avait fallu de courage, de sang-froid à cette femme pour le lui porter après cette épreuve. Tout aussitôt elle en prit la mesure, comme si une part d'elle-même avait jusque-là refusé de l'intégrer.

Le diable. Qui d'autre aurait voulu punir Anabeth ?

Elle revit l'ombre sur le mur du réfectoire, le visage cornu rougeoyant de flammes.

Il est là. Déjà... Pour m'empêcher de délivrer le message ?

Elle devait savoir qui Satan entendait protéger au point de sortir des enfers avant l'heure. Qui était son ou sa prisonnière, cet être à l'âme pervertie qui participerait un jour au règne des ténèbres sur Terre.

Elle se jeta sur le billet, déchira le scellé.

Un nom. Une date.

Il lui sembla que le sol se dérobait sous ses pieds.

Lorsque Camilla entra dans la pièce après avoir longuement frappé, elle trouva l'Égyptienne dévastée et Hersande toujours hébétée.

7.

Sanctuaire de Notre-Dame
21 juin 1494
Midi

Luttant contre cette douleur qui lui grignotait la jambe, Camilla se hâta sur le chemin déroulé devant elle.

Voilà un long moment qu'elle cherchait Hersande. Elle avait finalement compris qu'elle la trouverait au rucher. Là où son amie se rendait toujours lorsqu'elle était soucieuse.

Et ce n'était pas peu dire, au vu de l'état dans lequel elle l'avait trouvée en entrant dans le cabinet. Même si Hersande s'était brusquement ressaisie, empochant le papyrus fébrilement et recommandant à l'Égyptienne de prendre un peu de repos avant sa collation. Elle lui avait même offert sa chambre. Camilla en avait conclu qu'elle voulait la soustraire à la curiosité des jeunes nonnes.

Elle s'était attendue à ce qu'Hersande lui en explique les raisons. Or, elle avait disparu. Et cette attitude ne lui ressemblait pas.

Elle l'aperçut enfin qui s'activait au bout du tertre, à l'opposé du sanctuaire.

Des abeilles bourdonnaient autour d'elle. La fumée qui s'échappait de l'encensoir ne suffisait pas à les éloigner. Les gestes d'Hersande étaient brusques, hachés, contraires à ses habitudes, attirant les piqûres. Et Camilla sentit croître son inquiétude.

Alertée par le crissement de ses pas sur le gravier, l'herboriste consentit enfin à tourner la tête vers elle. Elle déposa la hausse emplie de miel avec les autres dans sa brouette et s'avança aussitôt vers elle, suivie par un discret nuage d'abeilles.

— Vous n'auriez pas dû venir jusqu'ici, s'inquiéta-t-elle devant sa démarche altérée.

— Il le fallait bien. Vous me fuyez depuis ce matin, lui reprocha Camilla, refusant de lui accorder plus de sursis.

Hersande lui passa un bras sous les omoplates et la soutint jusqu'à un rocher qui affleurait la crête.

Elle l'aida à s'y asseoir avant de soupirer.

— Je ne vous fuis pas. J'avais besoin d'être seule. Ne m'en voulez pas.

— Je ne vous en veux pas, affirma Camilla.

Hersande lui décocha un sourire soulagé.

— Notre visiteuse est-elle partie ?

— À l'instant, oui. Elle était pressée de redescendre. Un navire quitte Nice pour Alexandrie dans trois jours.

Hersande laissa son œil courir sur l'horizon. Au-delà des montagnes qui lui faisaient face, la mer rejoignait le ciel en un simple trait d'un bleu plus prononcé. Elle se détendit un peu.

— C'est aussi bien. Personne ne s'est douté que ce n'était pas une visite ordinaire ?

Camilla étira sa jambe pour la masser.

— Non. Nos sœurs avaient pris place derrière les éventaires et auprès des premiers pèlerins quand je l'ai discrètement conduite au réfectoire. Lorsqu'elle s'est ensuite rendue dans la chapelle pour prier, toutes ont cru qu'elle venait d'arriver. Le seul émoi qu'elle ait provoqué fut celui lié à son origine. Elle a su mentir avec aplomb, affirmant qu'elle représentait un haut dignitaire égyptien et qu'elle se rendait auprès du duc de Savoie en son nom. Que c'était lui qui lui avait vanté ce lieu. Qu'elle avait voulu juger de sa piété par elle-même. La curiosité est vite retombée.

— Tant mieux, se rassura Hersande en battant de nouveau l'air autour d'elle.

Les abeilles refusaient de la lâcher.

Camilla saisit sa main, l'obligeant à plonger dans son regard malgré le filet qui recouvrait son visage, leur donnant soudain à toutes deux l'impression de se retrouver face à face dans un confessionnal.

— Je sais que vous ne pouvez pas me révéler le nom qui figure sur le papyrus, pas plus que vous ne pouvez me donner celui de son exécuteur, que c'est contraire aux règles de l'Ordre. Et je ne vous les demande pas, Hersande. Mais c'est la première fois depuis que l'on se connaît que je vous vois dans pareil état. Je m'en inquiète.

— Vous ne devriez pas. C'est mon fardeau. Je pensais juste y être préparée.

— À d'autres ! s'emporta Camilla. C'est vous qui m'avez recrutée pour vous succéder s'il vous arrivait quelque chose. Vous qui m'avez formée. Et je sais que ce qui vient de se produire n'est pas normal. Alors dites-moi au moins ce que je dois redouter.

Camilla la vit chanceler et tout aussitôt se ressaisir. Visiblement, Hersande hésitait à lui causer plus de souci encore. Elle s'agaça. Si à trente-huit ans elle avait désormais l'air d'une vieille femme, elle était toujours capable d'assister son amie dans la détresse.

— Je vous en prie, Hersande, insista-t-elle.

Vaincue, l'herboriste se laissa choir à côté d'elle.

— Le diable, murmura-t-elle. C'est le diable que nous avons à redouter.

— N'est-ce pas déjà lui que nous combattons au travers des ordres divins ?

Hersande acquiesça, puis lui rapporta le récit de l'Égyptienne.

Lorsqu'elle eut terminé, une brise légère avait rabattu les abeilles en direction des ruches. À l'exemple d'Hersande, Camilla retira son capuchon. Elle était exsangue et semblait manquer d'air. Elle aurait tout imaginé, sauf cela.

— Comprenez-vous pourquoi je me suis isolée ? Je ne voulais pas que nos filles me voient dévastée, ajouta l'herboriste.

— Oui. Oui. Bien sûr…

S'efforçant au calme, Camilla inspira profondément. Un peu de couleur regagna ses joues.

Elle pressa la main d'Hersande dans la sienne.

— … Mais l'Égypte est loin. Si le diable avait voulu que ce message ne parvienne pas à destination, il aurait abattu le navire qui le transportait en pleine mer. Ou bien il aurait fait tomber cette femme du pont qui traverse la Vésubie, glisser en contrebas d'un sentier. Les occasions ne lui ont pas manqué.

— C'est vrai, concéda Hersande qui, tout à son tourment, n'avait pas analysé la situation objectivement.

— Un animal sauvage n'aurait-il pas pu simplement se glisser dans le temple ? se jeter sur la gardienne de la roue ? Avant de ressortir, chassé par Dieu lui-même, trop tard cependant pour qu'elle ait pu survivre à ses griffures ?

Son argument dut faire mouche, car la terreur contenue dans les prunelles d'Hersande sembla rebrousser chemin. Elle esquissa même un sourire.

— Ma foi. Vous avez peut-être raison. Tout cela a peu de sens en vérité.

— Vous me l'avez enseigné vous-même. La peur est un mauvais maître. Tout ce qui passe par son prisme est exagéré. Comment croyez-vous que je combatte ces fulgurances dans ma chair ? En refusant d'y voir ma fin. C'est la raison pour laquelle, sitôt fini de manger, je descends chaque jour à la source miraculeuse.

— Elle ne vous apporte guère pourtant, lui objecta Hersande, pragmatique cette fois.

— Si. Elle m'oblige à marcher pour m'y rendre. À faire des efforts pour remonter le sentier. À mettre la souffrance au défi.

— Votre courage est un exemple pour nous toutes, mon amie.

— Alors relevez la tête et faites ce que vous devez. Remettez ce billet à qui de droit et moquez-vous du diable. Nous sommes dans un sanctuaire ici, que voulez-vous donc qu'il nous arrive ?

Pourtant les yeux d'Hersande s'embuèrent.

— Je ne sais pas, Camilla. Je me sens si perdue. Même si ce que vous dites est cohérent et juste, je n'en reste pas moins confrontée à la pertinence de ce billet.

Camilla haussa un sourcil, faisant remonter la verrue de sa pommette.

— Mettriez-vous en doute l'omniscience de Dieu ?

– Oui, lâcha Hersande dans un souffle, craignant presque un châtiment immédiat.

Camilla se figea. Autour d'elles, tout n'était plus que silence. Même les abeilles avaient cessé de bourdonner.

– Oui, reprit l'herboriste, plus bas encore. Car je suis sûre que c'est un être innocent qu'il a condamné.

8.

Auberge Le Fumet des cimes
21 juin 1494
Une heure de l'après-midi

— Et à moi ? Tu y penses à moi, ma tourterelle ?

— Je ne fais que cela, maître Georges ! Mais je n'ai que deux mains, s'excusa Myriam en s'éloignant du charpentier pour louvoyer entre les tables.

L'auberge était pleine et le bruit se répercutait entre les poutres du plafond, rebondissait sur les murs blanchis à la chaux, cascadait sur les étagères pour ressortir comme une envolée d'oiseaux crieurs par le conduit froid de la vaste cheminée de pierre.

Habituée au vacarme, fait de rires et de conversations, Myriam déposa son plateau devant les quatre hommes qui se tenaient sous la fenêtre.

— Une omelette aux cèpes, un ragoût de lapin et deux coquelets aux asperges. Je vous souhaite un joyeux appétit, messieurs, lança-t-elle avant de se glisser péniblement entre deux tabourets pour retourner en cuisine.

— Voilà ce que c'est que d'être grosse ! s'esclaffa l'un des attablés en avançant son siège.

— Moquez-vous, maître Siméon !

Elle lui froissa la tignasse d'un geste vif au passage, arrachant un éclat de rire à ses compagnons et un clin d'œil aux trois filles de Jacquot : son amie, Élise, une belle brune du même âge qu'elle ; Christine, une jolie blonde aux yeux clairs ; et Catherine, la cadette, aussi vive qu'un furet du haut de ses vingt ans.

Myriam avait commencé à travailler à l'auberge après la mort de Pascal et Jacquot la payait plus que ne le voulait la règle. Elle ne se voyait pas lui en demander davantage. Encore moins lui avouer que c'était insuffisant pour la libérer de ses dettes.

À chaque jour sa peine, se répéta-t-elle comme chaque fois qu'elle était face à un problème.

Pour l'heure, elle avait ce service à gérer et un second qui suivrait, tout aussi éreintant, le nombre des affamés étant, depuis le chantier de l'église, devenu plus grand que ne pouvait en contenir la pièce. Refusant d'y penser, elle passa sous l'arche de pierre, se retrouva aussitôt dans la cuisine.

Vaste et voûtée, la salle embaumait de parfums d'épices et de rôts caramélisés. Courant des fours aux chaudrons, les marmitons suaient à grosses gouttes. Quant aux commis, ils ruisselaient en tournant de longues broches sur lesquelles doraient lapins, pigeons et coquelets.

Myriam se planta devant Jacquot. Le cheveu noir en bataille, la figure ronde et couperosée, le maître des lieux s'activait comme quatre malgré sa petite stature et un généreux embonpoint.

— Ah ! te voilà. Juste à point, ma jolie, la salua-t-il d'un franc sourire en défournant une tourte.

Il la déposa sur son plateau, en ajouta trois autres qui attendaient sur un comptoir de pierre, entre deux cassolettes et plusieurs pâtés en croûte.

— Pour le charpentier et ses deux ouvriers. La dernière pour maître Benoît.

Elle repartit avec son fardeau et zigzagua jusqu'à la tablée du charpentier autant que son ventre le lui permettait.

— Encore un peu et je tournais de l'œil, assura-t-il en lorgnant avec convoitise le plat qu'elle déposa devant lui.

— Part double. Pour chacun. Et pour le même prix. Je serais curieuse de savoir quels services vous rendez à Jacquot, se moqua-t-elle.

— On veille sur toi, répondit-il en clignant de l'œil.

Elle rougit et, tout en se demandant s'il n'y avait pas un peu de vrai, se dirigea vers la table de Benoît.

Le tailleur de pierre qui venait d'esquisser un sourire à son approche avait la trentaine, des cheveux bruns et bouclés sur des épaules larges, des yeux marron, francs et doux, un menton carré fleuri d'une barbe naissante et un grain de beauté dans l'angle d'un nez droit. Force lui avait été de constater qu'il était bel homme. Malgré cela, elle ne continuait de voir en lui qu'un client discret. Et l'artisan qui avait remplacé son défunt mari sur le chantier.

— Voici pour vous, maître Benoît.

Un fumet délicat s'échappait du plat qu'il huma avec gourmandise.

— Cèpes, jambonneau, poivre et coriandre, annonça-t-il en connaisseur.

C'était leur jeu : deviner ce qu'il trouverait dans son assiette en échange de quelques secondes de discussion. Myriam s'y pliait sans trop savoir si elle avait pitié de sa solitude, ou si cette solitude la renvoyait à la sienne.

— Avec une touche de crème, ajouta-t-elle. Voulez-vous un autre pichet de vin ?

— Pour que ma scie et mon burin filent de travers ? Palsembleu, non. Il me faut tailler une gargouille tantôt.

— La même que celles qui protégeaient l'ancien clocher ?

— Plus vilaine encore. Le prieur Grimaldi affirme que c'est la volonté du baron Raphaël qui finance les travaux, mais à en juger par son dessin, je me demande s'il ne cherche pas plutôt à se reproduire lui-même.

Myriam ne put s'empêcher de rire. Avec sa bouche torve, son nez dévié et ses petits yeux globuleux, le prieur Grimaldi était loin d'approcher la beauté et le succès qui avaient fait la renommée de sa prestigieuse famille niçoise, composée de notables enviés. Cela ne le rendait que plus ambitieux. Mais elle éprouvait une sincère affection pour lui. Affection qu'il lui rendait bien.

— Bon appétit, souhaita-t-elle à Benoît en se détournant, appelée déjà à une autre table.

— Un instant…

Elle tressaillit au contact de cette main massive qui venait de se poser sur son bras.

Benoît la lâcha aussitôt, conscient de sa maladresse.

— Pardonnez-moi, je ne voulais pas vous gêner. Accepteriez-vous que l'on se voie quelques minutes ?

Elle se surprit à hésiter quand d'un mot elle aurait dû le renvoyer à son écuelle.

— Ce n'est pas ce que vous croyez, Myriam. Je dois vous parler de Pascal. Ailleurs qu'ici. Au seuil de votre maison, à la nuit tombée ?

Au prénom de son mari, elle se troubla plus encore. De la tristesse sourdait derrière la bienveillance habituelle de cet œil marron. La gorge nouée, elle acquiesça avant de tourner les talons.

9.

Auberge Le Fumet des cimes
21 juin 1494
Deux heures trente de l'après-midi

Le second service touchait à sa fin et l'esprit de Myriam était toujours aussi confus. Jusqu'à ce que Benoît quitte la salle, elle avait évité de croiser son regard, embarrassée de sentiments contradictoires.

La mémoire de son époux lui appartenait. Elle ne parvenait à l'évoquer qu'avec ses enfants. Depuis ses funérailles, elle avait délibérément détourné chaque conversation à son sujet. Et voilà qu'elle venait d'accepter que cet homme lui en parle.

Étrange…, se répéta-t-elle en achevant de desservir une table.

Cela faisait trois mois à présent que Benoît séjournait à l'auberge et y prenait ses repas. Pas une seule fois il n'avait prononcé le nom de Pascal en sa présence, alors qu'à plusieurs reprises ils avaient échangé sur le métier. Rien dans son attitude ou ses propos n'avait laissé entendre qu'il eût pu le connaître de son vivant. Quant à Pascal, elle ne se souvenait pas de l'avoir entendu évoquer un quelconque Benoît.

Sans doute était-ce cela qui avait éveillé sa curiosité. Jamais sinon elle n'aurait accepté de le recevoir chez elle, à la tombée de la nuit.

Les chantiers n'ont pas manqué en Vésubie ces dernières années. L'hypothèse la plus probable reste le hasard, un hasard qui les aurait conduits à travailler ensemble sur l'un d'eux, se convainquit-elle.

Mais que pouvait-il bien avoir à lui dire ?

Elle avait épousé Pascal alors qu'elle approchait de ses dix-sept ans, lui avait donné son premier enfant à dix-huit, son deuxième à vingt. Elle fêterait ses vingt-cinq ans à la fin de cette année 1494.

Huit ans, à quelques mois près. Elle était restée mariée huit ans à l'être le plus doux et prévenant qu'elle ait pu connaître. Il n'était pas un millimètre de sa peau dont la sienne ne se souvenait, un geste, un rire, une étincelle dans son regard d'encre qu'elle n'aurait pu reproduire en pensée.

Droit, fier et noble dans ses actes, amoureux de son métier, talentueux, voici comment le prieur Grimaldi l'avait dépeint à son enterrement. Le vide qu'il laissait en elle était immense. Benoît ne lui apprendrait rien qu'elle ne savait déjà.

Parler de lui me fera du bien, reconnut-elle. *À moins que ce ne soit qu'une excuse pour m'aborder... Dans ce cas, il en sera pour ses frais.*

— Alors ? Raconte ! l'apostropha Catherine, tandis qu'elle s'apprêtait à nettoyer une autre table.

La cadette de Jacquot avait les yeux pétillants et curieux, tout comme sa sœur, Christine, venue elle aussi se planter devant elle. Jusque-là Myriam avait réussi, dans ce va-et-vient incessant entre les tables et la cuisine, à éviter leurs questions. Même si à leurs rires sous cape, elle avait depuis longtemps compris que son trouble né de sa discussion avec Benoît n'était pas passé inaperçu.

— Il te courtise ! Je le savais ! lança Catherine en la voyant soupirer.

En une fraction de seconde, elle se retrouva cernée, acculée par les trois sœurs au mitan de la grand-salle désormais vide. Myriam connaissait la raison de leur empressement : elles souhaitaient la voir retrouver une vie normale. Et cela passait, selon l'usage, par un remariage rapide. Elle ne leur en voulait pas de l'espérer, elles que leur père retenait près de lui, seulement, le simple fait de penser à refaire sa vie la plongeait en état de panique.

— Il veut juste que l'on échange quelques mots en dehors de l'auberge, éluda-t-elle.

— Ooooohhh ! trépigna Christine en battant des mains du haut de ses cinq pieds et demi[1].

Myriam répondit à son enthousiasme par un haussement d'épaules.

— Retournez donc à votre ménage, et gardez-vous d'en discuter avec votre père. Il serait aussi habile à négocier mes fiançailles qu'il l'est à vous empêcher de convoler.

Elles gloussèrent de conserve et s'éloignèrent.

Élise resta.

— Tu veux en parler ? lui demanda-t-elle.

Myriam lui retourna son sourire.

— Plus tard, peut-être. Tu le sais mieux que quiconque. Quelles que soient les intentions de Benoît, je ne suis pas prête.

1. Un pied correspond à 32,48 centimètres.

Élise lui enleva des mains le chiffon qu'elle s'apprêtait à passer sur le plateau de bois ciré.

— Tu n'es pas prête, c'est vrai, mais c'est un brave gars et il mérite de l'attention. Ce que tu ne pourras pas lui donner si tu ne te reposes pas un peu. Maintenant.

— Si je rentre à la maison, je vais m'atteler à mes tâches en retard, lui objecta Myriam.

— Alors va t'étendre un moment dehors, sur la balancelle.

— Pour qu'un écureuil me prenne pour cible ?

Élise la poussa vers la porte.

— Taratata ! L'auvent t'en protégera bien assez. Repose-toi, s'il te plaît. Sinon, je te colle un miroir sous le nez et tu verras par toi-même que c'est plus que nécessaire.

— À ce point-là ? s'effara Myriam.

— Oui. Allez, dehors ! Je ne veux plus te voir avant le prochain service.

Myriam ne lutta plus. Élise n'était pas de celles qui changeaient d'avis.

Elle franchit le seuil de l'auberge, se retrouva dans la cour fermée par le logis de Jacquot d'un côté et celui des locataires de l'autre. Le chèvrefeuille envahissait les façades, répandant une odeur sucrée qui attirait les guêpes autant que les visiteurs. Ces derniers ne reviendraient pas avant plusieurs heures, quant aux insectes, Myriam ne craignait pas leurs piqûres. Davantage la course des écureuils sur son ventre.

Elle chercha ces petits diables roux du regard, finit par en trouver un qui jouait dans un bosquet de roses, la queue en panache, les mains déchirant les pétales. Son frère ne devait pas être loin. Depuis le temps qu'elle les observait, elle connaissait leurs habitudes. Pour l'heure, ils étaient suffisamment éloignés pour ne pas l'inquiéter. Elle avança jusqu'à la balancelle suspendue entre deux châtaigniers, regarda en arrière. Élise était à la fenêtre.

Elle va me veiller comme une mère poule, comprit Myriam en la voyant battre de la main pour l'encourager.

Lors, abandonnant tout remords, elle s'installa sur le bois délavé, étendit de tout son long ses jambes gonflées, puis, une fois certaine d'être bien calée, se laissa aller au subtil balancement qu'elle avait provoqué. Un parfum fleuri ne tarda pas à emporter ses narines. Contrairement à ce qu'elle pensait, elle sentit ses paupières s'alourdir peu à peu. Un souffle léger effleura sa joue.

Était-ce ce calme alentour ?

Elle fut certaine qu'un ange la caressait.

Pascal…, se réconforta-t-elle avant de s'endormir.

10.

Auberge Le Fumet des cimes
21 juin 1494
Cinq heures de l'après-midi

Un contact sur son épaule repoussa le doux rêve qui emportait Myriam, lui faisant écarquiller les yeux et, instinctivement, protéger son ventre de sa main.

— Adélys ? s'étonna-t-elle en découvrant le joli visage penché au-dessus d'elle.

La jeune nonne s'écarta pour lui rendre un peu d'air.

— Dieu soit loué, Myriam ! Ne te voyant pas répondre, j'étais prête à courir à l'intérieur et à ramener Jacquot. Tout va bien ?

— Oui, oui. Élise m'a conseillé de me reposer un peu avant le service du soir, mais je crois que j'ai dormi plus que je ne le voulais, comprit-elle à l'ombre qui avait gagné. Aide-moi à me redresser, veux-tu ?

Myriam pivota, se retrouva assise, jambes écartées, son gros ventre posé sur ses cuisses.

— Eh bien ! maman a raison. La pleine lune te fera accoucher.

— Je ne suis pas pressée, tu sais.

— Pourquoi ? As-tu des soucis ? s'inquiéta la nonne.

— Non, non. C'est juste que mes nuits seront raccourcies et qu'il me sera plus difficile de travailler. Surtout si je dois surveiller et allaiter le bébé pendant les services, mentit-elle.

Grappiller quelques jours de plus à son terme lui permettrait de grossir son bas de laine et de calmer un peu l'appétit du baron Raphaël. Mais son orgueil lui interdisait de l'avouer.

— Bah, tempéra Adélys. Je suis sûre que Jacquot trouvera une solution. Sans compter que maman garde déjà Margaux et Antoine. Elle avait l'air enchantée de les avoir autour d'elle tout à l'heure. Je ne crois pas qu'un nourrisson lui fasse peur. Même à son âge.

— Évite de le lui faire remarquer surtout, elle devient susceptible à ce sujet, lui conseilla Myriam qui se souvenait du méchant accueil que lui avait fait Séverine lorsqu'elle avait voulu lui fêter ses quarante-deux ans, quelques semaines plus tôt.

— Tant mieux. Cela gardera notre mère vive et en bonne santé. Telle que nous l'aimons.

Myriam saisit la main de la nonne dans la sienne, la pressa tendrement. Elle avait vu Séverine la porter, l'avait vue naître dans ce foyer qui l'avait recueillie, elle qu'on avait abandonnée à la naissance aux portes du prieuré d'Utelle. Sept années durant elles avaient partagé l'amour de la ventrière[1]. Puis Myriam s'était mariée et Adélys avait rejoint le sanctuaire. Elles s'étaient éloignées l'une de l'autre, mais Myriam éprouvait toujours pour cette petite sœur de circonstance une

1. Sage-femme.

affection sincère – affection que Margaux et Antoine partageaient.

— J'imagine que les enfants étaient ravis de te voir.

L'œil d'Adélys s'emplit de tendresse.

– Antoine m'a raconté ses exploits avec la chèvre. Il m'a même demandé de prier la Madone pour que les loups ne brisent jamais son enclos.

— Tout lui ! s'attendrit Myriam.

— Quant à Margaux, elle est de jour en jour plus belle et délicate. Tu as de la chance de les avoir à tes côtés, assura la jeune nonne en baissant les yeux.

Myriam ne releva pas la pointe de regret qui venait d'altérer sa voix. Une autre, acérée, s'était à nouveau enfoncée dans son cœur.

— Oui. Je ne sais pas si je tiendrais sans eux.

Adélys haussa ses belles épaules, déplaçant discrètement la guimpe[1] sur son front.

— Bien sûr que si. Tu as toujours été forte.

— Parce que tu pries pour moi.

— Entre autres, se mit à rire Adélys en se levant. Allons. Je ne peux pas m'attarder. Tu sais comment sont Hersande et Camilla. Point de brebis dehors à la tombée de la nuit. Or il me reste encore à m'arrêter au prieuré pour acheter deux bidons d'huile et en charger la mule. Et puis je voudrais embrasser les filles et Jacquot. Ils se vexeraient sinon.

— Je t'accompagne, décida Myriam, jugeant qu'il était grand temps qu'elle rentre, elle aussi.

Ses amies s'agitaient derrière la croisée.

— Comment se porte Camilla ? demanda-t-elle encore.

1. Coiffe des religieuses couvrant la tête et les épaules.

— Je l'ai déposée à la source miraculeuse en descendant, las, je crains que ses espoirs ne soient vains. Elle boite de plus en plus, se retient, autant qu'elle le peut, de montrer sa souffrance, mais je la ressens en moi. Profondément. Quoi qu'elle en dise, ses forces l'abandonnent. Parfois j'ai l'impression qu'une part d'elle essaie de rejoindre dame Luquine. Tu ne trouves pas cela étrange que cette maladie se soit déclarée si tôt après sa disparition ?

Myriam acquiesça tristement.

La sœur de Camilla s'était éteinte brutalement, une dizaine de jours après Pascal, laissant le baron Raphaël veuf, et leurs deux fils à sa charge. Myriam avait pensé que son chagrin lui permettrait de mieux comprendre le sien, d'éprouver de l'indulgence pour sa situation. Au contraire. La perte de son épouse avait rendu le baron taciturne. Il vivait replié sur lui-même dans son château, gardant la herse baissée même en plein jour, craignant sans doute qu'on ne s'impose et ne le dérange. Personne ne le reconnaissait plus dans le village. Elle-même, qui prenait plaisir auparavant à le croiser, ressentait désormais un froid glacial devant ses traits austères, son regard impénétrable. Quant à Camilla, elle se demandait même s'il l'avait recroisée depuis l'enterrement, semblant tout avoir nié d'Utelle, du sanctuaire et de leurs gens.

La porte s'ouvrit sur Jacquot qui les avait vues arriver.

— Sœur Adélys ! s'exclama l'aubergiste. Quel bon vent vous amène ?

— La compassion, maître Jacques ! rit-elle en désignant le ventre de Myriam.

— Ah non, pitié ! Je suis enceinte, pas malade, se récria Myriam, sachant combien Adélys pouvait être moqueuse, aux portes parfois d'un cynisme que personne ne songeait à prendre au sérieux.

Elle moins qu'une autre. Adélys était la seule en Vésubie et sur plusieurs générations à qui la Madone était apparue. Et, avec Célestin, l'être le plus innocent et généreux que Myriam connaissait.

11.

Auberge Le Fumet des cimes
21 juin 1494
Sept heures du soir

L'heure du souper était douce. Le pastel du ciel derrière les fenêtres, la fatigue de la journée. Tout incitait les ouvriers à parler, à rire moins fort dans la grand-salle. C'était un moment joyeux que tous partageaient.

Pourtant Myriam s'immobilisa brusquement à mi-hauteur de l'escalier droit qui descendait à la glacière[1]. Elle s'assit sur l'une des marches de bois, posa sa lanterne, nimbant l'excavation d'une chaude lumière.

Que m'arrive-t-il ? s'alarma-t-elle en pressant ses mains sur ses tempes, vrillées aussi soudainement que violemment.

Elle hésita à descendre plus bas, craignant un malaise au beau milieu des étagères, des tonneaux qui encombraient l'espace et sur lesquels les commis avaient déposé les crèmes à rafraîchir. Ces crèmes qu'elle était venue chercher.

---

1. Pièce enterrée ou creusée dans laquelle on conservait la nourriture. La température y étant fraîche et constante, elle pouvait aussi faire office de cave.

Il ne faut pas que je reste là. Je risque de m'évanouir et de m'écraser en bas.

La cage d'escalier qui s'ouvrait devant elle avait été creusée dans la roche, collée à l'une des parois de cette salle souterraine. La plus grande du village si l'on excluait celle du château.

Attirée par le vide, les narines chatouillées par l'odeur du caramel et des jambons suspendus, elle sentit son estomac se tordre. Et soudain elle comprit.

Il faut que je mange un morceau. Par contre, si je me sers en cuisine, Jacquot ne sera pas dupe. Il va me renvoyer chez moi avant l'heure.

Elle hésita puis remonta en s'appuyant lourdement sur la rampe. Parvenue sur le palier, elle embrassa la salle du regard.

Benoît n'était toujours pas arrivé.

Il finit de plus en plus tard, nota-t-elle en regrettant, face à son malaise, de ne pouvoir décommander leur rendez-vous.

C'était contre les coutumes de travailler jusqu'à la tombée de la nuit, mais le baron Raphaël avait doublé les salaires pour que le chantier soit achevé avant la fin de l'année. Une autre preuve de son mal-être, disaient les gens.

Chargée d'un pichet, Élise ondulait de ses hanches larges entre les tables, clignant d'un œil, repoussant une main, versant breuvage ou renouvelant un broc trop vite vidé.

Comme à l'accoutumée, Catherine œuvrait près de l'entrée et de sa façade à colombage. Catherine avec ses jambes courtes, sa silhouette gracile et son couteau à jambon accroché à sa ceinture. Elle en distribuait de larges tranches que les goulus ne prenaient pas la peine de recouper. Myriam la vit planter ses poings sur ses hanches, en apostropher un qu'elle avait déjà repéré comme un gougnafier.

— Hé toi ! Tu veux que je te la coupe, cette barbe qui bâfre à ta place ?

— Je préférerais que tu l'embrasses !

— Plutôt manger de la filasse, vieux dégoûtant ! l'entendit rétorquer Myriam.

Elle repéra Christine, près du couloir.

— Tu touches, tu épouses ! rabrouait-elle l'un des charpentiers, visiblement aviné.

— D'accord !

Elle s'écarta comme il tendait les bras et les lèvres vers elle. Myriam vit l'homme partir en avant et s'écraser sur le dos d'un autre, lui précipitant le nez dans la soupe.

Déjà retournée à son service, Christine les laissa s'expliquer.

Au moins, jusqu'à mon accouchement, n'ai-je pas à subir ces assauts-là, songea Myriam en reprenant sa marche, soulagée que toutes trois soient suffisamment occupées pour n'avoir rien remarqué.

Elle longea le mur dans lequel se découpait le passage voûté, espérant vite se ressaisir.

Las, après la fraîcheur du sous-sol, la chaleur étouffante de la cuisine ne fit qu'augmenter son malaise.

— Te voilà toute pâlotte, s'inquiéta Jacquot, cramoisi, en la voyant s'avancer, titubante, vers lui.

Résignée, elle ne chercha pas à nier.

— Un accès de faiblesse…

L'aubergiste se tourna aussitôt vers son second.

— Patrice !

L'homme accourut en essuyant ses mains grasses à son tablier.

— Sers-lui une généreuse part d'omelette. Et reste avec elle dehors le temps qu'elle la mange.

— V'nez par là, doumaisell[1] ! réagit aussitôt le rouquin avec cet inimitable accent qu'une vie d'errance lui avait forgé.

Mais elle ne sut que rester immobile devant Jacquot.

— Merci. Dans dix minutes il n'y paraîtra plus.

Il haussa les yeux au ciel.

— Je ne crois pas, non. Tu en as assez fait pour aujourd'hui.

C'était ce qu'elle redoutait. Elle sentit des larmes lui piquer les yeux.

Il la prit aux épaules, pencha tristement sa belle tête aux cheveux noirs.

— Te tuer à la tâche ne résoudra rien, petite. Tu ne sauveras pas ta maison.

Elle se crispa. Comprit à cet œil triste qui cherchait le sien qu'elle avait essayé de cacher ce qui était évident pour tout le monde.

— J'vais vous préparer ça, doumaisell', z-aurez qu'à m'rejoind', lança Patrice pour ne pas l'embarrasser davantage.

Jacquot plaça un bras autour de ses épaules et l'éloigna du passage.

— Regarde-moi, insista-t-il.

Elle obéit, vaincue, même si elle cherchait encore à contenir son désarroi, autant que cette douleur sous son crâne.

---

1. Demoiselle, en patois nissart.

— Je sais que tu es attachée à cette maison, qu'elle fait partie de ton histoire avec Pascal. Seulement, il est des choses contre lesquelles on ne peut lutter. Sache qu'il y a ici une chambre pour toi et tes enfants et qu'elle ne te coûtera rien aussi longtemps que tu voudras y rester.

Touchée, Myriam refoula plus encore ce sanglot qui lui remontait la gorge. Jacquot l'attira contre lui, au mépris des taches qui maculaient son jabot. Il se pencha à son oreille.

— Tu te souviens quand tu venais, toute petiote, plonger ton doigt dans mes crèmes ? J'aime quand Antoine fait de même. J'aime le rire de Margaux qui me rappelle le tien. Leur présence me sera fête. *Nous* sera fête. Alors apaise-toi, fais ce que tu dois en ton âme et conscience. Mais apaise-toi. Compris ?

Il la repoussa à bout de bras. Elle hocha la tête, bouleversée par sa tendresse, cette tendresse qui la berçait depuis l'enfance.

— Allez, va manger maintenant et emporte de quoi nourrir ces deux canailles. Ils seront ravis de t'avoir un peu plus tôt ce soir.

Lors, répondant au signe de la main du Patrice qui venait de finir de garnir un panier, elle gagna la petite porte cintrée qui donnait sur la cour arrière.

12.

Utelle
21 juin 1494
Sept heures trente du soir

Dix minutes plus tard, Myriam avait repris quelques couleurs et remontait une ruelle perpendiculaire à l'auberge.

Elle arrivait à hauteur de l'enseigne du ferronnier lorsqu'un vacarme lui explosa aux oreilles. Connaissant son origine, elle se plaqua contre un mur. Célestin déboula presque aussitôt en courant derrière une charrette à bras emplie de gravats à évacuer que lui avaient confiés les maçons.

L'apercevant, il tourna sa bouche édentée vers elle.

— Bonsoir, Myriam !

Elle n'eut pas le temps de répondre qu'il éclatait d'un rire joyeux et forçait plus encore son allure en faisant zigzaguer la roue sur le pavé.

Attendrie, elle le regarda poursuivre sa course folle.

« Un jour, ses facéties lui creuseront sa tombe », prédisaient les habitants d'Utelle.

Myriam refusait d'y penser. Chaque semaine, Célestin ramassait des fleurs sauvages, posait un bouquet sur la sépulture de Pascal avant de lui offrir le second. Avec lui les mots étaient inutiles. Il partageait sa peine. Détournait l'attention des enfants. L'aidait autant qu'il le pouvait sans rien demander en retour.

S'il ne veillait pas sur lui, il veillait sur elle comme un frère qu'elle aimait tendrement. Elle ne pouvait envisager de le perdre.

Elle le suivit des yeux jusqu'à ce qu'il ait disparu à l'angle de la rue. Il ne tarderait pas à longer l'auberge et à rejoindre les commis poussant un premier chargement de vaisselle sale sur le sentier qui menait au torrent.

Le bruit s'estompa et elle reprit sa marche sous cette belle lumière que le soleil déclinant accrochait aux sommets. Ils encerclaient le village comme autant de géants protecteurs sortis d'une légende. C'était du moins ce qu'avait raconté Pascal à Antoine qui persistait à le croire, renforcé dans son rôle de chevalier. Myriam leur préférait pourtant le Brec, une verrue rocheuse qui surplombait à la fois Utelle et le sanctuaire de Notre-Dame. C'était ce sommet dénudé que l'on voyait en premier, sur lui que l'œil s'arrêtait. Comme s'il avait refusé que les autres ne l'écrasent.

Elle non plus ne voulait pas être écrasée. Sous le poids de la peur, du chagrin, sous la fatalité.

Elle traversa la place de l'église toujours couverte d'échafaudages. Chaque fois qu'elle passait devant eux, son cœur se ratatinait. Elle ne pouvait s'empêcher de contourner l'endroit où Pascal était tombé, comme si c'était son corps, son âme qu'elle allait piétiner. C'était absurde. Elle aurait dû s'habituer avec le temps. Pourtant, il subsistait en elle quelque chose d'inachevé. Un sentiment diffus au-delà de la tristesse. L'impression de devoir bien plus que de la fidélité à sa mémoire.

Peut-être était-ce cela qui, malgré l'offre généreuse de Jacquot, l'empêchait se résigner à perdre sa maison, à priver Antoine de sa chèvre, de ses jeux, à appauvrir plus encore le cœur de Margaux.

Elle regarda en direction du château dont la masse se découpait derrière l'église. Le baron déboursait des fortunes depuis des mois pour la reconstruire. Que représentaient pour lui quelques mois de retard sur son paiement ?

Rien. Rien du tout, en fut-elle convaincue. *Rien sinon de l'orgueil.*

Elle saurait le lui rabattre. Elle tourna l'angle du clocher et remonta la sente. La maison de Séverine se trouvait tout au bout, sur la gauche, à une centaine de coudées du donjon qui fermait le rempart.

Décidée, elle remonta le discret raidillon en direction de la barbacane.

Un petit visage était accolé à la herse, prisonnier de l'enclos. Elle le reconnut aussitôt. C'était le fils aîné du baron.

Il s'ennuie, soupçonna-t-elle en se souvenant combien il aimait jouer avec Antoine, du même âge que lui.

Elle s'en attrista d'autant plus qu'il restait immobile, seul, accroché à ces croisillons épais comme s'il attendait qu'on l'en délivre.

Que le baron reste dans son chagrin s'il le veut mais qu'il n'y enferme pas ses enfants ! s'emporta son cœur de mère.

Cela faisait trois mois que les deux garçonnets ne venaient plus courir dans le village. C'était injuste pour eux.

— Je souhaiterais parler à ton père, Barthélemy. Peux-tu appeler la garde ?

Il ne bougea pas.

– Barthélemy ? insista-t-elle.

Il baissa les yeux sur son ventre. La terreur qui s'inscrivit sur son doux visage gagna son regard, étonnant Myriam, la mettant mal à l'aise.

Il recula en secouant la tête, comme s'il ne voulait pas qu'elle entre.

Comme s'il ne fallait pas que j'entre, entendit brusquement Myriam tout au fond d'elle.

Ses poils se hérissèrent.

Lors, sans chercher à comprendre, elle tourna les talons et fila.

13.

Sanctuaire de Notre-Dame
21 juin 1494
Huit heures trente du soir

Deux coups ébranlèrent la porte du cabinet de travail d'Hersande.

— Entrez, dit-elle en cachant sous son sous-main de cuir ce papyrus qui continuait de lui brûler les doigts et le cœur.

Adélys encadra son joli sourire dans le chambranle, rappelant à Hersande que la nuit était tombée depuis longtemps.

— Tu rentres bien tard d'Utelle, ma fille, lui reprocha-t-elle.

— Sœur Camilla ne vous a rien dit ? s'étonna la jeune nonne en refermant derrière elle.

Hersande fronça les sourcils.

— Qu'aurait-elle dû ?

Adélys releva une main bandée, faisant se dresser Hersande.

— Point d'inquiétude, ma mère. Ce n'est qu'une coupure. Je me la suis faite sottement en tailladant les liens qui retenaient les deux jarres d'huile à la selle de la mule. Frère Michel a dû craindre que je les perde en chemin, car leurs liens étaient si serrés que j'ai même peiné à passer la lame de mon couteau entre la terre cuite et le cuir. Évidemment il a fallu qu'elle glisse. Le temps que je me précipite pour demander de l'aide, et qu'ensuite je reprenne une allure présentable tant le sang maculait mes manches et ma bure…

— Oui, oui, je comprends, l'excusa aussitôt Hersande en retombant sur son siège, soulagée.

Elle connaissait Séverine depuis son plus jeune âge, ne s'en était séparée que lorsque son père avait été embauché à Nice comme charpentier de marine. Elle n'aurait pas voulu avoir à lui apprendre que sa fille s'était vidée de son sang sur le parvis du sanctuaire. L'air penaud, Adélys insistait pourtant.

— Je sais que vous tenez à ce que l'on vous prévienne de tout départ ou retour, seulement je m'étais déjà attardée au prieuré, et avec cette blessure… Je n'ai pas voulu retarder davantage l'heure du souper. Sœur Camilla devait vous prévenir à ma place.

Hersande battit l'air d'une main lasse. Elle ne se voyait pas reprocher quoi que ce soit à Camilla après l'avoir accablée de ses doutes, de ses angoisses et de l'effroyable récit de l'Égyptienne.

— Elle a dû oublier. Ne te sens-tu pas trop faible ? Je te trouve un peu pâle.

— J'ai bu de l'hypocras pour me revigorer. Une bonne nuit de sommeil et il n'y paraîtra plus.

— Bien, acheva de se rassurer Hersande. Autre chose ?

— Je venais vous chercher pour le souper.

Hersande tiqua.

— Est-ce déjà l'heure ?

— Nous vous attendons dans le réfectoire depuis un long moment déjà.

Hersande repoussa son faudesteuil, agacée de s'être laissé piéger par ses émotions au point d'avoir dérogé aux règles de la communauté.

— Pars devant, j'arrive.

Hersande attendit qu'elle ait refermé pour récupérer le papyrus.

Elle n'avait cessé de le manipuler, s'efforçant de n'y voir rien d'autre qu'une date, un nom, un lieu. Désincarnés. Pourtant, tout en elle se révulsait. Et, quoi qu'elle tente pour s'y soustraire, elle était toujours aussi bouleversée.

Elle se leva, s'approcha d'un écrin inséré dans une niche. Elle détacha de son cou la fine croix d'argent qui ne la quittait jamais et l'introduisit dans la serrure. Un claquement discret annonça le déverrouillage.

Elle ouvrit avec précaution, se troubla comme chaque fois que montait à elle le parfum du bout de couverture qu'il contenait. Il y avait longtemps qu'elle ne l'avait pas humé ni touché. Elle caressa l'étoffe d'un doigt tremblant, retint ce sanglot qui lui serra la gorge puis déposa le papyrus dans le coffret avant de donner un nouveau tour de clef.

Lorsqu'elle quitta la pièce pour se rendre au réfectoire par le long couloir éclairé de bougies, la croix avait regagné son cou et elle une sérénité de façade.

— Je vous demande pardon de ce retard. Je veillerai à ce qu'il ne devienne pas une habitude, s'excusa-t-elle en prenant place en bout de la table massive.

— Je crois que nous sommes toutes un peu fatiguées, s'amusa Camilla en lui tapotant le bras. Une conséquence de cette jolie soirée d'hier, sans doute.

Si Hersande ne fut pas dupe, elle sut gré à la sœur portière d'apporter un peu de légèreté.

— Qui doit dire le bénédicité ce soir ? demanda-t-elle.

— Moi, ma mère, indiqua Adélys.

— Nous t'écoutons.

La jouvencelle ferma les paupières, inspira légèrement. La voix emplie de dévotion, elle murmura :

— Très Sainte Marie, pleine de grâce, mère du Christ rédempteur, que ton nom soit béni entre toutes pour ce souper, fruit de notre cueillette et de notre foi en tes bontés.

C'est à cet instant que le sol vibra. Une secousse, brève, arracha un petit cri aux nonnes, pourtant habituées à ces légers tremblements de terre.

— Allons, du calme. C'est déjà terminé, les rassura Hersande. Remercions la Madone d'avoir apaisé les enfers.

Elles nouèrent leurs mains, baissèrent le front sous leur guimpe et récitèrent leur prière. Elles se recueillaient encore lorsque cette fois ce fut la porte qui fut ébranlée.

On dirait des coups de marteau, de gigantesques marteaux, nota Hersande au milieu d'un silence glacé.

Elle attendit, le souffle retenu.

Rien ne bougea plus.

Elle cueillit le regard de Camilla. Comme elle, la sœur portière semblait perplexe.

Emplie de curiosité, elle se leva et s'en fut écarter délicatement le battant. Elle ne vit rien, dehors, que les dernières vapeurs sur les montages. La lande, devant elle, était paisible, aucun bruit inhabituel n'en perçait le silence. Pas même du côté des enclos avalés par le contre-jour.

Intriguée, elle ouvrit complètement pour laisser entrer l'air doux que caressait un parfum de genièvre.

C'est alors que derrière elle on hurla. Au même instant son œil s'arrêta sur la face extérieure du bois que jusque-là l'ombre avait avalée.

Une main ouverte, sectionnée, y avait été clouée.

Une main dans la paume de laquelle se dessinait une croix dans un triangle.

14.

Combe d'Utelle
21 juin 1494
Neuf heures du soir

— J'espère ne pas vous déranger...

Benoît se tenait sur le seuil, un peu gourd, dans la clarté blafarde d'une lune gibbeuse.

Myriam était chez elle depuis un long moment déjà. S'en voulant d'avoir si sottement renoncé à entrer au château devant le jeu d'un enfant, elle avait décidé d'y retourner dès le lendemain et de tenter le tout pour le tout auprès du baron. Au pire, elle ferait le deuil de cette maison et se reconstruirait chez Jacquot. Au sein d'une famille dans laquelle elle se reconnaissait depuis toujours. Du coup, elle se sentait plus détendue.

— Non. Les petits dorment, déculpabilisa-t-elle le tailleur de pierre.

Elle tira néanmoins le battant pour fermer son logis, lui exprimer clairement qu'elle n'entendait pas le laisser entrer. Il sourit, hocha la tête.

— Par ici, dit-elle en resserrant son châle autour d'elle.

Elle le guida jusqu'à un vieux chêne à l'orée de la forêt et s'y adossa, d'autant plus sereine qu'il maintenait entre eux une distance respectueuse.

— J'ai retrouvé Pascal sur un petit chantier à La Bollène[1], commença-t-il pour éviter qu'un silence gêné ne s'installe.

— Oui je m'en souviens. Il m'a dit dormir chez un de ses oncles que je ne connaissais pas.

— Mon père.

Myriam tiqua.

— Vous seriez donc le cousin de Pascal ? C'est étrange, il ne m'a parlé de vous ni avant ni après cette date.

Il sourit, dessinant une petite fossette dans le creux de sa joue droite.

— Cela n'a rien d'étonnant en soi. Nous n'étions pas très liés. Jusque-là nous ignorions que nous avions embrassé la même vocation. Ma mère est morte quand j'étais enfant et j'ai été élevé par ma grand-tante à Nice[2]. Nous nous sommes croisés à quelques réunions de famille. Rien qui permette de nouer de véritables liens.

— C'est aimable à vous de me l'apprendre, l'en remercia-t-elle.

Il fit un pas vers elle, pétrit son bonnet. Un sourire lui échappa. Elle le connaissait sûr de lui, maître de son art autant que de ses actes ou de son verbe. Elle ne l'aurait pas imaginé embarrassé par sa présence. Par la présence d'aucune femme, d'ailleurs. En avait-il une à La Bollène ? Des enfants ? Elle ne s'était pas posé la question jusque-là, mais c'était plus que probable.

— J'aurais dû me présenter plus tôt. Je ne savais comment vous aborder sans que cela paraisse…

— … déplacé.

1. Village situé à vingt-trois kilomètres d'Utelle.
2. Nice se trouve à cinquante kilomètres d'Utelle.

— Oui. Une jeune et jolie veuve. Délicate, prévenante. Digne dans son malheur. Vous faites l'objet d'envie. Parmi les artisans, les hommes du village…

Elle rougit, gênée à l'idée de leur convoitise charnelle.

— Je ne suis pas…

— Non. Non… Rassurez-vous. Rien de licencieux. J'ai pour habitude de laisser traîner mes oreilles et je n'ai surpris aucun propos inconvenant à votre encontre. Je pense juste que quelques célibataires ou veufs attendent que vous ayez fait votre deuil pour se déclarer et vous proposer le mariage.

— Ils devront attendre longtemps.

— Je l'avais deviné, soupira-t-il.

Un instant elle se demanda s'il faisait partie de ces hommes-là. Troublée, elle décida de s'en assurer.

— De ce que j'ai pu juger, en trois mois vous n'avez pas quitté le village. Votre famille ne vous manque-t-elle pas ?

Un soupir.

— Mon épouse est morte en couches l'an dernier. Notre enfant n'a survécu que quelques semaines après elle. Comme vous, je porte le deuil. Comme vous, je le cache du mieux que je le peux. Et comme vous, j'attends de renaître dans le regard d'une autre. Le vôtre me plairait, je l'avoue. Il m'a plu bien avant que je ne vous rencontre. Dans la manière qu'avait Pascal de l'évoquer.

— Peut-être est-il temps que je rentre…, se durcit-elle en se détachant du tronc.

Elle ne voulait pas entendre de lui des paroles irrévocables qui la contraindraient à mettre entre eux une vraie distance. Ce n'était pas ce qu'elle avait espéré de cette rencontre.

Il la retint par le bras.

— Je suis gêné par ce que j'éprouve pour vous, Myriam, maladroit aussi, mais pas malintentionné. Ne voyez en moi qu'un homme rompu à la promesse qu'il a faite à votre époux avant qu'il ne rentre au logis, avant qu'il ne revienne sur le chantier de l'église, avant qu'il ne meure.

Une trouée dans les branches venait d'éclairer son visage. Elle le trouva tourmenté. Comme devant les grilles du château, elle eut brusquement l'impression d'être en danger.

Elle déglutit.

— Lâchez-moi. Je porte son enfant.

Il obtempéra aussitôt.

— Et c'est la raison pour laquelle je suis devant vous. Parce que vous êtes au terme de votre grossesse. Je n'ai pas repris la place de votre mari par hasard. Il me l'a demandé avant que l'on ne se quitte. Il redoutait que sa vie ne soit menacée, qu'on ne l'écarte de la vôtre. Par tous les moyens.

Elle avait fait quelques pas en direction de sa maison, austèrement découpée par le contre-jour.

Elle se figea, pivota vers lui, presque en colère.

— Que voudriez-vous que j'entende ? Qu'on l'a assassiné ? Vous divaguez, Benoît. Il était seul sur cet échafaudage quand il est tombé.

Il marcha à pas vifs vers elle. S'immobilisa lorsqu'elle recula.

— Je n'affirme rien, sinon ce qu'il m'a avoué. Que le baron Raphaël lui avait fait une offre vous libérant tous deux de votre dette à son égard. Une offre qu'il avait refusée. Le baron lui avait alors conseillé de réfléchir et de lui donner une réponse à son retour de La Bollène.

Une réponse qui le satisferait. Pascal avait l'intention de lui dire non, une fois encore. J'ignore s'il l'a fait, s'il en est mort, ou si, comme tous semblent le croire, ce n'était qu'un accident. Seulement il m'a demandé de vous prévenir si quoi que ce soit lui arrivait. Je l'aurais dû dès mon arrivée, mais j'ai été lâche devant votre chagrin. J'ai pensé qu'il fallait le laisser s'estomper.

Myriam ne bougeait plus. Tout en lui semblait sincère. Sa voix teintée d'angoisse, ses mots hachés, et ce regard tendre au-dessous de ses sourcils froncés.

Elle revit celui, terrifié, du petit Barthélemy derrière la herse, seul dans la grande cour vide du château. Une lame de glace lui coula entre les omoplates.

— Quelle offre mon époux a-t-il refusée ? Que voulait le baron ?

Benoît fixa son ventre. Instinctivement elle y avait porté la main, comme pour le protéger d'ondes maléfiques.

Il grinça, furieux, désolé :

— Qu'il lui remette à sa naissance l'enfant que vous portez.

15.

Combe d'Utelle
21 juin 1494
Neuf heures trente du soir

Benoît était parti. Myriam ne l'avait pas chassé. Elle était restée figée, puis lentement avait reculé jusqu'à son logis en guettant les ombres mouvantes de la forêt.

— Je ne permettrai pas qu'on vous enlève votre petit. Je vous en fais la promesse, Myriam, avait-il murmuré avant qu'elle ne referme sa porte, ne s'adosse au battant et n'étouffe enfin dans ses paumes un hurlement d'horreur.

Un dernier coup d'œil par la croisée. Personne. Elle barra ses volets intérieurs comme elle avait barré l'unique accès à sa maison. Avec fébrilité. Elle s'efforça de dompter le tremblement de sa mâchoire crispée. Elle s'assit à la table qu'amoureusement Pascal avait taillée dans le cœur d'une bille de hêtre, entendit le souffle régulier et rassurant de ses enfants.

Est-ce pour les protéger, pour nous protéger que tu es mort, mon amour? As-tu payé de ta vie le fait d'avoir défié l'autorité du baron Raphaël?

Un sanglot remonta dans sa gorge. Ne pas le laisser jaillir, ne pas ébrécher le silence, la quiétude de ce lieu, le sommeil de ses enfants. Elle en avait pris l'habitude ces trois derniers mois. Mais cette nuit, c'était différent. Comme si cette douleur qu'elle terrassait de sa volonté de mère remontait de ce nombril contre lequel l'enfant cognait.

Concentre-toi. Tu dois découvrir la vérité.

Elle fouilla dans sa mémoire, revint en pensée au 10 mars dernier.

Elle revit Célestin débouler chez Séverine. Elle cousait auprès d'elle, ses enfants à ses pieds jouant avec un chaton. Il lui sembla de nouveau sentir son cœur s'arrêter face aux larmes et au discours haché du benêt. Puis percevoir le battement du jupon contre ses mollets tandis qu'elle courait à épuiser souffle jusqu'au parvis de l'église. Elle se revit écarter les badauds, tomber devant le corps de son époux agonisant, lui caresser le front, se pencher sur ses lèvres entrouvertes tandis que s'élargissait sous son crâne la flaque de sang. Longtemps elle en avait gardé la souillure sous les ongles, les semelles, la robe tant et tant frottés.

Elle refusa de céder à cette terreur qui l'avait envahie tandis que le prieur Grimaldi lui écartait les doigts pour déposer, à leur place, l'extrême-onction.

Ce n'est plus réel. Plus réel. Détache-toi. Détache-toi de lui. Regarde alentour. Regarde bien, se contraignit-elle.

Elle prit une profonde inspiration, renversa la nuque en arrière, chercha à visualiser l'échafaudage qu'elle observait ce jour-là, alors qu'on lui rapportait comment c'était arrivé. Combien de temps était-elle alors restée à le fixer avant de reporter son attention sur ce corps éteint, ces yeux clos, ces narines pincées ?

Assez longtemps, se souvint-elle. *Pourquoi ? Pourquoi m'y suis-je attardée ?*

Trois planches de bois discrètement disjointes retenues par deux échelles de fer montées sur trépied. L'ensemble était sûr. Comme les autres niveaux étayant la façade que le soleil commençait juste à inonder.

J'ai dû voir quelque chose. Oui, j'ai vu quelque chose, lui souffla son intuition.

Elle plissa les paupières, força sa mémoire. Se rappela la stalactite formée entre les madriers. Son œil courut sur le restant de la coursive. Il n'y en avait pas ailleurs.

Son cœur s'emballa.

De l'eau. On a versé de l'eau sur les planches. Pour qu'elle gèle au petit jour.

Elle fit un effort, se concentra sur les éléments épars du décor inscrit au plus profond d'elle-même. La pierre que Pascal avait délignée avant de la monter s'était fracassée sur ses sœurs au moment de la chute. Au pied de l'échelle. À quelques pas seulement de son seau, de ses outils.

Aucun doute possible. On savait que ce serait lui et pas un autre qui travaillerait là.

Elle avait mémorisé l'anomalie. Cependant rien ne lui avait donné de raisons d'y réfléchir. Elle avait tout enfoui en elle-même, avec sa douleur. Ne gardant que cette sensation d'inachevé chaque fois qu'elle passait devant l'église.

Il lui sembla soudain qu'un gouffre l'aspirait. Elle dut s'agripper à la table, les doigts écartés, les bras tendus encadrant sa tête penchée. Une bouffée de chaleur lui provoqua une suée qui se glaça aussitôt. Elle se mit à claquer des dents, à trembler de tous ses membres.

Benoît avait raison. Pascal avait bel et bien été assassiné.

Cisaillée brutalement par une douleur aiguë au creux des hanches, elle se cabra en arrière.

— Non, non, non, non, gémit-elle.

Elle ne devait pas accoucher. Pas maintenant. Pas encore. Ce n'était plus seulement sa maison qu'elle devait sauver, c'était son enfant. Il lui fallait trouver le moyen de le soustraire à la convoitise du baron Raphaël. Découvrir en quoi il lui était précieux, assez pour compenser sa dette, assez pour décider de la mort de Pascal.

Elle coucha son buste sur la table pour éviter de chuter du banc si la douleur venait à lui faire perdre connaissance. Elle était coutumière des étourdissements depuis son veuvage. Le mire[1] du village, qu'elle avait consulté, y avait vu un moyen inconscient d'échapper à la réalité lorsque celle-ci lui pesait trop. Ses soucis d'argent n'avaient fait qu'aggraver ses symptômes.

Elle se décomposa plus encore.

Plus question maintenant de me rendre au château, de négocier quoi que ce soit avec le baron. Je dois coûte que coûte éviter de me retrouver seule avec lui… Oh, s'il te plaît, mon tout petit… reste en moi. Il n'y a que là que je puisse te protéger pour l'instant.

Elle s'efforça de l'apaiser mais son ventre demeura dur, crispé malgré la caresse de sa main.

Cela ne suffira pas, comprit-elle, affolée. *Et je n'ai plus de tisane.*

Le mélange d'Hersande avait fait miracle quand Antoine avait voulu naître trop tôt.

Très Sainte Mère, aidez-moi. Accordez-moi quelques heures. Demain Célestin montera au sanctuaire. Il me rapportera de quoi retenir cet enfant en moi. De grâce,

1. Médecin et chirurgien du Moyen Âge.

donnez-moi la force et le courage de surmonter la menace du baron.

La contraction passa. Elle guetta la suivante, oscillant entre le sentiment d'alerte et la nécessité de le vaincre pour ramener les humeurs de son corps à la normale. Elle se concentra sur sa respiration, les lèvres mi-closes, laissant juste échapper le souffle d'une prière alors même que son esprit tourmenté lui renvoyait l'image de Pascal à terre, auréolé de sang.

À qui en parler ? Je n'ai aucune preuve qu'il ait bien été assassiné. Benoît… Pour l'heure je ne peux compter que sur Benoît, lui dicta son instinct.

Il lui sembla que l'enfant approuvait, car subitement il s'étira, relâchant la pression sur ses hanches.

Elle sentit ses paupières s'alourdir, son corps, rompu de fatigue et de détresse, se détendre.

Elle ne chercha pas à lutter.

16.

Sanctuaire de Notre-Dame
21 juin 1494
Onze heures du soir

Assise derrière son écritoire, le regard perdu dans ces flammes qui crépitaient, Hersande espérait regagner un peu de chaleur. Las, tout en elle lui criait que ce serait vain. Elle attendait Camilla qui avait tenu à rester dans le dortoir jusqu'à ce que la dernière des nonnes se soit endormie. Toutes étaient sous le choc, terrorisées par la vue de cette main clouée contre la porte.

L'une d'entre elles, la plus jeune, s'était évanouie, une autre avait régurgité de la bile faute d'avoir l'estomac plein, la plupart avaient éclaté en sanglots ou s'étaient réfugiées dans la prière. Elle-même avait dû, dans un premier temps, fermer la porte à double tour afin de chasser cette vision d'horreur. Durant quelques minutes, elle avait aidé Camilla à apaiser leur communauté ébranlée, puis Adélys, ressaisie parmi les premières, les avait escortées jusqu'à la cuisine et leur avait préparé du lait chaud au miel. Lui laissant ainsi le champ libre.

Camilla s'était alors empressée de récupérer une boîte dans l'herboristerie tandis qu'elle ouvrait le battant, espérant presque que le macabre ouvrage ait disparu.

Las, elle avait dû le déclouer et l'enfermer pour que cette vision s'efface.

Elle n'en était pas remise pour autant.

Du sang lui maculait encore le bas des manches et les ongles, bien que, refusant de laisser la moindre trace sur la porte, elle eût tout lessivé.

Elle était toujours livide, parcourue d'interminables frissons. Peinant à réfléchir quand elle devait convenir avec Camilla des meilleures dispositions à prendre. Face à ce crime, leur priorité était désormais de protéger leurs pensionnaires du diable. Le message de la roue, la cible et son exécution devaient passer au second plan.

Restait que tout était lié et qu'Hersande ne pouvait en faire abstraction.

— Entrez, répondit-elle aux coups discrets frappés à sa porte.

Camilla referma derrière elle, les traits tirés.

— Ça y est. Elles dorment. Je crains néanmoins que leur sommeil ne soit agité. J'ai dû vérifier devant elles que les volets étaient verrouillés.

Un instant, elles restèrent l'une en face de l'autre, partageant le même désarroi muet, puis Camilla se laissa choir sur le siège qu'avait occupé l'Égyptienne le matin même.

— Qu'allons-nous faire, Hersande ?

— Prendre soin des nôtres et prier pour cette malheureuse. Son sang était chaud encore, ce qui me laisse à penser qu'on l'a cachée quelque part avant de l'amputer. Je doute qu'elle y ait survécu. Si c'est le cas, il y a fort à parier que les loups sont déjà auprès d'elle.

— Quelle horreur !

— Je suis comme vous, Camilla. Terrifiée, sonnée. Pourtant il nous faut vite nous reprendre, juger de la situation, examiner tous les paramètres. Demain nous ouvrirons nos portes, nous accueillerons les pèlerins, contraindrons nos filles à tenir les éventaires, à parcourir le plateau en quête de simples, de miel. Il faut que nous vivions comme à l'accoutumée. Rien ne doit transparaître. Ni leur peur ni leurs soucis. Nous le devons à tous ceux qui viennent ici retrouver la paix.

Camilla hocha la tête.

Néanmoins il leur fallut quelques minutes supplémentaires dans ce silence seulement troublé par le crépitement des flammes avant de se ressaisir.

— N'avez-vous rien remarqué quand vous êtes descendue à la source ce midi ? C'était à peine une heure après le départ de la messagère, demanda enfin Hersande, soulagée de voir que ses mains avaient cessé de trembler.

Camilla parut rentrer en elle-même, comme si elle cheminait à nouveau sur ce sentier à flanc de montagne, accrochant du regard quelques mouflons entre les arbres. Un instant, il sembla à Hersande que ses yeux rétrécis tenaient quelque chose, mais elle finit par battre l'air d'une main lasse.

— Rien d'inhabituel. Tout était paisible alentour. J'étais préoccupée par sa visite, je l'avoue, pourtant de là à concevoir...

Hersande se rabattit contre le dossier de sa cathèdre.

— Et Adélys ?

— Si elle avait vu quelque chose d'anormal sur son trajet à l'aller comme au retour d'Utelle, elle m'en aurait parlé. Beaucoup l'ont interrogée à ce sujet, en vain.

— Et vous, qu'avez-vous opposé à leur terreur ?

— À défaut de l'œuvre du diable ? Celle d'un rôdeur ou d'un fou que la Madone n'aurait pas guéri. Cela pourrait être vrai…

Hersande tenta de s'en convaincre, sans succès.

— … Quoi qu'il en soit, il nous faut prévenir et ramener le viguier ici en lui recommandant de rester discret devant les pèlerins. Son enquête rassurera les nonnes. Même si cela signifie qu'il examinera la main, ajouta Camilla.

Hersande soupira.

— Son tatouage l'interloquera, c'est certain. Jusqu'à ce que le corps soit retrouvé et indique que cette femme était étrangère. Dès lors, ce symbole perdra de son importance, à défaut de son mystère.

— Vous avez raison. Personne en Vésubie, à part vous et moi, n'en connaît la signification.

— Vous, moi… l'exécuteur divin et le diable, rectifia Hersande.

Camilla esquissa un signe de croix sur sa chasuble.

— Vous n'avez toujours pas pris de décision concernant la cible divine.

— Non. Et ce qui vient de se produire ne m'y aide pas. Je vous l'ai dit. Il me paraît impensable que cet être soit la proie de Satan.

Camilla plongea tristement dans son regard démuni.

— Pourtant il rôde et assassine pour le protéger. J'ai réfléchi à ce que je vous ai dit ce midi. Et j'en suis arrivée à la conclusion qu'il n'a pas frappé avant pour nous montrer qu'il est déjà ici, à Utelle. Qu'il veut vous effrayer, vous empêcher de remplir votre mission.

Hersande fut transpercée par un nouveau frisson. Tout son corps était raide, glacé.

— J'y ai pensé. Tout aussi bien il pourrait avoir changé le nom sur ce billet, vouloir faire exécuter un innocent pour nous détourner du coupable. Je refuse de me précipiter avant d'avoir vu le cadavre dans son entier, avant d'être certaine que ce meurtre est bien l'œuvre d'un démon. Je sais quel est mon devoir, mais je n'ai pas non plus le droit de me tromper. Les conséquences seraient trop graves.

Camilla s'appuya des deux mains sur les accoudoirs. Puis se leva péniblement.

— Oui, je l'entends. Exécuter la mauvaise cible reviendrait à servir Satan au lieu de le repousser. Faites ce que vous devez en votre âme et conscience. Quant à moi, j'irai quérir le viguier demain.

— Descendre à Utelle ? Alors que même le déhanchement de la mule vous est souffrance ? Je ne peux le permettre, Camilla.

La sœur portière lui opposa un visage grave.

— Alors j'enverrai Adélys. La Madone la protège, plus qu'aucune d'entre nous. Quant à vous, je refuse que vous vous exposiez. Vous êtes la seule ici à connaître le nom de l'exécuteur. Si ce meurtre est bien le fait d'un démon, il pourrait décider de vous frapper directement pour s'assurer définitivement de votre échec.

Vaincue par cet argument, Hersande acquiesça, la gorge nouée.

Camilla marcha vers la porte, se retourna une fois le loquet tiré.

— Allez-vous coucher, Hersande. Vous êtes aussi livide que moi, je gage. Demain, je furèterai aux alentours pour tenter de retrouver ce qu'il reste de l'Égyptienne. Et nous la mettrons en terre. Pour que Dieu ait son âme. Pas Lucifer.

17.

Combe d'Utelle
22 juin 1494
Neuf heures du matin

— Maman ? Maaa…mannn…

Myriam se redressa d'un bloc, tirée par la manche.

— Tu vois qu'elle dormait pas ! s'écria aussitôt Antoine en tournant la tête vers sa sœur qui venait d'apparaître sur le seuil du logis.

— Si. Et tu l'as réveillée, le gronda Margaux en refermant la porte d'un coup de talon.

Elle avait dû traire Capucine, car elle portait un pot de lait à pleines mains.

— Quelle heure est-il ? s'enquit Myriam en se frottant les paupières.

— Les cloches du prieuré viennent de sonner neuf coups, lui répondit la fillette en posant son fardeau sur la table, déjà garnie de pain tranché et de confiture.

— Un peu plus et nous étions en retard, mes chéris.

Tout en asseyant Antoine sur ses genoux, Myriam remarqua les cernes et la tristesse qui, plus encore qu'hier, creusaient le visage de sa fille. L'avait-elle réveillée hier soir ? Couvait-elle quelque chose ? Ou était-elle seulement éreintée par tout ce qu'elle s'imposait ?

Son cœur se serra.

Si je venais à les perdre, elle, Antoine, ou mon bébé…

Instinctivement, elle porta une main à son ventre, frôla le dos du garçonnet. Il se contorsionna aussitôt.

— Tiens-toi tranquille, tu vas lui faire mal, le tança sa sœur en dépotant les bols de terre cuite rangés l'un dans l'autre.

— Mais ça chatouille ! continua-t-il de rire.

— Tout va bien, Margaux, intervint Myriam.

Elle devait coûte que coûte ramener de la joie, de la légèreté dans cette maison. Et sur les traits de sa fille trop tôt durcis par le poids des responsabilités, du chagrin et de l'anxiété. D'autant qu'Antoine cherchait aussi bien le jeu que la confrontation avec sa sœur. Du haut de ses cinq ans, il ne mesurait pas encore ce qu'elle pouvait éprouver.

D'un clin d'œil, elle invita Margaux à la rejoindre, vit passer une lueur de revanche dans son regard. Abandonnant le lait à son pot et les bols à leur emplissage, elle se précipita enfin pour mêler ses doigts à ceux de sa mère. Antoine ne tarda pas à crier grâce et à promettre à sa sœur tout ce qu'elle lui demanderait.

— Tu feras bien ! Sinon…, tempêta-t-elle.

— Oui, oui, oui…, répéta-t-il, hilare.

Myriam relâcha son jeune prisonnier. Elle avait atteint son but. Le visage de Margaux s'était éclairé d'un rire franc et quelques perles de joie fleurissaient à nouveau l'intérieur de ses paupières.

— Allons, mauvaise troupe ! À table ! les réunit-elle en tendant la main vers le torchon replié dans lequel se trouvait le pain.

Elle le fit glisser jusqu'à elle, l'ouvrit, saisit le pot de confiture d'airelles que lui tendit Margaux ; puis, tandis que cette dernière poussait l'un des bols devant son frère, elle se mit à en couvrir les tartines.

— Che fais au prieuré auchourd'hui ? demanda Antoine en mordant dans celle qu'elle lui offrait.

— On ne parle pas la bouche pleine ! le reprit Margaux.

Elle agita ses doigts et Myriam le vit hésiter entre l'éclat de rire qui le regagnait et sa bouchée qu'il ne devait pas postillonner. Il finit par hocher la tête en pouffant.

Hier, cette scène l'aurait remplie de courage et de confiance malgré l'adversité. Ce matin, elle ne parvint pas à s'en apaiser. Elle sourit pourtant en se tournant vers son fils qui attendait une réponse.

— Toute la matinée, oui, avec Margaux. Et tu feras bien attention de ne pas courir dans la travée de la chapelle, comme la semaine dernière.

L'œil d'Antoine pétilla au souvenir du chahut qu'il avait provoqué en voulant saisir un chaton sauvage. Il n'était pas le dernier en sottises, disait de lui le prieur Grimaldi qui, en plus de lui apprendre à lire, lui donnait le catéchisme.

Le garçonnet prit cette fois le temps de déglutir avant de répondre.

— C'est pas ma faute.

— Ce n'est jamais ta faute, le sermonna Margaux.

Il bouda. Croisa les bras sur sa poitrine.

Tout le tempérament de son père, s'attendrit Myriam. Elle sentit son cœur se ratatiner sur lui-même.

— Allez-vous bien, maman ?

Elle devina à cet œil inquiet, à ce geste suspendu, qu'elle s'était crispée, permettant à la confiture de dégouliner du pain sur la main levée de sa fille.

— Oui. Le bébé donne de solides coups de pied. Je pense qu'il lui tarde de se joindre à notre tablée, fabula-t-elle en repoussant au plus profond d'elle le chagrin, l'incompréhension et sa colère à l'égard du baron Raphaël.

Ils ne doivent jamais se douter qu'il veut saisir notre maison, l'enfant à naître. Jamais se douter qu'il a assassiné leur père pour y arriver, décida-t-elle en mordant une bouchée.

Elle la terminait à peine lorsque deux coups ébranlèrent la porte, suivis d'une voix que Myriam reconnut en frémissant.

– Qu'on me reçoive ! En nom et place du baron Raphaël Galleani.

Elle voulut rassurer ses enfants statufiés, puis, consciente que la première de ses résolutions venait de partir en fumée, elle se leva, digne mais les poings serrés, pour ouvrir au viguier.

18.

Combe d'Utelle
22 juin 1494
Neuf heures trente du matin

L'homme qui faisait face à Myriam aurait eu du charme s'il n'avait été si glacial. La quarantaine passée, les cheveux poivre et sel, un regard profond sous des sourcils fins, une mâchoire adoucie par une barbe naissante.

Elle le connaissait depuis toujours et appréciait sa droiture. Évariste Dugat faisait son devoir, trouvait sans cesse le moyen de résoudre les conflits de voisinage, se montrait arrangeant autant que possible. Peu avaient à s'en plaindre et elle non plus jusque-là. Il lui avait obtenu autant de reports de paiement qu'elle en avait demandé. Mais il l'avait prévenue lors de sa dernière visite : il ne pourrait aller au-delà.

Et visiblement, cela le contrariait.

Elle tira la porte derrière elle, avança de quelques pas pour éviter que ses enfants n'assistent à l'échange, même si elle n'était pas dupe : ils devaient déjà s'être précipités à la fenêtre.

— Bonjour, Évariste, le salua-t-elle.

Il tapa dans ses mains gantées de cuir pour se donner une contenance.

— Tu sais ce qui m'amène. Alors je ne te ferai pas perdre ton temps. As-tu de quoi payer ?

Refusant de s'énerver, elle posa la main sur son ventre.

— Non.

— Dans ce cas, ce n'est plus moi qu'il faut convaincre pour obtenir un sursis.

Elle ne répondit pas, continua de caresser son enfant au travers de son long bliaud jaune.

— Veux-tu en demander un au baron ? insista-t-il.

— Non.

Il fronça les sourcils. Il ne s'attendait visiblement pas à cette réponse. Elle se demanda même comment elle avait pu la formuler si nettement.

— Très bien. Tu as huit jours pour changer d'avis ou solder tes dettes. Passé ce délai, je t'expulserai moi-même. Sans plaisir, tu peux me croire. Mais je le ferai.

Elle serra les dents.

Il avança d'un pas, posa une main sur l'épée qu'il portait à la ceinture. Là encore, elle n'y vit que le reflet de son impuissance, pas une manœuvre d'intimidation.

Elle ne recula pas.

— Entends-tu bien ce que cela signifie ? Tu pourrais encore trouver un arrangement avec lui.

— Qu'il aille au diable, lui retourna-t-elle en redressant le menton pour qu'il ne le voie pas trembler.

Il prit un air navré.

— Je doute qu'il ait quoi que ce soit à lui vendre.

Elle soutint son regard.

— Moi non plus, affirma-t-elle, espérant qu'il le répéterait au baron.

— Comme tu voudras, Myriam. Huit jours. Tu as huit jours pour empaqueter ce qui t'est cher. Tout le reste, meubles y compris, doit rester dans la maison.

Elle eut l'impression que le sol se dérobait sous ses pieds devant cette injustice. Elle se maintint droite pourtant. Digne.

Il tourna les talons, se dirigea vers son cheval qu'il avait attaché au clos de la chèvre. Indifférente aux combats des hommes, Capucine frottait ses cornes au front de l'animal qui s'était penché au-dessus d'elle. Il les sépara d'un geste vif, sauta en selle. Jeta un dernier regard dans sa direction, excédé par son obstination.

Myriam n'avait pas bougé, protégeant encore son territoire, autant qu'elle le pouvait.

Résigné, il prit le chemin du pont du val qui, traversant le champ d'oliviers du prieuré, menait au château en passant par la rue de l'auberge.

— Maman, maman ! s'écria Antoine en se précipitant vers elle.

Elle pivota, se heurta au visage livide de sa fille tandis que son fils s'enroulait, affolé, autour de ses jambes.

Elle l'attira dans ses bras, caressa la joue de Margaux.

— On a tout entendu, bredouilla la fillette.

Elle luttait pour contenir sa peur.

— Je sais, mes chéris. Tout va bien.

Les yeux de Margaux s'emplirent de larmes.

— Comment pouvez-vous dire cela, maman ? Il veut nous prendre notre maison.

Myriam sentit de nouveau son cœur se déchirer. Elle s'efforça pourtant de sourire.

— Jacquot nous offre une place en la sienne. Nous y serons bien.

— Et pour Capucine ? hoqueta Antoine que la chèvre venait d'appeler.

— On verra. Je te promets que tu pourras continuer à jouer avec elle tous les jours. Allons, il ne faut pas nous laisser abattre. Finissons de déjeuner.

Elle les fit rentrer, se remettre à table, même si aucun d'eux n'avait plus faim. Antoine but son lait, parce qu'elle insista, Margaux resta dans ses sombres pensées, plongeant et replongeant sa tartine dans son bol jusqu'à ce qu'elle ne fût plus qu'une bouillie facile à avaler. Quant à elle, sa gorge était si nouée face à leur tristesse, cette tristesse contre laquelle elle ne pouvait rien, qu'il lui sembla être revenue trois mois en arrière, après les funérailles de Pascal.

Qu'aurait-elle pu leur dire de toute façon ? Tout aurait sonné faux.

Dans huit jours, elle quitterait cette maison. Et même si en celle de Jacquot elle trouverait un foyer, rien ne serait plus comme avant. Ses enfants le savaient, eux aussi. Ce n'était pas un lieu qu'ils abandonneraient, c'était ce qu'il enfermait de souvenirs, de rires, de moments partagés, mais aussi de silences, d'odeurs.

Et, par-dessus toutes, celle de leur père.

19.

Sanctuaire de Notre-Dame
22 juin 1494
Dix heures du matin

Une écharpe de brume s'enroulait encore autour des hauts massifs du Mercantour, drapant le plateau de Notre-Dame d'une humidité cristalline. Quelques prismes de lumière s'y accrochaient, furtifs. Pour la première fois depuis qu'elle s'était installée ici, Hersande ne parvenait pas à s'en émerveiller.

Avisant par la fenêtre de son cabinet le retour de Camilla, elle était sortie à sa rencontre, espérant l'entendre dire qu'elle avait retrouvé le corps de l'Égyptienne. D'autant qu'Adélys était partie depuis une bonne heure déjà et avait promis de revenir aussitôt avec le viguier.

Elle avait dû remettre son interrogatoire à plus tard. Une douleur vive mangeait les traits de la sœur portière, l'empêchant presque de marcher.

– Par moments, je voudrais pouvoir couper cette fichue *gamba* comme une branche morte, lâcha-t-elle, agacée par sa faiblesse.

Hersande l'aida à s'asseoir sur l'un des bancs qui dominaient la vallée, en limite du raidillon qu'elles venaient de gravir.

— Cela me désole tellement d'être si impuissante, s'attrista-t-elle.

— Vous n'y pouvez rien. Et moi non plus. C'est comme si j'avais hérité de la souffrance qui a abattu ma sœur.

Hersande se crispa sur les battements, brusquement désordonnés, de son cœur.

— Allons. Ne dites pas de sottises. Ce qui a fauché Luquine fut foudroyant quand vous souffrez depuis des mois et de jour en jour davantage.

Camilla tourna vers elle un œil labouré de lassitude et de fatalité.

— Vous avez raison. Au matin elle m'embrassait, souriante, au soir Raphaël nous avertissait qu'elle n'était plus. J'aurais voulu en apprendre plus, étudier son cadavre... Raphaël a cloué son cercueil trop vite, Hersande.

L'herboriste lui couvrit le bras de sa main.

— Pour empêcher la propagation du mal. C'est ce que l'on fait toujours, vous le savez bien.

— Oui, je le sais. Sauf que, trois jours après son enterrement, cette douleur est entrée en moi. Comme si j'étais passée à côté de quelque chose d'essentiel.

Hersande se referma pour dissimuler son émotion. Elle avait toujours su que ce moment viendrait. Le moment où elle devrait faire face aux questions. Mais ce n'était pas le jour. Elle ne pouvait toutefois se soustraire à la souffrance de Camilla. Cette souffrance morale devenue physique, que la mort de l'Égyptienne avait rendue plus pesante. Camilla s'était épuisée à fouiller les alentours du plateau.

— Douteriez-vous de la manière dont Luquine s'est éteinte ?

Camilla renversa la nuque en arrière. Son sang pulsait méchamment dans ses veines.

— Point. Mes neveux eux-mêmes ont attesté la violence avec laquelle elle s'est soudain pris la tête entre les mains, son hurlement, puis sa chute. Presque à leurs pieds. Les faits sont là. Malgré tout, quelque chose me ronge, Hersande. Et je finirai par trouver ce dont il s'agit.

Hersande lui sut gré d'avoir fermé les yeux, car elle se sentit blêmir.

Changer de sujet.

— Comme nous découvrirons ce qu'il est advenu de la messagère, car je suppose que vous n'avez pas retrouvé son corps…

— Hélas, non. J'ai ouvert toutes les cabanes de berger sur deux lieues à ronde, suivi le ballet des charognards. Je n'ai vu que la carcasse d'un bouquetin à demi rongée par les loups. Pourtant cette malheureuse n'a pas dû être tuée bien loin. C'est à n'y rien comprendre.

Le regard d'Hersande plongea dans la vallée qui s'ouvrait à leurs pieds, tout au bas des lacets du chemin. Des muletiers montaient encore. Bientôt Célestin se faufilerait parmi eux tout guilleret, en courant, en escaladant et en ramassant des fleurs qu'il viendrait offrir à la Madone. Il rapporterait en ce lieu souillé un parfum d'innocence que le viguier, à son tour, écorcherait.

Hersande eut l'impression que son cœur se ratatinait.

— Espérons que Dugat sera plus efficace. Pour ma mission autant que pour la tranquillité de nos protégées. Elles tentent de contrôler leur terreur, s'acquittent de leurs tâches, tiennent leur rôle, mais elles tressaillent au moindre bruit et leurs sourires restent crispés.

— Je sais, Hersande. Tout comme vous, j'attends beaucoup de son enquête et je continue de prier pour qu'elle confirme l'œuvre d'un fou et non d'un démon. Jusque-là, c'est à nous qu'il appartient d'alléger le poids qui pèse sur notre communauté. Peut-être en décidant de la cueillette des simples cet après-midi.

— Oui, cela me semble une bonne idée. J'en parlerai au déjeuner.

— Quant à moi, puisque Adélys ne reviendra pas de sitôt avec le viguier, je vais prendre sa place en cuisine.

— Et tenir debout derrière les fourneaux ?

Camilla souleva son genou, le déplia.

— Le pire est derrière moi, assura-t-elle.

Elle se leva, fit quelques pas au côté d'Hersande avant de se tourner de nouveau vers elle.

— J'ai bien entendu votre réserve concernant le message de la roue. Mais croyez-vous sincèrement que le diable ait pu s'approcher d'elle ? changer le nom sur le billet, voire en écrire un autre avec le sang d'Anabeth ? Cela me semble tellement... incompatible avec l'omnipotence de Dieu...

— Je sais. C'est une question qui tourne sans cesse dans ma tête, Camilla.

— Peut-être alors devriez-vous cesser de vous la poser.

Hersande acquiesça tristement.

— J'espérais que le résultat de vos recherches m'aiderait à y voir plus clair. Las, je crains que vous n'ayez raison et qu'il ne me faille décider par moi-même. Ce ne sera plus très long de toute manière, le temps m'est compté.

Camilla prit appui sur son bras pour remonter jusqu'au réfectoire. Il n'était plus qu'à une vingtaine de pas au-dessus d'elles.

— À cause de la date de l'exécution ?

— Ce doit être fait demain, avant minuit.

Camilla sursauta.

— Aurez-vous le temps d'avertir son auteur ?

L'œil chagrin d'Hersande s'attarda sur la poignée de pèlerins qui s'éparpillait des abords de la chapelle aux différents éventaires tenus par les nonnes. Trop loin d'elles pour percevoir leur échange ou deviner son trouble.

— Oui.

Camilla haussa les sourcils.

— Est-ce à dire qu'il demeure à proximité ? Comme la cible ?

— Tous deux sont au village.

Camilla ébaucha un signe de croix sur sa chasuble.

— Doux Jésus… Cela signifie qu'ils se connaissent…

— Et cela ne me facilite pas la tâche.

— Je comprends mieux votre retenue… Doux Jésus, répéta-t-elle. Il y aura donc un autre meurtre à Utelle. Cette idée me terrifie.

— Moi aussi, mon amie. Moi aussi, souffla Hersande.

20.

Combe d'Utelle
22 juin 1494
Dix heures trente du matin

Empruntant la direction opposée au viguier, Myriam et ses enfants descendaient à présent le pré pour rejoindre le torrent. Large d'une toise et demie[1], il naissait de la source tout en haut de la combe, près du lavoir, et bouillonnait jusqu'au petit réservoir artificiel en contrebas de sa maison.

Comme chaque matin, Myriam laissa son regard s'y arrêter. La roue du moulin tournait, tranquille dans le miroitement de l'eau. C'était un long bâtiment clôturé, encerclé par les oliviers dont le vert doux s'accordait à l'ocre du sol. Au-dessus d'eux, les jaunes et le bleu des façades du village éclataient sous les rayons du soleil. Il faisait chaud déjà.

Huit jours. Dans huit jours ce paysage ne m'appartiendra plus.

D'ordinaire, Antoine courait devant pour arriver le premier au pont du prieuré et compter les poissons,

1. Une toise correspond à 1,949 mètre.

tandis que Margaux, studieuse, répétait la leçon qu'elle devait réciter au prieur Grimaldi.

Pas cette fois.

Silencieux, ils avançaient dans son pas en lui tenant la main.

Ils sont choqués, avait-elle conclu, démunie après le départ du viguier.

Elle avait espéré que cela passerait vite. Elle s'était trompée.

Elle parvint au milieu de la petite arche de bois. Au-dessous, étranglé par le goulet de la retenue d'eau, le torrent frémissait sur son lit de pierres. Elle se pencha au-dessus de la rambarde.

— Regardez, deux beaux gardons ! s'écria-t-elle pour les distraire. Et là, frère François qui nous fait signe !

Rondouillard, affable, le moine pêchait à quelques coudées du moulin.

— Pfff, souffla Antoine en haussant les épaules, le nez sur ses souliers.

Il frappa du pied dans un caillou, le précipita dans l'eau. Hier encore il en aurait ri. Il se contenta de lui broyer les doigts, signe de sa colère rentrée. Tandis que Margaux, blême, fixait le château tapi sur son tertre, de l'autre côté du village.

Myriam sentit un vent rageur battre ses joues.

Survolés par un nuage d'étourneaux, les remparts et le donjon se détachaient, gris, puissants, sur l'azur du ciel. Elle les connaissait depuis toujours. Tout comme le baron Raphaël. Pour la première fois pourtant, elle en eut peur.

Pourquoi mon petit à naître est-il si important pour vous, baron ?

De nouveau, elle se tendit comme la corde d'un arc. Elle ne se laisserait pas mettre à terre. Ne lui abandonnerait le cœur d'aucun de ses enfants.

Elle tira Antoine et Margaux par les bras et les fit descendre sur l'autre rive. Ici, sur les terres du prieuré, le chemin de Notre-Dame rejoignait celui du sel. C'était une route pierreuse, bordée par l'eau vive, sur laquelle déjà les muletiers avançaient ou se croisaient en bavardant. Elle salua quelques têtes, longea la haute clôture de moellons et parvint enfin devant la double porte du prieuré.

Elle était ouverte. Les moines étaient aux champs. Elle les avait vus depuis le pont, affairés autour des oliviers. Elle entra dans la vaste cour que des poules nettoyaient en toute liberté. À cette heure, la messe était dite et le prieur dans le scriptorium avec ses autres élèves.

Ils étaient en retard.

— Holà, Myriam ! l'accueillit joyeusement le panetier qui sortait de son antre.

Il tapa ses mains épaisses sur ses cuisses, faisant s'envoler un nuage de farine. D'habitude, cela suffisait pour qu'Antoine vienne s'y frotter, éternue et rie aux éclats avant d'aller courser le coq et se faire reprendre par le prieur. Une sorte de rituel qui lui permettait ensuite de se tenir tranquille pendant sa leçon.

— Eh bien, quoi ? Serais-tu malade, mon garçon ? s'étonna-t-il en le voyant détourner la tête.

— On va nous prendre notre maison, répondit Margaux, sortie de son mutisme, en s'avançant vers lui.

Le sourire généreux du panetier se figea sur ses lèvres.

— Oh..., dit-il avant de tendre sa joue pour que la fillette l'embrasse.

Le cœur de Myriam cogna dans sa poitrine. Elle devait prendre sur elle, continuer. Ne plus songer qu'à contrer les intentions du baron.

À ce prix-là seulement les enfants reprendront le cours de leur vie.

— Ce n'est rien, frère Michel. Du moins, rien à quoi je ne m'attendais. Il faut juste que les petits se fassent à l'idée, expliqua-t-elle devant son air navré.

— Ben moi, je veux pas. Je vais prendre mon épée et battre le viguier quand il reviendra, s'emporta soudain Antoine en tapant du pied, faisant sursauter Myriam.

Margaux se retourna, leva les yeux au ciel.

— Et le baron, aussi ? lui rétorqua-t-elle, cynique.

Enfin ils laissent sortir leur rancœur. Enfin, je les retrouve.

Antoine marcha vers sa sœur, les poings serrés, les sourcils froncés, la moue farouche. Obligeant l'une des poules qui se trouvaient sur son passage à s'écarter prudemment. Myriam ne l'avait jamais vu ainsi. Mais cela la rassura. Il fulminait. S'immobilisant enfin devant Margaux, il tint tête à sa résignation.

— Oui. Le baron aussi ! Et si je suis pas assez fort, je demanderai à maître Benoît de venir avec moi.

Myriam tressaillit.

— Pourquoi maître Benoît ? demanda le panetier, répondant à la surprise de Margaux.

Fauché dans son élan, Antoine haussa les épaules.

— Je sais pas. Je l'aime bien. Il taille les pierres, comme papa.

Myriam se relâcha un peu. Un instant elle avait craint qu'il ne les ait vus la nuit dernière, qu'il ne se soit fait des idées.

Une voix tomba sur ses épaules. Fort à propos.

— Alors, prêts pour cette leçon, les enfants ?

Elle leva les yeux en direction de la petite coursive qui bordait l'étage du bâtiment. Le prieur Grimaldi s'était accoudé à la rambarde de pierre.

Il a tout entendu, devina-t-elle en lui retournant son sourire triste.

Ragaillardi par son nouveau défi chevaleresque, Antoine courut jusqu'à l'escalier. Margaux le suivit mollement.

— Pourrez-vous les ramener à Séverine en allant sur le chantier ? demanda-t-elle, même si elle connaissait déjà la réponse.

— Bien sûr, ma fille, confirma-t-il d'une voix chaleureuse.

Elle s'en rasséréna. Au moins avait-elle des amis, une famille, des gens sur qui elle pouvait compter. Cela avait toujours été.

— Bonjour, mon père.

La voix d'Antoine résonna en même temps que le bruit de ses souliers sur les planches.

Margaux suivait.

— Bonjour, mon père, lança-t-elle à son tour, tout aussi respectueuse.

— Bonjour, les enfants. Allez vite vous installer avec les autres.

Myriam les laissait entre de bonnes mains. Celles qui l'avaient recueillie dans son panier, devant cette même porte, alors qu'elle venait de naître et que ses parents l'avaient abandonnée. Elle tourna les talons, craignant que Jacquot, ne la voyant pas arriver, ne décide qu'elle était encore trop fatiguée pour travailler.

— Myriam..., la retint le prieur.

Elle pivota. Il s'était avancé jusqu'à l'angle de la bâtisse.

— Ne t'inquiète pas pour ta maison. Tu es une enfant de la Madone. Je suis sûr qu'elle fera en sorte que le baron ne l'ait pas.

21.

Sanctuaire de Notre-Dame
22 juin 1494
Trois heures de l'après-midi

Hersande repoussa la claie qui se trouvait devant elle. Depuis deux bonnes heures déjà, elle nettoyait puis mettait à sécher les simples que les nonnes lui rapportaient. Camilla avait vu juste. Obliger leurs pensionnaires à réagir, à parcourir le plateau à la recherche des plus belles pousses avait forcé leur peur et leur réserve. Prisonnière de ses mouvements répétitifs que scandaient les allées et venues régulières, elle-même avait été empêchée de penser. Et s'en félicitait.

Elle sourit à sœur Anna qui était arrivée six mois plus tôt d'un des villages voisins. C'était sa première récolte. En plus de lui apprendre à trier, elle tenait à garder un œil sur elle. Âgée seulement de quatorze ans, Anna avait été la plus choquée par la vision de la main ensanglantée. Elle avait dormi par à-coups, s'était éveillée plusieurs fois en hurlant. Au matin elle tremblait encore de fièvre.

Elle aussi semble plus détendue, se réjouit-elle en la voyant décortiquer avec application les tiges et les fleurs qu'elle lui avait remises. Son visage émacié par la terreur s'était repulpé et ses lèvres avaient recouvré leur carnation rosée.

Un instant, Hersande ne put s'empêcher de la comparer à Adélys. La cadette de Séverine possédait elle aussi cette fraîcheur extatique dans le regard lorsqu'elle leur avait été confiée. Nul doute qu'Anna prenait exemple sur elle, comme toutes l'avaient fait à leur arrivée.

Elle s'approcha, écartela les rameaux fleuris d'un pied de romarin.

— Vois-tu, le choix du moment de la cueillette est crucial. Il ne doit pas survenir trop tôt pour ne pas priver les abeilles et amoindrir la qualité du miel. Ni trop tard au risque de voir toute une pharmacopée disparaître sous les immenses troupeaux qu'impose le mouvement de transhumance. Que penses-tu de ce brin-ci ?

— Je crois qu'il est parfait, ma mère. Et celui-là aussi, ajouta-t-elle en puisant dans un des paniers un bouquet de thym dont les fleurs mauves et discrètement ouvertes exhalaient un parfum entêtant dans l'herboristerie.

C'était un petit espace, largement éclairé par une belle fenêtre à meneaux. Aussi encombré de meubles à tiroirs et d'ustensiles que les autres pièces du logis pouvaient être sobres. Hersande l'avait voulu attenant à son cabinet de travail. De sorte qu'il lui suffisait parfois de laisser la porte de communication béante pour jouir de l'odeur des simples tandis qu'elle sacrifiait à sa comptabilité.

— Voici un autre panier, ma mère, annonça une autre jouvencelle en s'encadrant dans la porte.

— Voyons cela, l'accueillit aussitôt Hersande.

Elle se pencha au-dessus du creuset de joncs tressés.

— Reines-des-prés, pensées et pissenlits en majorité. J'ai aussi de l'aigremoine, de l'arnica, de la chicorée et quelques brins de menthe, énonça la nonne, les joues empourprées par le soleil.

— C'est une bien belle récolte ! la complimenta-t-elle, soulagée de retrouver un peu de pétulance dans son regard.

Même si, comme le lui avait fait remarquer Camilla quelques minutes plus tôt, l'arrivée du viguier puis la tombée de la nuit ramèneraient invariablement la terreur au sanctuaire. Pour l'heure, Hersande voulait y voir une petite victoire sur l'adversité, fût-elle ou non démoniaque.

— Sœur Camilla m'envoie vous dire que Célestin est arrivé et qu'il vous réclame. En privé, ajouta la jeune nonne.

Hersande souleva un sourcil surpris. Ce n'était pas dans les habitudes du benêt.

— Conduis-le à mon cabinet, décida-t-elle en récupérant le panier qu'elle tendit à sœur Anna.

— Tu n'as qu'à t'en occuper jusqu'à ce que je revienne.

Un voile sombre, tourmenté, traversa le regard clair de la jouvencelle et Hersande sentit une pointe de tristesse regagner son cœur. De toute évidence, c'était sa présence qui l'avait apaisée, au moins autant que cette activité.

Tout cela est bien fragile.

— Je ne serai pas longue, assura-t-elle pour lui donner le courage de se ressaisir.

Anna hocha la tête, mais Hersande attendit d'entendre le rire joyeux de Célestin traverser l'épaisseur de la porte pour se glisser derrière.

— Ma bonne, bonne mère ! s'exclama le benêt en se précipitant vers elle.

Hersande sentit une intense bouffée de tendresse l'envahir lorsqu'il referma les bras autour de son cou et plaqua sur ses joues deux bises sonores. Un privilège qu'elle ne consentait à personne d'autre. Et toujours en aparté.

Il s'écarta, des étoiles dans les yeux, un immense sourire édenté aux lèvres.

— J'ai beaucoup prié la Madone aujourd'hui. Pour Myriam. Je crois que le viguier lui fait des misères.

— À cause de ses dettes ? demanda Hersande.

Célestin hocha la tête, l'air ennuyé.

— Tu ne dois pas t'inquiéter pour elle. Elle est forte, tu sais.

— Mais elle a le ventre qui pousse, se mit de nouveau à rire Célestin en élargissant ses bras autour de sa taille et en cambrant les reins.

Hersande ne put s'interdire un sourire. Elle l'aimait, ce grand dadais au cœur pur.

— Alors, que voulais-tu ? lui demanda-t-elle.

Il extirpa un billet de sa besace.

— C'est pour Myriam, crut-il bon de préciser, mais Hersande l'avait déjà compris aux quelques phrases griffonnées.

— Attends-moi ici, le pria-t-elle en l'invitant à s'asseoir.

Mais il resta debout, à chantonner, l'air heureux, comme toujours. Le cœur serré, Hersande repassa dans l'herboristerie, trouva Anna qui se tordait les mains.

— Le viguier est arrivé, lui souffla la jeune nonne, l'œil de nouveau avalé par la peur, comme si sa présence avait le pouvoir de réveiller l'assassin au lieu de le condamner à fuir.

Hersande jeta un regard par la fenêtre, l'aperçut près de Camilla et Adélys. Déjà, répondant à son appel, les nonnes se rapprochaient de lui.

— Dois-je les rejoindre, ma mère ?

Hersande aurait voulu l'en dispenser tant sa voix s'était mise à trembler. Mais elle savait que le seul moyen pour elle de vaincre sa peur était de l'affronter.

N'était-ce pas ce qu'elle s'efforçait de faire depuis que l'Égyptienne était entrée dans son cabinet ?

— Oui. Et j'arriverai sitôt que j'aurai remis sa médication à Célestin, assura-t-elle.

Anna dodelina d'un pied sur l'autre. Hersande lui tourna le dos. Elle l'entendit renifler, puis refermer la porte du couloir sur elle.

Lors, Hersande déplia le billet et se mit à l'ouvrage. Plus vite Célestin quitterait le sanctuaire, mieux ce serait.

22.

Utelle, place de l'église
22 juin 1494
Quatre heures de l'après-midi

Benoît déposa sa gouge près des autres, sorties méticuleusement de sa trousse. Il était aussi soucieux de son matériel, acquis de longues années auparavant auprès de son premier maître, que du travail accompli.

Il pencha la tête de côté, recula un peu pour juger de l'ensemble et se sourit à lui-même, satisfait. La gargouille commandée par le prieur était en tout point identique au dessin qu'il lui avait donné. Avec ce petit plus qui faisait sa renommée : d'où qu'on la regardât, on éprouvait le sentiment que son œil démoniaque vous suivait.

— Un bien bel ouvrage, lança une voix éraillée derrière lui.

Benoît pivota pour faire face au prieur Grimaldi. Il l'avait vu une heure plus tôt contourner le clocher avec les enfants de Myriam. Il avait dû les confier à Séverine puis s'attarder auprès du baron, car il était seul.

— Il me fut bien inspiré, lui retourna-t-il le compliment.

Il faisait chaud en ce milieu d'après-midi. Une goutte de sueur perlait sur le front du prêtre, hésitant encore à se mêler à toutes celles qui dégoulinaient sur son visage. Il cligna des yeux.

— Dieu seul inspire, mon garçon. Et je ne Lui ferai pas l'injure de m'enorgueillir d'une imagination qu'Il ne m'a point donnée.

Le prieur rompit la distance qui les séparait d'un pas vif, une large auréole sous les aisselles.

— J'ai vu semblable figure à Nice sur la façade de l'église Sainte-Réparate. C'était il y a fort longtemps déjà ; néanmoins j'avais trouvé l'expression de cette gargouille assez inhabituelle pour m'en souvenir, la dessiner et en suggérer le détail au baron Raphaël.

— C'est vrai qu'elle est singulière, avec ce rebec sur les lèvres et les paupières, admit Benoît pour ne pas avouer qu'auprès de Myriam il lui en avait attribué le modèle.

Myriam à qui il n'avait pas pu parler ce midi tant la salle était bondée et elle, pressée par le service. Il le regrettait. Il avait passé la nuit à s'inquiéter pour elle, conscient de la douleur et de la terreur qu'il lui avait causées. Voyant poindre l'échéance de sa grossesse, il s'était montré plus brusque qu'il ne l'aurait souhaité. Depuis, concentré sur son travail, il attendait de pouvoir se présenter à sa porte, dût-elle l'en chasser, pour s'assurer qu'elle allait bien.

Le prieur Grimaldi s'était mis à suivre les contours de la gargouille d'un index osseux.

— Je me suis plu parfois à imaginer qu'un second être se cachait à l'intérieur du premier, un être désirant voir et parler contre le gré de son hôte. Dualité de l'homme… Être et ne pas oser…

Benoît se demanda un instant s'il ne s'adressait pas en réalité à lui-même tant son regard était soudain devenu lointain. Cela ne dura pas. Le prieur leva de nouveau sur lui ses sourcils broussailleux, sa face de gnome.

— Quand entendez-vous la sceller ?

— Il me reste encore à polir quelques discrètes protubérances, mais elle sera en place avant la tombée de la nuit.

Le prieur Grimaldi opina d'un air satisfait.

— Bien. Bien. Le baron Raphaël m'a fait savoir qu'il en voulait d'autres. Quatre. Placées ici, là, là et là, dit-il en désignant les angles du clocher crénelé au-dessus duquel les couvreurs s'activaient.

— C'est entendu. Les mêmes ?

— Il vous laisse juge. En ce qui me concerne, je n'ai plus en mes tiroirs de quoi diriger le mouvement de votre poignet.

— Je saurai me débrouiller, affirma Benoît.

— Je n'en doute pas. Vous êtes d'une nature entreprenante. Et je ne parle pas seulement de votre métier, mon garçon.

Benoît souleva un sourcil.

— C'est-à-dire ?

— On m'a rapporté votre visite à Myriam hier soir.

— Les nouvelles vont vite, s'agaça Benoît qui avait été le plus discret possible.

— Allons, il m'appartient de tout savoir dans ce village. Et puis je n'ai pas l'intention de vous jeter la pierre… quoique dans votre métier…

Benoît ne releva pas ce trait, censé être d'esprit. Quelque chose sonnait faux dans ce sourire disgracieux.

— … Myriam est d'une réputation et d'un courage sans faille, en plus d'être fort jolie. Je voulais juste vous avertir que la courtiser pourrait vous valoir, à vous l'étranger, quelques ressentiments. D'autant que vous occupez déjà, sur ce chantier, la place de son défunt mari.

Benoît n'aima définitivement pas non plus le ton de sa voix. Il frôlait la menace. Il redressa le buste, cisela son regard.

— Rassurez-vous, mon père. Je ne suis pas de ceux qui prennent sans y être invités. Myriam saura me dire si je l'indispose. Quant aux autres, je n'ai pas d'amis ici et n'entends pas m'en faire. C'est ma renommée qui m'a valu embauche. Je n'ai donc de comptes à rendre qu'au baron Raphaël qui paie ces travaux. À moins, bien entendu, que ce ne soit à lui que mon intérêt pour Myriam déplaise...

Au tressaillement de la paupière épaisse et tombante de son interlocuteur, Benoît sentit qu'il avait vu juste.

Idiot que je suis. Il va se douter de quelque chose désormais.

Il éclata d'un rire clair, déstabilisant le prieur. Ajouta, pour se sortir de sa maladresse :

— ... Ce qui, mon père, me semble aussi fantaisiste que d'imaginer cette gargouille sur votre front.

— Cette gargouille ? Sur mon front ? répéta le prieur, surpris, en essayant d'imaginer son effet.

Il finit par joindre son rire à celui du tailleur de pierre.

— Ma foi. Je vois que vous ne manquez pas de repartie, mon garçon. Vous saurez moucher les jaloux, point de doute, gloussa-t-il avant de tourner les talons.

Benoît le regarda gagner l'église en travaux pour son inspection journalière avec le sentiment de devoir surveiller ses arrières. Il leva la tête en direction des échafaudages qui dénaturaient le portail. Appliqué jusque-là à sertir l'un des éléments de la rosace, le maître verrier le regardait avec insistance, tout comme ses deux ouvriers. Nul doute qu'ils avaient entendu la conversation.

— Quelque chose à ajouter ? lança-t-il, peu amène.

— Que tu devrais te montrer moins susceptible, lui répondit le maître avant de retourner à sa tâche.

Benoît dut admettre qu'il avait raison. S'il voulait protéger Myriam et ses enfants, il devait se montrer tel qu'il s'était efforcé de paraître jusque-là : affable et discret.

Pourtant son sang bouillait. Et il se demanda combien de temps encore il parviendrait à contrer sa véritable nature.

23.

Auberge Le Fumet des cimes
22 juin 1494
Sept heures du soir

Au moment où Myriam franchissait le seuil de la porte pour disperser ses balayures, sept coups ébranlèrent la cloche du prieuré, répondant à celle de l'église, récemment installée.

Elle n'avait pas vu passer la journée.

À peine arrivée ce matin, il lui avait fallu répondre à la curiosité des filles. S'y étant préparée, elle était restée vague, disant que Benoît avait connu Pascal sur un chantier, qu'il appréciait d'autant plus leurs échanges et ne serait pas fâché qu'elle lui accordât son amitié. Sans leur laisser le temps d'extrapoler, elle avait enchaîné sur la visite du viguier et son ultimatum qui avait bouleversé les enfants. Elle avait dû prendre sur elle pour rester digne tandis qu'Élise la serrait dans ses bras, que Catherine et Christine ajoutaient leur sentiment d'injustice au sien.

Seul Jacquot était resté sobre, fataliste.

— Tu emménages quand tu veux, lui avait-il répété.

Mais lorsqu'il avait à nouveau insisté sur le fait qu'elle n'aurait rien à débourser, elle s'était crispée. La chambre qu'elle allait occuper avec ses enfants était une de moins à louer. Elle ne voulait pas que les bénéfices de l'auberge s'en ressentent.

— J'ai besoin d'affection, de chaleur autour de moi et de mes enfants. J'ai besoin d'une famille, celle que vous m'avez toujours donnée. Pas de pitié. Vous comprenez, n'est-ce pas ? avait-elle insisté.

Admettant qu'elle serait incapable de s'apaiser tant qu'elle se sentirait redevable, Jacquot avait fini par accepter de retenir une part de son salaire en échange du gîte et du couvert. Là encore, à un coût dérisoire. Mais au moins n'était-elle plus gênée.

Dès lors, elle s'était dévouée à sa tâche, plus encore que d'ordinaire, leur laissant croire qu'elle allait bien, qu'en se résignant à perdre son foyer, elle s'était arraché cette épine qui la gangrenait. Elle avait réussi à donner le change. Parce que en elle brûlait un feu nouveau. Celui que Benoît avait allumé, même si, à l'inverse de ce qu'imaginaient les filles, il n'était que rage à l'égard du baron Raphaël.

Rage et terreur mêlées.

Elle avait beau se creuser la tête, elle ne comprenait toujours pas pourquoi cet homme désirait tant son enfant à naître. Elle le connaissait depuis l'enfance et il s'était toujours montré prévenant envers elle, envers ceux du village. Cette requête, impérieuse, inhumaine, n'avait aucun sens pour elle. Et pourtant, son instinct lui criait que Benoît avait raison et que la mort de Pascal y était directement liée, tout comme aujourd'hui l'était la saisie de tous ses biens.

— Vêpres. Nous n'avons que le temps de la messe pour achever de dresser les tables. Les ouvriers ne vont pas tarder à descendre pour le souper, soupira Catherine qui remontait de la glacière, un jambon jeté sur son épaule.

Myriam ne put réprimer un sourire. Ainsi munie, armée du long couteau dont l'étui, accroché à sa ceinture, reposait sur sa hanche, sa chevelure blonde caressant le haut de son épaule dénudée et finissant sur le corset de cuir lacé qui retenait sa chemise, la cadette de Jacquot lui évoqua l'une de ces femmes mercenaires du temps des chevaliers.

Enfant, c'était auprès de Jacquot et des ménestrels qui se réchauffaient à l'auberge qu'elle venait prendre son content d'histoires. Nul doute que l'aubergiste en raconterait de nouveau lorsqu'elle se serait installée chez lui. Les petits seraient ravis, eux qui aimaient tant les veillées avec leur père.

Tout ne sera pas sombre dans ce déménagement, se réconforta-t-elle.

– Quoi ? demanda Catherine sous son regard soutenu.

Myriam lui baisa la joue.

– Rien. Je te trouvais belle.

Catherine éclata d'un rire clair.

– Eh bien tu es sacrément fatiguée ! Parce que je ne ressemble plus à rien à cette heure.

– Et nous non plus ! Il va falloir trouver du temps pour nous rafraîchir un peu, rétorqua Élise qui sortait les bras d'un vaisselier.

– À quoi bon ! S'il y a autant de monde ce soir, nous finirons poisseuses et échevelées, se moqua Christine en récupérant la pile d'écuelles qu'elle lui tendit.

Myriam acquiesça. Elle ne valait pas mieux. Le tablier qui recouvrait son gros ventre était maculé et Élise lui avait fait remarquer tantôt qu'un peu de sauce avait sauté ce midi, dotant d'un large grain de beauté la naissance de son corsage. Pas étonnant qu'ils aient été plusieurs, malgré sa grossesse, à s'attarder sur elle l'air gourmand.

Catherine déposa son jambon sur le billot et tira son couteau du fourreau.

— Toujours pas de nouvelles de Célestin ? demanda Élise en s'approchant, laissant Christine garnir les tables en chantonnant.

— Non, mais il ne va plus tarder. Il revient toujours avant la nuit, tu le sais bien.

— J'en ai parlé avec papa. Tu rentreras chez toi sitôt après.

Myriam poussa un soupir exaspéré.

— Élise ! Vous n'allez pas recommencer ! Ce n'était qu'un malaise, hier. Vous en connaissez maintenant la raison. Je vais bien et je n'ai pas eu de contractions de la journée. Vous avez besoin de moi, ici.

— Nous nous débrouillerons.

— Tu dois t'occuper de tes enfants, renchérit Christine, visiblement complice. Plus encore que d'ordinaire après ce qu'ils ont vécu ce matin.

Les fourbes ! s'attendrit Myriam.

C'était le seul argument qu'elle ne pouvait réfuter. Elle s'adossa aux battants moulurés de la porte qui donnait sur la cour.

— D'accord, céda-t-elle. Vous avez gagné. Je partirai sitôt que j'aurai récupéré ma médication.

— Eh bien, tu ne vas pas attendre longtemps, répondit Catherine en lorgnant par la croisée. Voilà notre benêt qui franchit le portail !

— Hooollllàààà ! claironna à cet instant Célestin.

Le gravier crissa sous son pas lourd. Et Myriam, résignée, ouvrit le double battant pour l'accueillir.

— Tiens, lui dit-il en lui tendant fièrement sa commande.

Elle resta bouche ouverte, incapable de seulement le remercier.

Si son habituel sourire s'épanouissait sur son visage, ses épaules étaient recouvertes d'une effroyable pèlerine : un corps ensanglanté dont les bras ballants lui recouvraient la poitrine. À l'un il manquait une main.

— Je l'ai trouvée dans la combe. Tout près de chez toi, annonça-t-il en faisant glisser le cadavre à terre, comme un cadeau.

Myriam sentit son estomac se révulser, un vertige l'aspirer. Son regard engloba ce tableau dément avant de se figer sur l'intérieur de la paume de la malheureuse.

Une croix dans un triangle.

Elle s'affaissa sur elle-même comme une fleur fanée, les jambes et le souffle coupés, précipitant aussitôt les filles à sa rescousse.

Ce symbole, enregistra-t-elle avant de perdre connaissance dans le hurlement de Catherine.

Elle l'avait déjà vu.

Elle savait ce qu'il impliquait.

24.

Château d'Utelle
22 juin 1494
Sept heures trente du soir

Le cabinet du baron Raphaël était une pièce sombre, encombrée de tables croulant sous des ouvrages rares, des bougeoirs d'argent avalés par les coulées de cire et des plumes de différentes tailles dans des pots sculptés. Un pan entier de mur disparaissait sous une bibliothèque qui aurait fait la fierté du prieuré d'Utelle. Les autres, de pierre brute, grise, avalaient la lumière que l'unique fenêtre peinait à distribuer. Il y régnait une atmosphère lourde saturée par l'odeur entêtante de l'encens et de la sauge brûlée. Une atmosphère qui mettait mal à l'aise le viguier. Il aurait donné cher pour ne pas la subir. Or c'était la troisième fois aujourd'hui. La première en rentrant de chez Myriam, la deuxième après la visite d'Adélys, juste avant qu'il ne l'accompagne au sanctuaire. Il en revenait, macabrement chargé.

Le baron se détourna de la fenêtre par laquelle il observait ses deux fils, âgés respectivement de cinq et trois ans, jouer au cerceau dans la cour. Il ne pouvait s'empêcher de les surveiller quand ils étaient dehors, quand ils s'approchaient un peu trop du donjon.

Comme un oiseau de proie depuis son nid.

Le viguier déglutit. Ce regard d'encre dépourvu de lumière lui glaçait le sang depuis quelques mois. Moins pourtant que la vérité, cette vérité que le baron cachait aux yeux de tous. Entendre ses confidences l'avait rendu à la fois serviteur et complice des faits, des actes et des solutions radicales que cet homme prévoyait. Cela l'entraînait bien au-delà du cadre de sa fonction. Il était pourtant obligé de les cautionner. L'avenir d'Utelle en dépendait.

— L'avez-vous ? demanda le baron en braquant son œil sur lui.

— Oui. Et ce n'est pas tout. En chemin, j'ai appris que Célestin avait trouvé le corps. Des habitants l'ont vu le remonter de la combe. Cela va bientôt faire le tour du village. Le maire, le prieur… Tout le monde va s'en mêler. Qu'attendez-vous de moi ?

Raphaël Galleani passa une main sur son menton carré, se piqua à sa barbe. Elle poussait trop vite. Mais il avait plus important à faire que de s'occuper de son apparence.

— Arrêtez-le, décida-t-il.

— Il est innocent, monsieur, assura le viguier.

Le baron lui jeta un coup d'œil agacé.

— Je le sais. Mais il se laissera faire. Cela vous permettra de me rapporter ce cadavre tout en renvoyant chacun à ses affaires. Ne discutez pas mes ordres, Dugat. Vous savez ce qu'il pourrait en résulter.

Le viguier blêmit.

— Oui, monsieur.

— Donnez-moi cette main sectionnée.

Le viguier récupéra une boîte de métal dans sa besace, la lui tendit.

Le baron s'en saisit comme un rapace, l'ouvrit avec la même avidité. Et Dugat ne put retenir un haut-le-cœur en le voyant déplier les doigts bleuis, approcher la paume de la lumière.

– Une croix dans un triangle. Oui. C'est bien le même, murmura-t-il.

Un sourire mauvais lui étira les lèvres.

– Vous n'avez toujours aucune idée de ce que signifie ce symbole ? demanda le viguier.

– Non. Mais elle ne pourra plus nier, désormais.

– Je veux bien faire fi de l'opinion du village, monsieur, cependant que dois-je dire à Hersande et Camilla à qui j'ai promis de rendre compte de mes résultats ? Aucune d'elles n'acceptera de croire que le benêt soit coupable.

De nouveau l'œil du baron fondit sur lui et il ne résista pas au besoin de tirer sur son col, craignant soudain qu'il ne l'étrangle à distance.

– Rien... Ne leur dites rien. La peur les gardera à distance d'Utelle. Pendant ce temps, continuez votre enquête. Discrètement.

– Et pour Myriam ? insista le viguier.

Le baron se crispa.

– Il me faut cet enfant.

– Quoi qu'il doive en coûter à sa mère ?

Le baron repoussa sa faiblesse au plus profond de lui.

– Je n'ai pas le choix, Dugat. Alors ne faites pas comme si vous, vous l'aviez, grinça-t-il avant de le chasser d'un geste agacé et de lui tourner le dos.

Retourné à l'examen de la main, il entendit à peine la porte se refermer.

– Je te tiens. Je te tiens et je vais te broyer, crissa-t-il en collant ces phalanges mortes aux siennes.

Il y entremêla ses doigts, sourit, mauvais.

Emportant son trophée, il quitta la pièce d'un pas vif, traversa tour à tour la salle à manger puis celle d'armes.

L'air de cette fin de journée lui fouetta le visage lorsqu'il atteignit le chemin de ronde. Ses gardes, disposés dans les tourelles, lui adressèrent un salut craintif. Il ne les vit pas. Son œil restait rivé à la masse compacte du donjon, à l'autre bout. Sa main à cette autre coupée.

Il ouvrit une porte étroite en forme d'ogive et se retrouva sur le palier qui desservait les étages. Celui du dessus était condamné depuis longtemps. Quant à celui du dessous, il menait au niveau de la cour et, plus bas encore, à une cellule et à la glacière. Tout ce qu'il fallait pour mettre Célestin et le cadavre au secret. Jusqu'à ce qu'il arrache le sien à sa prisonnière.

Il sortit une clef de sa poche, coulée dans un métal impossible à rayer ou à briser, et déverrouilla le battant épais qui lui faisait face.

Il pénétra dans une pièce basse, nue, de soixante-dix coudées au carré. Il referma, avança de quelques pas dans la lueur mouvante de la torche piquée au mur, à côté de l'entrée. Une femme enchaînée à terre leva un visage pâle vers lui.

Un visage qu'il avait caressé et aimé. Un visage dont il avait, à force de tortures, effacé la beauté.

25.

Château d'Utelle
22 juin 1494
Sept heures quarante-cinq du soir

Luquine Buschetti redressa son long corps maigre, rongé par la souffrance, pour mieux soutenir ce regard cruel.

— N'en avez-vous pas eu assez, Raphaël ? Faudra-t-il que je succombe à vos coups pour vous prouver mon innocence ?

Il ricana.

— Cela me conviendrait assez, je l'avoue, ma mie.

Elle soupira douloureusement.

— Cessez. De grâce. Cessez de me nommer ainsi quand d'épouse je n'ai plus que le titre. Quand vous me maintenez dans ce donjon depuis des mois, me prétendant morte auprès même de mes enfants. Vous n'avez réussi jusque-là qu'à m'arracher des larmes. Me direz-vous enfin ce qui, à vos yeux, le justifie ?

Il se planta devant elle, lui montra ce qu'il tenait. Un voile de terreur s'empara aussitôt des traits squelettiques.

— Fou... vous êtes fou, mon mari.

Il la gifla de cette main sectionnée.

— Vraiment ? Alors, voyons jusqu'où cette fois me poussera cette folie.

— Pitié… Pitié, supplia-t-elle dans un sanglot.

Il se pencha, la souleva sans ménagement par les cheveux pour la plaquer contre le mur. Plongea dans ses yeux frappés d'épouvante.

Il n'avait pas l'intention de se laisser berner par leur mensonge.

Luquine était une sorcière. Tout l'en persuadait depuis qu'il avait découvert son grimoire de magie noire sous une latte de parquet. Quand, se fiant aux indications, aux incantations qu'il y avait lues, il était entré dans cette grotte au pied de la montagne sur laquelle avait été érigé le sanctuaire de Notre-Dame. Une grotte vouée au mal.

Et voici qu'aujourd'hui une Égyptienne était assassinée, une Égyptienne dont la main amputée était tatouée du même symbole que celui dessiné par Luquine dans le grimoire. Elle ne pouvait pas ne pas l'avoir reconnu. Tout comme elle ne pourrait pas nier que cette femme était venue pour la rencontrer. Restait à découvrir dans quel dessein.

Cela a forcément un lien avec l'enfant qu'attend Myriam.

Or, à son sujet, et depuis des mois, Luquine restait muette malgré la torture.

Tu finiras par parler. Mais avant, je vais t'arracher la vérité.

Il se débrailla, lui releva les jupons. Lui maintenant les bras le long du corps, il la pénétra d'un coup de reins violent. Puis d'un autre et d'un autre encore. Il mordit ces lèvres qui tremblaient jusqu'à sentir sang et larmes s'y mêler.

— C'est fini. Quoi que tu fasses, tu ne m'apitoieras pas. Au contraire. C'est Lucifer que je pourfends à travers toi. Regarde-moi. Regarde-moi par les yeux de ton maître ! Regarde ce qu'il a appelé en moi ! Ce à quoi il me contraint.

Il la força à soutenir son regard tandis qu'il la pilonnait.

— Soyez maudit ! se défendit-elle.

Il ricana.

— Est-ce là tout ce dont tu es capable ? Faudra-t-il que je te livre à ma garnison pour t'arracher colère ?

Elle geignit.

— Vous n'oserez pas. Je suis la mère de vos enfants.

— Tu n'as plus d'enfants. Plus de mari. Plus de famille. Et je jure de t'offrir mille morts à défaut d'une, tant que tu ne laisseras pas le diable plaider pour ta liberté.

— Pauvre fou !

Faisant appel à son imagination la plus salace, il s'activa entre ses cuisses. Il devait jouir. Ensemencer l'enfer pour en refermer les portes. Vite.

Il murmura :

— Comment crois-tu que j'ai su pour ce symbole ? J'ai trouvé ton grimoire, sorcière. J'en ai appris tous les secrets.

Il la sentit se cabrer. Elle avait compris. Compris pourquoi il la poussait à bout, pourquoi il la prenait : il voulait qu'elle conçoive un diablotin. Un être sans âme qui s'écoulerait d'elle au bout de quelques heures à peine mais qui serait du même sang que leurs fils. L'ingrédient majeur de la potion qui permettrait de la tuer et ainsi de les délivrer tous deux de sa diabolique emprise.

Une victoire attendue depuis longtemps. Depuis qu'il avait découvert que Luquine n'avait jamais été une mère. Qu'elle avait procréé dans un but précis : offrir leurs garçons en sacrifice au diable, en échange d'immenses pouvoirs de sorcellerie.

Il ne se laissa pas déconcentrer par le souffle rauque, putride qui s'échappa d'elle, ces yeux dans lesquels s'élevaient des flammes.

— Cela ne fonctionnera pas. Tu périras, ricana-t-elle.

— Dans ce cas tu périras avec moi, ahana-t-il, aux portes de l'orgasme, avant d'être ébranlé tout entier par la violence de sa déflagration.

Il se retira aussitôt, soulagé d'y être parvenu, recula jusqu'à la porte, la laissa fondre sur lui, furieuse, s'immobiliser net, bloquée par les bracelets qui lui enserraient les chevilles et les poignets. Elle tira dessus, bavant de fureur, les traits déformés par la haine. Combien de fois avait-il rêvé d'en finir, de l'exécuter ? Quitte à n'avoir jamais toutes les réponses. Sans cette potion, hélas, Luquine était invincible. Or, jusque-là, il n'avait pas réussi à ce qu'elle sorte de ses gonds. Preuve qu'il avait vu juste : ce symbole avait du sens pour elle. Le découvrir dans cette main sectionnée l'avait suffisamment troublé pour qu'il puisse la gruger.

Il s'adossa à la porte pour refermer son haut-de-chausses, s'amusa de la voir désarmée une fois de plus.

— Me crois-tu assez stupide pour avoir provoqué le diable sans me garantir de lui échapper ? Pentacle, sel, tourmaline, eau bénite... tout ce que ce monde peut offrir comme rempart contre les démons de ton espèce se tient là, dessus, dessous, autour de toi, faisant corps avec la pierre. Je crois même que ce donjon n'a été bâti que pour cela, et bien avant toi et moi : emprisonner l'une de ta race acquise au diable et aux secrets de ce grimoire. Tu n'en sortiras pas vivante, Luquine. Je vais enfin composer cette potion, y tremper ma lame et te percer le cœur avec son poison.

— Tu crois pouvoir me retenir ici ? Tu te trompes. Avant que tu n'aies achevé ton bouillon, j'aurai brisé mes fers et je te ferai payer tes sévices. Au centuple, menaça-t-elle.

— Alors autant que je m'en donne à cœur joie jusqu'à ce que tu me dises ce que représente ce symbole, qui est cette femme et ce qu'elle est venue faire ici. Je veux aussi connaître le nom de ton complice. Il en a fallu un ou une pour placarder cette main à la porte du sanctuaire.

Elle ricana.

— Je croyais que tu savais tout. Alors qu'en fait tu ne sais rien.

— Je ne demande qu'à apprendre, assura-t-il en récupérant le tisonnier qu'il avait déposé contre la paroi à sa précédente visite.

Il en fit rougir la pointe dans les flammes de la torche.

— Torture-moi à plaisir, tu n'empêcheras rien. Il est trop tard.

— Il n'est jamais trop tard, affirma-t-il en lui pourfendant le tibia.

Elle réprima un hurlement.

Comme Camilla en bouclant la porte du sanctuaire, lorsque la douleur, une fois de plus, lui déchira la jambe.

26.

Utelle, place de l'église
22 juin 1494
Huit heures du soir

Benoît s'accota au mur d'une des habitations qui fermaient la place de l'église. Autour de lui, un silence frappé de stupeur, de curiosité et de crainte s'était installé.

Il achevait de sceller sa gargouille lorsque Célestin était arrivé, son fardeau macabre sur les épaules, précédé par les hauts cris de deux des filles de Jacquot. Le temps qu'il lisse son mortier et descende de l'échafaudage, le benêt avait déposé le cadavre au mitan de la place. Le prieur Grimaldi était déjà sorti de l'église, effaré. Aussitôt, il avait interdit à quiconque d'approcher. Comme les autres, Benoît avait dû s'écarter, frappé, même de loin, par ce bras déchiqueté.

– D'où vient-elle, Célestin ? s'enquit le prieur Grimaldi après avoir examiné les blessures de la malheureuse, et en avoir déduit, grâce aux insectes qui avaient commencé à l'habiter, qu'elle était morte au moins depuis la veille.

– Du haut de la combe. Je m'en revenais de Notre-Dame. Je voulais pisser, se mit à rire le simplet, fier de sa trouvaille.

Benoît tendit le cou dans l'espoir d'en découvrir davantage, hélas la masse compacte des autres bâtisseurs formait écran devant lui. Il n'aperçut que Célestin et le crâne tonsuré du prieur qui s'était redressé pour lui parler.

À cet instant, un bruit de sabots, suivi par le fracas des roues d'une charrette, attira les regards vers la rue du château. Le viguier apparut, droit sur sa selle, le visage fermé. On s'écarta pour lui permettre d'avancer. Benoît le vit embrasser la scène d'un œil sombre, puis sauter à bas de sa monture.

— Embarquez le corps, ordonna-t-il aux gardes du baron avant de se diriger d'un pas nerveux vers Célestin.

Aussitôt poussées par un élan protecteur, celui qu'elles éprouvaient pour lui depuis leur enfance, Christine et Élise encadrèrent le benêt, bras croisés, œil farouche.

— Damoiselles, mille pardons, mais je dois procéder, leur intima le viguier en guise de salut.

— Procéder à quoi ? demanda Christine en le voyant détacher de sa ceinture une corde enroulée sur elle-même.

Il soupira d'impatience.

— Tes poignets, Célestin.

— Attendez ! Vous n'y pensez pas, s'insurgea Élise alors même que le pauvre hère obéissait, docile.

— Ôtez votre main de celle de ce garçon, damoiselle Élise, ou je serai contraint de les lier ensemble.

— Et vous ferez quoi ensuite ? Vous me pendrez ? Il a juste voulu aller pisser dans la combe, Dugat…

— Pisser, pisser. Pisser dans la combe, répéta Célestin en riant, tandis que le viguier affrontait l'œil noir de la fille de Jacquot.

— … N'importe qui ayant fait de même se retrouverait dans cette fâcheuse posture, vous compris ! ajouta-t-elle.

Et comment se fait-il que vous arriviez si vite ? avec ces hommes ? Je ne crois pas qu'on vous ait appelé depuis cette place.

— Célestin a été aperçu tandis qu'il remontait au village avec son chargement. Je vous promets qu'il sera écouté... Et entendu. Votre main, damoiselle Élise, insista le viguier.

Elle obéit, à contrecœur.

— Tout de même, Évariste, l'arrêter ? s'interposa le prieur Grimaldi. Ce n'est pas sérieux. Comme moi, vous l'avez connu au berceau, ce petit ! Vous savez qu'il ne ferait pas de mal à une mouche.

Le viguier lui accorda un regard de biais.

— Cela me désole autant que vous. Seulement j'ai d'autres éléments qui l'incriminent.

— D'autres éléments ? Lesquels ? se hérissa le prieur Grimaldi.

— Je ne suis pas autorisé à les révéler. Allons, avance, Célestin. Je t'emmène chez le baron. Là-bas tu me raconteras tout ce qui s'est passé.

— C'est moi qui l'ai trouvée ! La belle dame sans main. Je suis content. C'est moi qui l'ai trouvée, clama joyeusement Célestin.

Le cœur de Benoît se serra. Les villageois accouraient de toutes parts, alertés par le bouche-à-oreille. S'ils commentaient l'affaire à mi-voix, tentaient d'apercevoir le corps mutilé, aucun ne semblait vouloir s'opposer au viguier. Pas même le maire et ses conseillers.

— Tu es un bon garçon. Tu as fait ce qu'il fallait. Dieu saura t'en récompenser, assura le prieur Grimaldi en tapotant l'épaule de Célestin tandis que le viguier attachait l'extrémité de la corde à son cheval. Que le baron vous prête cellule est une chose, mais ce n'est pas de lui que vous dépendez, Évariste. Veillez à ne pas l'oublier et encore plus à ce qu'il n'aille trop vite en besogne.

— Vous avez ma parole, l'abbé.

Une fois en selle, le viguier adressa un signe de tête aux soldats. La charrette s'ébranla. Il suivit, entraînant Célestin qui riait, comme d'un nouveau jeu.

Lorsque le convoi passa près de lui, Benoît put enfin jeter un coup d'œil au cadavre. Ses vêtements de lin, lacérés en de multiples endroits, ainsi que les traits de son visage, la brillance de la chevelure chiffonnée et salie lui firent d'emblée comprendre que la défunte était orientale. Lorsque son regard s'arrêta sur ce bras amputé, il serra les poings, convaincu lui aussi de l'innocence du benêt. Depuis trois mois qu'il travaillait près de lui, il avait pu prendre la mesure de sa gentillesse et de son innocence. Jamais Célestin n'aurait été capable d'une telle cruauté.

La cloche sonna, assourdissante, obligeant chacun à se disperser.

Huit heures.

Il vit Élise contourner le clocher, l'air taciturne, se demanda un instant si elle n'allait pas exiger de voir le baron, avant de comprendre qu'elle avait atteint les limites de son action, sans quoi elle aurait directement emboîté le pas au viguier.

Elle va récupérer Margaux et Antoine chez Séverine.

Il pivota sur lui-même. À l'autre bout de la place, Christine se hâtait en direction de l'auberge, refusant d'un geste de la main de répondre aux questions des villageois. Benoît ne pouvait entendre leurs échanges, les oreilles vrillées par les envolées du bourdon. Il vit le ferronnier retenir Claudio Grimaldi dans sa descente vers le prieuré, à hauteur des fours collectifs. Le religieux se mit à gesticuler. Visiblement il était aussi perplexe et désappointé que les autres. Fébriles, les artisans ramassaient leurs outils au pied de l'église. Personne n'avait plus le cœur à l'ouvrage, fussent-ils payés double.

À l'instar des autres maîtres d'œuvre, Benoît roula l'étui de cuir contenant ses outils, le ficela et le jeta sur son épaule. Il traversa la place. Il avait juste le temps de faire un brin de toilette dans sa chambre avant de redescendre souper.

Ensuite, à la faveur de la nuit, il agirait.

Il soupira encore : ce soir, il ne pourrait accorder à Myriam toute l'attention qu'il avait espéré.

27.

Auberge Le Fumet des cimes
22 juin 1494
Onze heures du soir

Myriam essuya son front moite d'un revers de main.

Je ne devrais pas me tourmenter ainsi. Ce n'est bon ni pour moi ni pour le bébé, s'accabla-t-elle, même si elle n'y pouvait rien.

Cela faisait quatre heures à présent qu'Élise lui avait ramené Antoine et Margaux, quatre heures qu'elle se reposait dans cette chambre que Jacquot lui avait allouée d'autorité après qu'elle eut repris connaissance. Quatre heures qu'elle tentait de s'endormir près d'eux, épuisant son regard sur les jeux de lumière de la chandelle, délignant le contour des colombages, des poutres pastel, de la fenêtre à meneaux flanquée de coussièges.

Las, ses pensées revenaient sans cesse au tatouage dans la main du cadavre.

Ce signe. C'est celui de l'Ordre, se répéta-t-elle.

Elle savait peu de choses à son sujet. Assez toutefois pour suspecter que cet assassinat avait un lien avec celui de Pascal. Eussent-ils été distants de trois mois.

Ce ne peut être une coïncidence.

Glacée, elle se tourna de côté pour se réchauffer au contact d'Antoine qui s'était mis à rire dans son sommeil.

Cela lui arrivait quelquefois, comme s'il préparait là ses sottises du lendemain.

Au moins n'a-t-il pas conscience des conséquences de tout cela.

Elle resta un moment dans sa chaleur, s'en détourna brusquement, alertée par un bruit de pas dans le couloir. Ils s'éloignèrent et elle retomba sur l'oreiller, le cœur cavalant dans sa poitrine. L'un des locataires regagnait sa chambre.

Le visage de Benoît dansa un instant devant ses yeux.

De quoi, ici, veux-tu qu'il te protège ? se raisonna-t-elle.

Elle était bien plus en sécurité chez Jacquot que chez elle. Et puis, que lui dire ? Qu'elle avait découvert ce codex après la mort de Pascal ? Cet étrange codex dont il ne lui avait jamais parlé de son vivant ? Ce codex dont la page de garde s'ornait du symbole inscrit dans la main du cadavre ? Qu'elle craignait à présent que son meurtrier ne l'agresse à son tour pour le récupérer ?

Des jours durant, elle était restée prostrée devant sa préface, refusant de croire ce qu'elle lisait. Que, comme ses ancêtres, Pascal était un assassin. Qu'une roue de pierre tournait, quelque part, depuis la nuit des temps. Une roue veillée par des femmes et sur la tranche de laquelle s'inscrivait le nom de celui ou celle que Dieu voulait faire exécuter. Pour empêcher que le diable ne règne, à travers lui, sur la terre.

Enfin, à l'aube d'une énième nuit à refuser la vérité, elle s'était souvenue d'un de leurs échanges, six ans plus tôt.

Margaux toussait, pâle, dans son lit. Penchée au-dessus de son front brûlant, Myriam s'était liquéfiée.

— Et si la malemort nous la prenait ?

Elle s'était mise à trembler, terrifiée.

— Je n'y survivrais pas, Pascal.

Il s'était approché, l'avait prise dans ses bras.

— Cela n'arrivera pas.

— Cela arrive tous les jours. Nous sommes en plein hiver et elle est si frêle face à cette fièvre...

— Elle y survivra. Elle est plus forte que tu ne le crois.

— Comment peux-tu en être si sûr ? et rester si calme ? l'avait-elle envié quand tout en elle se révulsait d'angoisse.

— Il y a des choses que tu ignores au sujet de mes parents, à mon sujet. Des choses qui me permettent de t'affirmer que Margaux ne risque rien dans ce monde.

— Des choses ? Quelles choses ?

— Je n'ai pas le droit de te les révéler.

— Tu en as dit trop ou pas assez, Pascal, l'avait-elle repoussé, avide du moindre élément susceptible d'apaiser sa panique.

Après avoir marqué un temps, il avait soupiré.

— Dieu m'a investi d'une mission, une mission transmise de génération en génération. Lorsque je ne serai plus, c'est Margaux qui prendra le relais.

— Et c'est censé me rassurer ?

Il avait ri, déposé un baiser dans ses cheveux.

— Oui, car nous sommes bénis, Myriam. Crois-moi, rien ne peut nous atteindre.

Ce jour-là, elle l'avait cru. Et le lendemain plus encore lorsque la fièvre de Margaux était inexplicablement retombée.

Il a pourtant chuté de cet échafaudage...

Et voici maintenant que cette femme, envoyée par l'Ordre, mourait à son tour.

Non, ce ne peut pas être une coïncidence. Elle était venue délivrer le message de la roue. À qui, puisque Pascal est décédé et que Margaux est trop jeune pour lui succéder ?

Elle s'efforça de réfléchir à ce que lui avait dit Élise : Célestin redescendait de Notre-Dame lorsque l'envie d'uriner l'avait pris. Refusant que ceux qui travaillaient aux champs se moquent de son roseau comme d'habitude, il avait quitté le chemin pour s'enfoncer dans les bois. C'était là, non loin de chez elle, qu'il avait découvert le cadavre.

Près de chez moi…, frissonna Myriam. *S'y rendait-elle ? En ce cas, soit l'Ordre ignore que Pascal n'est plus, soit il a choisi son héritier…*

Elle se mit à trembler.

… Moi ?

Durant quelques minutes, elle demeura tétanisée par cette idée, le drap ramené au menton, l'œil traquant l'obscurité de la pièce et jusqu'à la moindre lueur sous la porte. Comme si accepter cette possibilité avait le pouvoir de vie ou de mort sur elle. Peu à peu elle se relâcha et joignit ses mains en prière.

D'accord. D'accord, Seigneur. Je prendrai la place de Pascal. Je ferai ce qu'il Vous plaira pourvu que vous protégiez mes enfants. Y compris celui à naître…

Elle guetta un signe d'assentiment, mais le silence régnait, ponctué seulement du craquement des marches de l'escalier, du parquet sous les pas, de plus en plus nombreux. Onze coups emportèrent les cloches, traversant les volets de sa chambre, la faisant sursauter. Bientôt tous dormiraient dans la demeure. Elle se demanda si cela la rassurerait. Conclut que non. Que plus rien ne la rassurerait vraiment désormais.

Allons, c'est absurde, se ressaisit-elle. *Tu dois combattre ta peur. Te montrer forte. Déterminée à accomplir les desseins de Dieu comme tu l'as été jusque-là à nourrir et à protéger tes enfants.*

Elle prit une large inspiration et, malgré ses jambes flageolantes, repoussa le drap. Elle demeura un instant assise, les pieds au sol, les poings enfoncés dans le matelas, forçant les battements déraisonnés de son cœur à ralentir.

Voilà. C'est mieux. Tu peux y arriver. Tu dois y arriver.

Elle mit un long moment avant de totalement recouvrer son calme et un esprit clair.

Maintenant, réfléchis... Pascal et cette femme étaient liés par un même but : la mort d'un être prisonnier du diable. Or, ce n'est pas le diable qui a versé cette eau sur l'échafaudage. De cela, je suis certaine. Quant aux lacérations sur le corps de cette femme, elles peuvent très bien avoir été provoquées par la griffe d'un outil. Quelqu'un, ici, ne veut pas que s'accomplisse la volonté de Dieu. Quelqu'un de chair et d'os. Or d'après ce qu'en dit le codex, personne ne peut prédire le moment où la roue délivre son message. Encore moins dans quel endroit du monde il sera envoyé.

Elle allait s'en rassurer lorsqu'elle se souvint du récit de Christine concernant l'intervention du viguier et de ses hommes sur la place de l'église.

... Et pourtant Évariste a emporté le cadavre au château et arrêté Célestin sur la preuve d'autres éléments qui l'incriminent. Or, je ne vois pas comment il en aurait trouvé. Célestin est incapable de la moindre violence.

Elle se prit la tête dans les mains.

Évariste obéirait-il aux ordres du baron ? Il ne relève pas de son autorité. Pas dans ce registre. À moins que le baron n'ait un moyen de faire pression sur lui comme il pense faire pression sur moi avec cette dette. Auquel cas, cela signifierait qu'il sait qui a tué cette femme et qu'il espère détourner les soupçons des villageois sur Célestin.

Elle sentit une sueur froide ruisseler le long de sa colonne vertébrale.

Ou tout simplement que ce soit lui le coupable. Lui le prisonnier du diable. La cible de la roue. Et qu'il veuille mon enfant à naître pour l'offrir en sacrifice humain, comme dans les légendes.

Une terreur sourde emprisonna son cœur.

Admettons. Le baron abat cette femme parce que son nom est sur le billet, tout comme il a éliminé Pascal parce qu'il était l'exécuteur et qu'il représentait un danger pour lui… Cela pourrait se tenir, à quelques détails près. Tout d'abord, lors de la mort de Pascal, le baron ne pouvait être sûr ni du nom de la cible, ni qu'elle se trouverait en Vésubie. Deuxièmement, cela ne me dit pas pourquoi il a marchandé notre enfant, prenant ainsi le risque que Pascal soupçonne ses accointances avec Satan. Enfin, pourquoi ne s'est-il pas débarrassé du corps de la messagère au lieu de permettre qu'il soit exposé ainsi, qu'un membre de l'Ordre le voie et comprenne le sens de sa présence à Utelle ? Cela relèverait de la stupidité, et le baron n'est pas stupide.

Elle s'agaça. Une part d'elle aurait aimé avoir à occire le baron pour protéger son enfant à naître, pour assouvir sa vengeance sans craindre l'ire de Dieu. Mais un meurtrier était dans la nature et elle ne pouvait se permettre de se tromper. Elle devait envisager toutes les possibilités.

Seconde option: le baron est innocent et il n'a pas plus supprimé Pascal que cette femme. Il n'en reste pas moins que l'auteur de ces deux crimes est forcément la cible divine. Une cible qui refuse d'être exécutée et dont le nom figure seulement sur le billet que transportait la messagère de l'Ordre.

Elle retint sa respiration.

Le billet. Il est la clef de ce mystère. Or, il y a fort à parier que l'assassin l'a déjà récupéré. Se sent-il en sécurité ? Ou guette-t-il la moindre réaction de ma part ? Encore faudrait-il pour cela qu'il suppose que j'ai pris la place de Pascal – ce que je n'aurais pas imaginé moi-même il y a quelques minutes. Surtout dans mon état de grossesse avancée. Non. Même si la messagère a été retrouvée près de chez moi, même si elle s'y rendait, même si son meurtrier l'a contrainte à lui dévoiler qui devait l'exécuter, il y a peu de chances qu'il me voie comme une menace dans la mesure où je n'ai aucun moyen de découvrir qui il est.

Elle allait s'en apaiser lorsqu'elle revit le codex dans sa cache. Son cœur s'emballa à l'idée que l'assassin soit entré chez elle après avoir tué la messagère et s'en soit emparé. Ce lui fut aussi violent que si l'on avait profané la sépulture de Pascal.

C'est l'héritage de Margaux, quand elle sera en âge de lui succéder. Aussi précieux pour elle que seront ses outils de tailleur de pierre pour Antoine.

Elle voulut se faire violence, résister à la tentation de courir chez elle, mais il lui sembla qu'elle ne pourrait dormir avant d'avoir vérifié que le livret était toujours là, près de ses économies.

Elle se leva, fit quelques pas pour s'assurer de son état.

Tout va bien. La maison n'est qu'à dix minutes de marche.

Convaincue de pouvoir s'y rendre sans danger, elle but une large gorgée de la tisane d'Hersande, jeta un châle sur ses épaules, puis ouvrit précautionneusement le battant. Un fenestron éclairait le couloir d'une lumière blafarde.

Il était désert, seulement habité d'ombres fantasques qui dansaient sur les murs.

Elle se glissa jusqu'à l'escalier, descendit sur la pointe des pieds, déverrouilla la porte qui donnait dans la cour arrière et se retrouva dehors.

Inspirant une large bouffée d'air frais pour maintenir son allant, elle resserra les pans du lainage et s'empressa de gagner le sentier qui rejoignait la combe.

28.

Château d'Utelle
22 juin 1494
Onze heures du soir

La ligne crénelée des remparts se détachait, noire, sous le halo froid de la lune. Pour éviter de se faire repérer par des habitants du village ou par les guetteurs du baron, Benoît avait choisi de faire un large détour pour atteindre le château. Il était descendu par la combe, puis était remonté en lisière du champ d'oliviers pour couper la grand-route loin des habitations et revenir ensuite jusqu'au pied de l'éperon rocheux.

Il n'avait croisé qu'un sanglier qui fouissait du groin sous un pied de thym. Rien qui puisse distraire sa détermination à déjouer les intrigues du baron. Détermination qui s'était renforcée lorsque Élise lui avait annoncé que Myriam passerait la nuit à l'auberge avec ses petits, son état de fatigue ne lui ayant pas permis de résister à la vision du cadavre.

Nombre de questions s'étaient bousculées dans sa tête. L'évanouissement de Myriam était-il lié au signe qu'il avait vu dans la main de la défunte lorsque le convoi était passé près de lui ? Savait-elle pour la roue ? pour l'Ordre ? pour Pascal ? L'époux de Myriam lui avait parlé d'un codex dans lequel sa famille consignait toutes ses missions divines depuis des siècles. Aurait-elle pu le trouver ? Devait-il lui en parler ? Au risque, si elle ignorait tout, de lui révéler ce dont il avait juré le secret ?

Il avait finalement décidé de ne rien précipiter. D'attendre d'avoir déjà des réponses.

Il leva les yeux, prit le temps d'examiner la tourelle d'angle qui lui faisait face. Une tour ronde, au toit plat, accrochée au contrefort rocheux de la montagne. De part et d'autre, le rempart baigné d'ombre suivait l'arrondi tourmenté du plateau.

Personne.

Il rajusta la capuche vert sombre de son bliaud sur son front et gravit le dernier raidillon. À cet endroit, le sentier permettait à peine le passage d'un pied, tandis que plus loin, en contrebas, frémissaient les premières têtes des châtaigniers. Faisant abstraction du vide au-dessous de lui, il resta concentré sur son objectif, s'efforça de ne pas glisser.

Il atteignit enfin le pied de la muraille, recommença à compter les minutes afin de s'assurer que cette partie du chemin de ronde était déserte.

Il recula autant que l'à-pic le lui permettait, déroula son grappin et visa l'un des créneaux. La corde s'envola, refusa de s'encastrer, retomba. Il attendit, préférant s'assurer que le bruit du métal, discret dans ce foisonnement qu'offrait la vie nocturne, n'avait pas attiré l'attention. Ne voyant rien venir, il recommença.

À la troisième tentative, il assura sa prise, tira pour la verrouiller solidement et commença à grimper en s'aidant des saillies ou des trous. Une ou deux fois son pied chassa dans le vide, provoquant la chute de cailloux.

Habitué aux caprices de la pierre, il ne s'en laissa pas perturber et poursuivit sa montée. Parvenu en haut, il lança un regard par-dessus le créneau. Ne vit, à proximité, qu'une effraie posée sur le mât d'une bannière. Il prit une profonde inspiration, s'éleva une dernière fois à la force des bras. La chouette cligna des yeux. Il se laissa couler avec souplesse sur le chemin de ronde sans qu'elle jugeât bon de s'envoler.

Conscient d'offrir désormais une cible de choix sous l'éclairage de la lune, il resta allongé et se mit à compter le nombre de gardes sur les autres portions du rempart.

Huit en tout. Des archers. Mols pour la plupart, jugea-t-il à leur attitude.

Rassuré, il examina le château dans son ensemble. À sa gauche, partie intégrante du rempart qui dominait la ville, se dressait le corps de logis, long bâtiment composé de deux niveaux et parsemé de multiples fenêtres, toutes noires. À l'autre extrémité de l'enclos, lui faisant face, s'élevait un donjon carré, flanqué d'un toit de tuiles surplombant les mâchicoulis.

L'emplacement des cachots..., déduisit-il en avisant deux gardes postés devant le battant qui permettait d'y accéder depuis le chemin de ronde.

Un moyen d'entrer par le bas ?

Il le chercha, mais l'ombre mangeait le soubassement de la tour.

Il nota l'existence d'un réservoir au centre de la basse-cour, d'une poterne entre le donjon et d'un long bâtiment qui devait être dédié à la garnison. Il s'attarda aussi sur la barbacane. Une porte la barrait en plus de la herse. Comme si cette double fermeture était insuffisante au baron, un homme en tenait la garde. Il ne devait guère se considérer comme très utile, car il était avachi dans l'angle d'un mur, occupé à bâiller, la lance dans le repli d'un coude. Tout était calme, tranquille, dans une atmosphère que le halo de la lune gibbeuse rendait lugubre.

Benoît rampa jusqu'à trouver un escalier. Il le descendit silencieusement, une main sur le couteau qu'il portait à la ceinture. Au majeur de l'autre, il avait enfilé une bague dont le poinçon acéré était enduit d'un poison fulgurant. Ses armes. Aussi précieuses que ses outils de tailleur de pierre.

Il longea les murs, s'immobilisant lorsqu'un veilleur bougeait. Il s'était attendu à les entendre discuter, comme il est de coutume pour rompre la monotonie d'une garde. Ceux-là semblaient attachés au silence. Pas un soupir, pas un mot ne leur échappait.

Redoublant de prudence pour éviter qu'un bruit ne les alerte, il parvint jusqu'à la porte qu'il avait espéré trouver au pied du donjon. Il appuya discrètement sur la clenche. Le pan de bois résista. Il fouilla dans la poche de son bliaud, en sortit une grosse épingle recourbée qu'il enfila avec habileté dans la serrure. Quelques secondes plus tard, il était à l'intérieur.

Il referma le battant, patienta pour que ses yeux s'habituent à l'obscurité. Puis, grâce au timide clair de lune qui traversait les meurtrières, il délimita les contours de la salle. Il l'estima au jugé à cent soixante-dix coudées au carré.

Elle occupe toute la surface. Tant mieux. Je n'aurai donc pas à m'inquiéter de voir surgir quelqu'un d'un recoin discret. Reste à choisir entre le haut et le bas de cet escalier.

Un ronflement en provenance du sous-sol ne tarda pas à l'y aider. Il s'y rendit en retenant son souffle, tomba sur une pièce creusée à même la roche. Une autre se trouvait au-dessous, à en juger par les degrés qui continuaient.

Il s'avança jusqu'à la cellule qui lui faisait face. Des pierres luminescentes affleuraient les parois de tous les côtés, créant une atmosphère étrange, presque surnaturelle. Leur faible dégagement de lumière lui fut néanmoins suffisant pour reconnaître Célestin derrière la grille épaisse.

Il s'arracha un sourire de satisfaction.

Innocent jusqu'en son sommeil, le benêt s'était roulé en boule à même le granit. Il remit à plus tard le soin de l'interroger. L'odeur caractéristique de la mort montait du niveau inférieur.

Quoi de mieux qu'une glacière pour garder un cadavre, comprit-il, soulagé de n'avoir pas d'autre lieu à explorer pour mener à bien sa mission : en apprendre davantage sur la défunte et la manière dont elle avait été tuée.

Il s'attendit à trouver le même éclairage. Sitôt la vis de l'escalier tournée pourtant, l'obscurité et le silence reprirent leurs droits et le froid lui enserra les mollets.

Parvenu en bas, il fit le tour de la pièce, main contre la paroi humide, finit par saisir une torche. Il récupéra sa pierre à feu, la battit jusqu'à ce que l'étincelle embrase l'amadou. L'antre s'illumina aussitôt.

Saisi, il se figea.

Le cadavre gisait sur une table. Nu. Ouvert du pubis jusqu'à la gorge. Et solidement sanglé.

29.

Château d'Utelle
22 juin 1494
Onze heures vingt du soir

Benoît ne perdit pas de temps en conjectures. Seules deux raisons avaient pu pousser le baron Raphaël à attacher cette femme. Soit elle était encore en vie et la douleur l'avait ranimée, soit il avait craint qu'elle ne soit possédée par quelque esprit démoniaque. Dans les deux cas, rien ne permettait d'affirmer qu'il en avait terminé avec elle.

Mieux vaut que je sois ressorti avant qu'il ne revienne.

Il examina plus en détail la paume tatouée. Y distingua nettement la croix dans le triangle.

C'était bien l'une des messagères de l'Ordre.

Il retourna la main, examina les ongles. Du sang et des lambeaux de peau les maculaient, preuve qu'elle s'était débattue.

Son meurtrier doit porter la trace de ses griffures quelque part. Bien. Cela me sera utile pour l'identifier avec certitude.

Il agissait méthodiquement, comme le lui avait appris Pascal lorsqu'il avait compris que son temps était compté et qu'il devait passer le relais.

— Si tu ne me succèdes pas en tant qu'exécuteur et qu'un message survient avant que Margaux ne soit en âge, ce sera à Myriam d'agir. Or c'est l'être le plus pur et généreux que je connaisse. Je ne veux pas qu'elle soit abîmée.

— Comment le pourrait-elle si elle ne fait qu'accomplir une œuvre divine ? s'était étonné Benoît, peinant encore à admettre ce que son cousin venait de lui révéler.

Pascal avait secoué ses boucles brunes, les traits crispés.

— Tu as déjà dû avoir à te défendre par les chemins, tu connais l'odeur du sang, la crispation d'un poing nu...

Benoît avait dégluti.

— J'ai percé un cuir une fois. Celui d'un malandrin qui voulait ma bourse et entendait la prendre, le poignard à la main.

— Alors tu sais ce que l'on éprouve. Cette fascination doublée de remords face à la mort. Elle entre en toi. Elle devient toi. Dieu pardonne, Benoît, et ce pardon lui-même t'interdit de rejeter l'envie de recommencer à prendre une nouvelle vie. Tu ne cherches pas l'occasion, non, mais au plus secret de ton âme, cette part d'ombre qui fait de nous des hommes l'espère. C'est ainsi. Jure-moi qu'après avoir tué cette fois-là tu n'as plus jamais ressenti cette pulsion, cette détestable pulsion, fût-ce dans un regard, un mouvement de colère. Jure-moi qu'on peut s'en affranchir et je te laisserai en paix.

Benoît avait baissé la tête, honteux soudain de sa propre faiblesse.

— Je suis un sanguin. Alors, non. Non, je ne peux pas.

— Je ne veux pas prendre le risque que la mère de mes enfants soit marquée un jour par sa propre infamie, tu comprends ? Je l'aime, Benoît. Plus que ma vie.

Il avait pressé son épaule, planté son œil franc dans le sien.

– Je n'entends pas mourir de sitôt, seulement les ruses du baron Raphaël sont nombreuses. S'il me terrassait, Myriam ne serait pas armée pour l'empêcher de lui enlever notre enfant à naître. Aide-moi, mon cousin. De grâce. Il faut que perdure la lignée des exécuteurs de Vésubie. Que Margaux puisse être initiée en toute confiance quand ce sera l'heure. Sans quoi Satan régnera sans partage sur la Terre.

– Crains-tu que le baron lui ait ouvert les portes ?

– Oui, avait-il affirmé dans un souffle.

Vaincu, Benoît avait promis. Après la mort de Pascal, il s'était fait connaître d'Hersande. Si un message arrivait, c'était à lui qu'elle devrait le remettre. À lui, pas à Myriam. Il avait vu le soulagement l'envahir. Même si elle avait compris qu'il espérait n'avoir jamais à honorer son serment.

Plus moyen de reculer à présent. Dès que j'en saurai davantage, je la préviendrai et je me placerai sous ses ordres.

Il fouilla les vêtements abandonnés sur le sol de la glacière. L'une des poches du paletot de l'Égyptienne avait été arrachée. Si le papyrus s'y trouvait au moment de l'agression, son meurtrier l'avait pris.

Est-ce toi, maudit baron ?

Il n'aurait pas de réponse ici. Il lorgna tout de même la plaie béante. Nota, crispé, que les attributs féminins avaient été ôtés, de même que le cœur.

Que comptes-tu en faire ?

Il refusa de laisser son imagination galoper. Il lui fallait questionner Célestin. Il replongea la pièce dans l'obscurité, remonta l'escalier, l'oreille aux aguets. Le benêt ronflait toujours. Il se posta devant sa cellule, l'appela à voix basse, jusqu'à ce qu'un grognement lui réponde.

— Par ici. Approche. Approche, insista-t-il.

Célestin finit par rouler sur le côté et le rejoindre à quatre pattes. Il se redressa en le reconnaissant. Aussitôt un large sourire fleurit sur ses traits disgracieux. Rien n'indiquait qu'il eût été violenté. Benoît en fut réconforté.

— C'est Myriam qui m'envoie, mentit-il. Elle s'inquiète. Le baron t'a-t-il bousculé ?

— Non. Il dit que je dois dormir. Que j'ai été un bon garçon. Et aussi que je dois rester là pour pas que le diable me prenne moi aussi. Il est gentil, le baron Raphaël.

Benoît tiqua. Ce n'était pas le discours auquel il s'attendait.

— Où l'as-tu trouvée, la dame ? Où exactement ? Tu connais bien la combe, tu dois sûrement te souvenir d'un repère. C'est important. Pour combattre le diable il faut savoir où le chercher.

Célestin se gratta le crâne sur lequel, vainement, tentaient de survivre quelques cheveux clairsemés.

— C'est vrai. Tu vois le gros rocher suspendu à la montagne ?

Benoît acquiesça, avec la sensation détestable qu'il n'allait pas aimer la suite.

— Elle était posée dessus. À plat ventre, comme si elle regardait la maison de Myriam, juste en dessous.

— C'est plutôt raide pour y monter depuis la route de Notre-Dame. D'autant que tu n'en avais pas besoin pour pisser.

Il sembla à Benoît que le simplet rougissait.

— Tu le diras pas à Myriam ?

— Promis.

— Parce que je voudrais pas qu'elle se fâche.

— Promis, je te dis.

— J'y vais, des fois. Quand elle est là, Myriam, derrière la fenêtre. Ça me fait tout chose, là...

Il montra son entrecuisse.

— Donc tu es amoureux... et cela ne t'a pas plu de voir que quelqu'un la surveillait aussi, soupira Benoît.

Célestin hocha la tête, plusieurs fois, comme un enfant pris en faute. Benoît se sentit floué. Pouvait-il s'être trompé ? La trop faible luminosité lui interdisait de distinguer le cou épais du benêt.

M'en assurer.

— T'en es-tu pris à cette femme pour l'empêcher de recommencer ?

Célestin se redressa, piqué au vif.

— Non. Non. Je voulais juste lui dire de s'en aller, que c'était ma place. Mais elle était toute molle et pleine de sang. Alors je l'ai ramenée à Myriam. Pour qu'elle se méfie du diable.

— Lui as-tu dit où tu l'avais trouvée ?

Célestin haussa les épaules, tristement.

— Oui. Et après pfff... elle est devenue toute molle, elle aussi. Enfin... J'ai dit la combe, près de la maison. J'ai pas dit le rocher. Tu l'aimes aussi, Myriam. Tu laisseras pas le diable lui faire du mal. Et à moi non plus, pas vrai ?

— Non. Plus personne ne te fera de mal, assura-t-il.

— Quand tu viendras me chercher, faudra aussi emmener la baronne.

Benoît sursauta.

— La baronne ? Dame Luquine ?

Célestin leva l'index en direction de l'étage.

— Elle a grogné parce que je ronflais trop fort. Alors j'ai dit : « Qui veut que je m'arrête ? », croyant que c'était un esprit tourmenteur. Mais j'ai reconnu sa voix quand elle s'est nommée. D'abord j'ai pensé qu'elle parlait depuis le paradis, mais non. Je crois qu'elle sera contente de sortir quand le diable sera parti.

Le sang de Benoît pulsa violemment dans ses veines.

Pourquoi le baron aurait-il menti concernant la mort de son épouse ? La retiendrait-il prisonnière ?

Tournant brusquement le dos au benêt, il se dirigea d'un pas nerveux vers l'escalier. Il remonta jusqu'au niveau de la cour, grimpa la quinzaine de marches qui menait au chemin de ronde. Quelques coups contre une porte solidement fermée à clef l'assurèrent de la véracité des propos de Célestin : Luquine Buschetti se trouvait bel et bien enfermée là par son époux.

— Sous quel prétexte, madame ? demanda-t-il.

— Parce que je suis pure et qu'il est démoniaque, trembla sa voix.

Il entendit un bruit de chaînes. Une plainte.

— Il me torture à plaisir. Prenez garde et fuyez, qui que vous soyez.

— Je reviendrai. Je reviendrai et vous délivrerai, jura-t-il, ulcéré.

— Dieu vous bénisse, mon ami.

Il redescendit, se planta devant Célestin, le visage grave.

— Quoi qu'il arrive, quoi que l'on te demande, ne parle pas de ma visite au baron Raphaël, ne cite pas mon nom. Si tu manques à ta parole, le diable s'emparera de

Myriam et la déchiquettera comme cette femme que tu as trouvée. Ensuite, il viendra te prendre. Et te jettera dans les flammes pour l'éternité.

Le regard du benêt se teinta de panique.

Convaincu de l'avoir suffisamment effrayé pour qu'il tienne sa langue, Benoît partit sans se retourner.

30.

Combe d'Utelle
22 juin 1494
Onze heures trente du soir

Des hulottes se répondaient, posées sur des piquets. Bien qu'elle eût l'habitude de leurs conversations, Myriam serra fiévreusement autour d'elle les pans de son châle en traversant le champ d'oliviers.

Ne sois pas stupide. Personne ne t'attend là, et le meurtrier de cette femme moins qu'un autre, s'encouragea-t-elle pour mieux assurer son pas.

La lune dispensait un halo irisé devant lequel s'écharpaient quelques brumes, rendant la combe à son mystère. Comme cette nuit de septembre 1486 où Pascal l'avait arrachée du sommeil.

– Viens, j'ai quelque chose à te montrer. Quelque chose d'important, avait-il chuchoté en lui tendant ses habits.

Quoique surprise et ensommeillée, elle l'avait suivi sans poser de questions. À l'époque, elle était enceinte de Margaux, de quelques mois à peine. Ils étaient heureux. Quittant le logis, Pascal l'avait entraînée par la main. Ils s'étaient ainsi éloignés du village, avaient traversé le pont du val non loin du moulin à huile, pour se rendre sur l'autre rive. Il l'avait fait entrer dans le bois que dominait la montagne à l'opposé du château dressé sur son petit promontoire.

— Et… ? avait-elle éclaté de rire, essoufflée, lorsqu'il s'était enfin immobilisé entre trois troncs qui formaient triangle isocèle.

— Ici. C'est ici que je vais bâtir notre maison, s'était-il exclamé, de la fougue dans les yeux.

Elle avait noué ses bras à son cou, s'était moquée.

— Ici ? Sur les terres du baron Raphaël ? Je suis sûre qu'il en sera ravi.

— Il l'est. De mon travail dans le donjon.

Elle s'était rembrunie.

— Ce fameux travail dont tu n'as le droit de parler à personne. Pas même à ta femme…

Il l'avait attirée dans ses bras, avait picoré son cou avant de chuchoter :

— J'ai juré le secret. C'est parce que je tiens ma promesse et qu'il a été satisfait de mon œuvre, qu'il me vend ce clos à un prix plus que raisonnable. Il retient la plus grosse part sur mon salaire et nous nous acquitterons du reste tous les mois. C'en est terminé de vivre chez mes parents. Nous allons avoir notre chez-nous, Myriam. Un foyer dans lequel nous élèverons nos enfants, l'avait-il convaincue.

Emportée par la joie, elle s'était laissé soulever de terre, avait cassé sa nuque en arrière, levé les bras. Et tandis qu'il la faisait tournoyer au milieu des troncs en riant, elle s'était empli le cœur et l'âme de cette blancheur presque irréelle qui traversait les futaies. Elle était déjà chez elle, aux portes de la forêt, ce lieu que Pascal aimait tant.

Une pique s'enfonça dans sa poitrine.

Combien de temps faudra-t-il avant que la végétation ne l'absorbe? avant qu'elle n'efface tout ce que nous y avons vécu, partagé? Maudit sois-tu, baron Raphaël. Toi et tes manigances...

Elle serra les poings, accéléra le pas. Elle allait pénétrer sur son terrain lorsqu'un cri strident déchira la nuit, en provenance du château.

Un grand duc. Ce n'est qu'un grand duc..., se rassura-t-elle en scrutant le ciel.

Il tournoyait au-dessus du donjon, ravivant sa douleur.

Qu'as-tu fait dans cette tour il y a huit ans, Pascal? Est-ce ce secret qui t'a coûté la vie, qui va désormais me priver de cette maison et de notre troisième enfant? Cela avait-il un lien avec ce que tu étais? avec ce que tes ancêtres faisaient au nom de Dieu? Tes parents ont emporté leurs réponses dans la tombe, comme toi. Qui m'en donnera désormais? J'en ai tant besoin, pourtant!

Attirée par un mouvement, elle s'attarda sur le chemin de ronde au-dessus duquel s'était posé l'oiseau. Il lui sembla qu'une silhouette s'y mouvait, ramassée, furtive. Elle sentit son sang se glacer. Dans ce pays de gorges profondes, où chaque pas pouvait être meurtrier, tous croyaient encore que des démons sortaient des cavernes la nuit pour tourmenter les humains, les arracher à leur lit, les jeter du haut des falaises. Chaque disparition, et il y en avait eu plusieurs depuis son enfance, n'avait servi qu'à accréditer ces vieilles légendes. Avec Pascal, elle en riait. Cette nuit elle n'était plus sûre de rien.

Il ne faut pas que je laisse libre cours à mon imagination. Le château est à une douzaine de minutes de marche d'ici. Si diabolique que soit ce qui rôde là-bas, pour l'instant, ce ne peut m'atteindre.

Elle se détourna du castel perché sur son roc, se retrouva bientôt devant la porte. Reconnaissant son pas, la chèvre bêla tristement dans son enclos.

– J'arrive ! lui cria-t-elle, poussée par la nécessité de l'enfermer dans l'abri avant toute autre chose.

Cinq minutes plus tard, ayant allumé une lanterne, elle se plantait enfin, fébrile, devant le vaisselier.

Elle fit jouer le mécanisme et, passant la main à l'intérieur de la cache, en ramena, soulagée, le codex de Pascal. Arbre généalogique des exécuteurs, nom et date de mort de leur cible : tout y avait été consigné. Les premiers témoignages remontaient à l'an mil. Celui qui les avait initiés laissait entendre qu'auparavant ce savoir se transmettait de bouche à oreille. Elle se souvint de la délivrance qui l'avait saisie lorsque, angoissée, elle était arrivée au dernier. Celui du grand-père de Pascal. Preuve que son époux n'avait fait que parcourir ces lignes, qu'il n'avait jamais tué qui que ce soit. Elle n'aurait pas aimé découvrir qu'elle avait épousé un meurtrier, fût-il d'ordre divin, alors qu'elle venait tout juste de recouvrir son cercueil de terre.

Aujourd'hui c'était différent. Elle éprouvait tant de haine à l'égard du baron qu'elle se sentait capable de la laisser tout submerger, son sens moral en premier. Oui, elle comprenait que l'on puisse tuer sans pitié.

Elle ne put résister au besoin de parcourir à nouveau les glyphes dans l'espoir d'y découvrir un détail qui jusque-là lui aurait échappé.

Elle s'attabla face au codex, rapprocha son falot et souligna chaque phrase de son index.

La préface racontait l'existence de cette roue cachée quelque part dans le monde, de l'Ordre chargé de veiller à ce que nul ne la trouve mais aussi de délivrer chacun de ses messages. Elle s'arrêta soudain, relut à voix haute la phrase sur laquelle elle venait de passer.

– « La messagère de Dieu dépose Sa volonté entre les mains d'une autre, là où se trouve la cible. De sorte qu'une seule par génération connaît à la fois le nom de celle-ci et la personne qui doit l'exécuter. »

Elle s'immobilisa, frappée soudain par cette évidence : ce n'était pas chez elle que la messagère venait.

Elle montait ou descendait du sanctuaire de Notre-Dame. C'est le seul endroit dans la région où se trouve une sororité.

Son cœur s'emballa.

Quelqu'un, là-haut, savait pour Pascal. Hersande ? Camilla ? Forcément l'une ou l'autre, de par leur ancienneté. À quoi cela m'avance-t-il concrètement ? M'aurait-elle signifié que je devais prendre le relais de mon mari avant que la roue ne l'y oblige ?

Elle réfléchit quelques secondes.

Non… je ne crois pas.

Elle passa le revers de sa main sur son front moite, prise de vertiges. Toutes ces questions sans réponses affectaient un peu plus son état. Si elle ne dormait pas cette nuit, elle ne tiendrait pas debout demain, affolerait ses petits et nuirait à leur situation déjà précaire. Malgré la médication d'Hersande.

Je dois cesser de penser. Attendre. Si le message a été délivré, Hersande ou Camilla prendra rapidement contact avec moi. Sinon, tout s'arrêtera là. Et je ne laisserai rien transparaître de ce que je sais de l'Ordre. Ainsi, quelle que soit la cible, elle nous laissera en paix, moi et mes enfants.

Elle se servit un restant de lait et le but lentement en essayant de faire le vide dans sa tête. Au travers des vitres, à hauteur de la route de Notre-Dame, une lueur mouvante accrocha bientôt son regard. Intriguée, elle suivit sa progression, la vit franchir le pont du prieuré, remonter la pente douce de son terrain.

Instinctivement, elle souleva le verre de la lanterne et souffla la mèche. Elle songea qu'il pouvait s'agir d'Hersande ou de Camilla, mais se ravisa. Le sanctuaire était à deux bonnes heures de marche. Or minuit venait de sonner et, à cause des loups, aucune des deux ne se serait risquée à descendre la montagne, fût-ce avec une torche.

Qui, alors ?... Benoît ? Christine lui a dit que je dormais à l'auberge... Le meurtrier ? Le codex est formel : pas plus que la messagère, il ne pouvait savoir pour Pascal. Il n'a donc aucun moyen de me relier à l'Ordre... Évariste ? Non, ce n'est pas dans ses manières. Un des soldats du baron Raphaël, décidé à ce que je paie ma dette, d'une manière ou d'une autre ? Oui... c'est plus probable.

Affolée par cette perspective, elle se leva du banc et barra sa porte.

Elle s'y accola, attendit en comptant les secondes, espérant encore qu'on passerait chemin.

L'intérieur de la pièce s'illumina avant de retomber dans une demi-pénombre. Elle perçut une poussée dans son dos, ferma les yeux, le souffle suspendu, la peur au ventre. Le battant résista. Le bruit des pas sur le gravier recommença, l'amenant de nouveau à suivre le déplacement du flambeau. Celui qui le promenait faisait à présent le tour de sa maison. Lentement. Comme tous au village, il devait penser qu'elle n'était pas chez elle. Elle s'attendit qu'il brise une vitre et entre dans l'idée de tout saccager pour la contraindre à négocier avec le baron.

Instinctivement, elle porta la main à sa ceinture, là où tous les habitants d'Utelle avaient le droit de porter couteau. Prête à défendre son bien, espérant surtout que se dresser devant lui avec son gros ventre suffirait à le faire reculer.

Elle fut tentée de sortir, avant de s'imaginer capturée, amenée devant le baron, contrainte d'accoucher au château. Plus que tout, cette idée la tétanisa.

Elle entendit le bêlement de la chèvre, en déduisit qu'on l'avait libérée de son enclos, puis un crépitement derrière la porte. Son visiteur y était revenu. Elle chercha à anticiper ce qu'il escomptait faire, puisque jusque-là il n'avait forcé aucun accès.

Elle dégoulinait d'angoisse.

Il lui sembla enfin que les pas s'éloignaient. Elle n'eut pas le temps d'en être soulagée. Une chaleur anormale enfla dans son dos tandis que des flammes s'élevaient, gourmandes, léchaient les vitres de part et d'autre de la pièce.

C'est alors seulement qu'elle comprit. On n'était pas venu ravager l'intérieur de sa demeure. On était venu l'embraser.

Et elle s'était enfermée dedans.

31.

Château d'Utelle
Nuit du 22 au 23 juin 1494
Minuit

Le baron Raphaël se pinça le dessus du nez, entre les sourcils. Une vieille habitude héritée de sa mère pour soulager la tension oculaire. Cela faisait des heures, depuis le coucher des garçons, qu'il compulsait ce grimoire extrait de son coffret de bois sculpté. Des heures qu'il en tournait les pages, comme chaque soir, après avoir vainement tenté d'arracher des informations à celle qui avait été son épouse.

Il renversa la tête en arrière, ferma les yeux quelques secondes. Là, dans l'intimité de son bureau, il pouvait de nouveau être lui-même.

Il releva les paupières, saisit le crucifix posé devant lui, l'éleva une nouvelle fois devant le lutrin et demanda à Dieu d'empêcher le mal d'entrer en lui.

Rituel. Il le répétait à chaque nouvelle lecture, conscient que c'était son seul rempart contre les formules démoniaques qui émaillaient le parchemin. Toutes ne l'étaient pas. Chaque poison, chaque incantation était suivie du remède. Il s'était fixé pour objectif de les connaître toutes et tous. Il savait pourtant que la frontière était ténue, et qu'à tout instant, s'il n'y prenait garde, il pouvait lui aussi se retrouver aspiré dans l'antre du diable. Comme Luquine.

Il aurait aimé savoir depuis quand elle s'était vouée à la sorcellerie. L'ancienneté de ce grimoire laissait supposer qu'il se transmettait dans le secret absolu de génération en génération. En avait-elle hérité ? L'avait-elle découvert fortuitement ? Elle refusait toujours de répondre. Même si, ce soir, il l'avait contrainte à dévoiler son vrai visage. Il eût dû en savourer la victoire ; au contraire, il était ressorti du donjon meurtri. Peut-être parce qu'elle n'avait pas baissé les yeux sous la morsure du fer. Pas une seule fois.

Reprenant son étude, il observa attentivement l'entrelacs de serpents qu'une plume experte avait dessiné. Ligotée par leurs anneaux, à demi étranglée, soumise à la menace de leurs gueules sifflantes, une femme semblait terrifiée. Il parcourut le titre : « Transformer un être de chair en gorgone… »

Est-ce Dieu possible ?

Autour de lui, l'odeur de l'encens et de la sauge était prégnante. Elle lui tapissait les narines, l'assurait d'être toujours sous haute protection. Il apprit la formule pour tuer la femme devenue bête, capable de changer celui qui la regarderait en pierre. En espérant n'avoir jamais à y être confronté.

Cela faisait deux barrages de sortilèges qu'il ingérait ce soir, studieusement, après avoir vérifié avec soin ses acquis des jours, des semaines précédentes. C'était assez.

Il referma le grimoire, le replaça dans son coffret, verrouilla la chaîne qui en faisait le tour et rattacha la clef à son cou afin d'être bien certain que personne, à part lui, n'y aurait accès. Il souleva quelques lattes de parquet et replaça la boîte dans sa cache. Ensuite seulement il renouvela la chandelle sur son support.

Dormir. Quelques heures.

Dans l'obscurité, ce n'était plus possible. Il avait besoin de lumière, de jour comme de nuit, pour empêcher ce qui était dans le grimoire de le hanter.

Il se leva, étira son long corps musclé, resté trop longtemps prostré sur sa tâche et, tout en bâillant dans cette barbe qui fleurissait sur sa joue à force d'être négligée, il passa dans sa chambre. Il déposa le bougeoir sur le chevet. Enfin, refusant de se dévêtir ou d'ôter ses bottes pour pallier la moindre urgence, il s'adossa aux oreillers, près de cette place devenue vide et froide depuis le 20 mars dernier. Depuis qu'il avait versé dans le breuvage de son épouse de quoi lui donner cette insoutenable migraine qui avait permis de simuler sa mort.

Entre eux, pourtant, cela avait été une belle histoire. Une de celles qu'il n'attendait plus alors que le souvenir du corps chaud et du regard palpitant d'Hersande lui interdisait d'aimer. Luquine possédait ce tempérament des Italiennes. Fougueux, brûlant. Aux portes parfois des ténèbres. Oui, c'était bien cette ardeur qui l'avait envoûté. Au sens littéral ? La question demeurait. Quoi qu'il en soit, il avait cédé à son charme, d'autant plus facilement qu'il devait réprimer l'attirance qu'il éprouvait pour Hersande. Il avait épousé Luquine Buschetti pour sa fortune, sa beauté et ce piment qu'elle avait su apporter à son corps défendant. Dans le même temps, Camilla, devenue veuve, entrait dans les ordres auprès d'Hersande. Tous deux y avaient vu la volonté de Dieu. Leur relation était profane. Il fallait qu'elle s'arrête, que le mariage et le tutorat soient leur pénitence autant que leur salut. Malgré leur souffrance.

De fait, sitôt célébrées ses épousailles avec Luquine, tout lui avait souri. Son père Jacques II possédait une solide renommée dans sa charge de consul de Nice. Tout autant que sa mère, Honorade de Rocamaura, en sa qualité de dame de Châteauneuf. Bien insuffisantes toutefois pour attirer sur lui le regard de la régente de Savoie.

Pourtant, quelques mois seulement après que lui et Luquine avaient été présentés à sa cour, il recevait le titre d'écuyer puis celui de chambellan et enfin, récemment, se voyait confier une mission diplomatique auprès du roi Ferdinand d'Aragon et de Castille. Là encore, alors que l'idée même de ce traité de paix semblait une gageure pour les familiers de la régente, il l'avait conclu au mieux des intérêts des deux parties. Cette victoire lui avait valu honneurs et gloire, lui permettant de passer plus de temps à Utelle.

C'est ainsi, à la faveur de retours impromptus chez lui, qu'il avait découvert que sa chance n'était pas fortuite, que sa femme était une sorcière et qu'elle voulait sacrifier leurs fils à l'élévation de sa toute-puissance.

Cela avait commencé étrangement par un château désert au beau milieu de la nuit. Inquiet de ne parvenir à éveiller aucun des domestiques, il s'était déplacé au sanctuaire dans l'espoir que Luquine, voulant rendre visite à sa sœur, s'y serait attardée. En proie à des cauchemars, Hersande ne dormait pas. C'était elle qui lui avait ouvert la porte. Elle n'avait pu le renseigner mais leur attirance mutuelle n'avait pas résisté à cette intimité du plateau recouvert par les étoiles. Ils s'étaient aimés, presque brutalement, à même le corps de pierre de la bâtisse. Un sacrilège à quelques pas de l'autel de la Sainte Vierge.

À son retour au château, il avait trouvé Luquine en sa couche. À ses questions, légitimes, elle avait objecté ne rien comprendre, affirmant qu'elle n'avait pas bougé de son lit depuis la veille au soir. Il s'était étendu près d'elle, perplexe. Le lendemain matin, il n'avait trouvé personne pour contredire cette version, et bien que ses deux fils eussent les yeux cernés, ils ne se souvenaient pas d'autre chose que d'avoir été couchés tôt.

Lors, il était reparti pour Nice, d'autant plus embarrassé qu'il s'était convaincu d'avoir inventé cette histoire pour se donner un prétexte de revoir Hersande, de l'approcher, de la toucher.

La fois suivante pourtant, le château était de nouveau vide. Assis sur le lit, il avait décidé d'attendre Luquine, de la confronter à la réalité. Il s'était réveillé, penaud, au petit jour, l'avait trouvée près de lui, inquiète de son obsession, craignant que la folie ne le gagne.

Il avait demandé congé à la régente de Savoie, s'était installé à Utelle. Prenant sur lui, il était remonté au sanctuaire, s'était fait confirmer par Hersande qu'il était bien venu chercher Luquine là-haut, le premier soir. Fort de cela, il s'était mis en quête de la vérité.

Cela lui avait pris plusieurs semaines de surveillance discrète avant de découvrir l'existence du grimoire, et, à l'intérieur, le moyen de fabriquer une potion d'oubli. Quelques jours de plus avant d'admettre que Luquine l'utilisait sur leurs fils, leur personnel, leurs gardes. Sur lui.

Il avait fini par trouver le moyen de s'en protéger et l'avait suivie le long d'une de ses expéditions nocturnes. Elle s'était achevée devant la paroi refermée d'une grotte. Une grotte cachée à l'intérieur de la montagne sur laquelle se trouvait le sanctuaire de Notre-Dame. Il avait d'abord pensé que Luquine venait y rencontrer la Vierge. Et puis il avait compris que, à l'inverse, elle y servait le diable.

Dans un premier temps, il n'avait su quoi faire, puis il avait surpris une conversation entre son épouse et une femme au fort accent, une tresseuse de joncs, s'était-elle présentée aux gardes en arborant ses paniers.

Il ne l'avait jamais vue auparavant, mais Luquine la connaissait.

« L'enfant que porte Myriam sera puissant. Faites en sorte que je l'aie », l'avait-il entendue dire à cette étrangère.

Il avait eu le tort de prendre les devants, de demander à Pascal de lui remettre cet enfant. Refusant de révéler que la menace venait de Luquine, il s'était montré maladroit avec le tailleur de pierre, qui savait bel et bien que le donjon avait été bâti pour retenir toute puissance occulte. Quelques années plus tôt, Pascal en avait masqué la singularité.

Il ignorait toujours à qui Pascal en avait parlé mais, quelques jours après, il chutait de cet échafaudage et Myriam se retrouvait veuve, à la merci des projets diaboliques de Luquine.

Lors, il avait fait ce qu'il devait. Il s'était servi d'un des bocons[1] du grimoire pour l'estourdir, la faire passer pour morte et l'enfermer dans le seul endroit d'où elle ne pourrait pas s'échapper. Jusqu'à ce qu'il ait réussi à fabriquer la potion qui permettrait de l'occire.

1. Poison.

Car la préparer n'était pas simple. Il devait faire enfanter Luquine d'un diablotin, égorger celui-ci, mêler son sang à un cœur et des attributs féminins avant d'y ajouter d'autres ingrédients comme de la bave de chauve-souris. La découverte du corps de cette femme dans la combe l'avait dispensé d'assassiner une mendiante, à Nice. Même si elle avait ramené au jour cette question à laquelle Luquine refusait toujours de répondre : que signifiait le symbole qu'elle avait dessiné dans le grimoire ?

Ce même symbole qu'il avait retrouvé dans la paume du cadavre. Quelqu'un l'avait clouée aux portes du sanctuaire. À l'endroit même de son étreinte avec Hersande. Pour lui signifier qu'elle était injustifiable ? Ou voulait-on simplement l'avertir qu'on n'hésiterait pas bientôt à s'en prendre à elle, pour le punir d'avoir « tué » Luquine ?

Il hésitait encore à remonter là-haut, à lui en parler. Il l'avait déjà bien assez impliquée dans tout cela. Il ne se passait pas un jour sans qu'il se le reprochât. Et puis que lui dire ? Tout ce qu'il savait était que la tresseuse de joncs avec qui Luquine avait parlé de l'enfant de Myriam venait elle aussi d'Égypte. La forme, le tissu de ses vêtements, tout autant que la matité de son teint et la noirceur de ses cheveux huilés ne pouvaient le tromper.

Il ouvrit les yeux, agacé de ne pas réussir à céder à sa fatigue, les fronça devant la lumière mordorée qui tapissait les vitres.

Me serais-je assoupi sans m'en rendre compte ? Est-il possible que l'aube arrive déjà ?

Il bondit de son lit pour s'en assurer. Aussitôt son cœur se suspendit dans sa poitrine. Là-bas, tout au fond de la combe, une torche géante tapissait les nuées.

La maison de Myriam.

Il courut jusqu'à la porte, s'immobilisa sur le seuil, se souvenant brusquement de ce que lui avait appris le viguier après l'arrestation de Célestin.

Chez Jacquot. Elle est restée chez Jacquot cette nuit.

Lors, il se laissa choir dans le fauteuil le plus proche et attendit que son angoisse s'apaise.

32.

Auberge Le Fumet des cimes
Nuit du 22 au 23 juin 1494
Minuit trente

Myriam reprit connaissance dans une quinte de toux profonde, caverneuse, qui la plia en deux sur ce bras venu lui barrer le haut de l'estomac. Elle sentit une pression se déplacer sous ses omoplates, eut l'impression que tout l'air restant dans ses poumons se vidait entre ses genoux.

— C'est fini. Tout va bien, entendit-elle dans le sifflement aigu de ses bronches.

Elle eut du mal à le croire. Elle s'était évanouie. Pour la seconde fois de la journée.

Que m'est-il arrivé ? se demanda-t-elle, mais son esprit refusait de se souvenir.

Seul son cœur s'emballa, au point qu'elle crut qu'il allait s'arracher de sa poitrine lourde. Elle s'agita, affolée, s'accrocha à ce corps penché au-dessus d'elle, incapable de l'identifier.

— Calmez-vous, Myriam… Vous êtes sauve et votre enfant aussi. Respirez lentement, conseilla la voix.

Cette fois elle la reconnut.

Benoît…

Sa présence, rassurante, repoussa les barrières de sa mémoire. Une succession d'images défila aussitôt devant ses yeux.

Elle se revit dans sa maison cernée par les flammes, illuminée comme en plein jour. Eut l'impression de ressentir à nouveau la chaleur dans son dos, cette chaleur qui l'avait fait s'arracher de la porte, pivoter sur elle-même, la main sur son ventre, terrifiée à l'idée de brûler vive avec son enfant. Cherchant une issue qu'elle savait inexistante. Elle sursauta au souvenir des vitres qui explosaient, dispersant des éclats de verre, eut l'impression qu'ils tailladaient ses mains, son visage, tandis que la fumée envahissait son nez, sa bouche, et la pièce tout entière. C'est à cet instant que son instinct de survie s'était réveillé. Avisant les couvertures, elle les avait arrachées du lit, s'en était enveloppée de la tête aux pieds, puis s'était précipitée sur le battant avec la ferme intention de braver le rideau de flammes. Elle n'en était qu'à trois ou quatre pas lorsqu'il s'était ouvert. Elle aurait dû, à cet instant, en être soulagée, se penser sauvée. Mais en cette silhouette encapuchonnée, elle n'avait vu que son tourmenteur décidé à l'achever. Elle avait reculé, buté des reins contre l'angle de la table. Était-ce la douleur, le manque d'air qui lui avaient fait perdre connaissance ? Elle ne se souvenait plus de rien après cela.

— C'était vous... C'était vous dans la maison..., bredouilla-t-elle entre deux raclements de gorge.

— Oui. C'était moi... Apaisez-vous, insista-t-il en lui massant les épaules.

Elle se décrispa, redressa le buste pour inspirer plus aisément. Il retira son bras avec délicatesse et elle se sentit plus légère soudain, libérée de cette pression au-dessus de son gros ventre. Elle y porta la main. Reçut un coup dans l'abdomen.

— Il n'a rien…, se rassura-t-elle, les larmes aux yeux.

Elle les leva vers Benoît qui s'était écarté discrètement. Découvrit qu'elle se trouvait sur un lit, auréolé de la douce lumière d'une chandelle. Les poutres peintes en jaune, l'encorbellement de pierre taillée de la fenêtre, une petite table dans un coin, surmontée d'un broc et d'un pichet d'étain, la chaise au dossier droit et jusqu'à cette senteur de lavande et de cire qui émanait du parquet jonché : elle connaissait ce décor. C'était celui de l'une des chambres de l'auberge. Toutes étaient semblables. Mais à en juger par les outils posés sur le couvercle d'une malle et les vêtements d'homme accrochés à la patère, derrière la porte, celle-ci n'était pas la sienne.

Elle souleva un sourcil surpris, arracha un sourire au tailleur de pierre.

— Vous êtes chez moi. J'aurais pu vous déposer sur votre couche, mais j'ai craint d'affoler vos enfants trop tôt. Il me fallait donner l'alerte avant de m'occuper de vous.

— Vous avez bien fait, le remercia-t-elle en prenant conscience du martèlement des cloches.

On n'allait pas tarder à s'agiter dans la demeure, dans le village. Et ses enfants à s'inquiéter. Benoît versa un peu d'eau dans un gobelet et revint le lui tendre.

— Et vous ? N'avez-vous rien ? s'inquiéta-t-elle enfin, la gorge moins irritée.

Il tira un tabouret de dessous la table et s'y laissa tomber, les jambes lourdes de son escalade, de sa course face aux flammes qui s'étaient élevées à l'horizon alors qu'il rentrait à l'auberge, du fardeau pourtant fragile que Myriam avait représenté tandis qu'il la portait.

— Seulement quelques brûlures superficielles. J'ai dispersé le tas de fagots plaqué contre votre porte avant d'entrer, la rassura-t-il.

Un tas de fagots. Ardent.

Il lui serait tombé dessus lorsqu'elle aurait ouvert. Quand bien même elle aurait réussi à rejeter ses couvertures embrasées, elle n'aurait pu l'enjamber. Un frisson d'horreur la traversa, réveillant la douleur, partout.

— J'ai aussi pris la liberté de nettoyer vos blessures, expliqua-t-il en la voyant baisser les yeux sur le dessus de sa main.

Elle grimaça.

— J'ai l'impression que mon visage n'est qu'une plaie...

— Rien d'irréparable, affirma-t-il en ouvrant le tiroir de son chevet.

Il en sortit un miroir enchâssé dans un morceau de corne, la laissa s'examiner, anxieuse. Elle s'effara devant sa piteuse mine. Cela faisait une éternité qu'elle ne s'était pas regardée. Elle n'était plus que l'ombre d'elle-même. Ses yeux étaient rétrécis par des poches gonflées ; son nez, fin d'ordinaire, s'était empâté ; sa carnation de pêche avait été affadie par la fumée. Une de ses lèvres, charnue, à la rosée délicate, était fendillée. De fines griffures zébraient ses jolis traits jusqu'en son menton à l'ovale parfait. La coupure la plus profonde se situait au-dessus de l'arcade sourcilière, mais là aussi le sang avait coagulé.

Elle se laissa retomber contre les oreillers, ferma les yeux sur une larme amère.

— Merci... Sans vous j'étais perdue, Benoît.

Il n'entendait pas s'en enorgueillir, mais il voulait qu'elle prenne cette fois la mesure de la réalité.

– À quelques minutes près, oui, c'est probable, confirma-t-il, ennuyé. Je sais que vous ne m'avez pas cru, avant-hier. Mais si je n'avais déblayé votre porte, demain on aurait pensé que vous aviez laissé une bougie allumée devant le rideau d'une fenêtre. Que l'incendie était le fait d'une négligence, pas d'un acte criminel.

– Comme pour Pascal, comprit-elle en ramenant un regard désemparé sur lui.

Il lui prit la main, la serra avec délicatesse.

– Je suis navré, Myriam.

– Vous n'y êtes pour rien. Tout cela est l'œuvre du baron. J'imagine qu'il n'a pas aimé ma réponse au viguier, qu'il a voulu me priver de tout pour que je lui cède mon enfant en échange de sa clémence, peut-être même d'un second prêt…

Il en était arrivé à la même conclusion, bien qu'il n'ait vu personne quitter le château. Mais cela ne signifiait rien. L'un des soldats avait très bien pu sortir pendant qu'il était dans le donjon.

– C'est probable, en effet. J'aurais dû veiller davantage sur vous.

– Vous l'avez fait. Vous m'avez suivie ce soir…

Il fronça les sourcils. Hésita quelques secondes, puis jugea qu'il ne devait pas tricher.

– Non. J'ai vu une silhouette se diriger vers votre maison. Et un moment plus tard une autre munie d'une torche qui s'en approchait. Je n'ai pas cherché à comprendre. Je me suis élancé. Quand je suis arrivé devant chez vous, les flammes étaient déjà hautes. J'ai failli reculer, mais je vous ai entendue crier.

Avait-elle crié ? Elle ne s'en souvenait pas. Elle sentit un sanglot lui serrer la gorge.

— J'ai désormais une dette immense envers vous.

Il secoua la tête.

— Je vous interdis de le penser. Je n'aurais pas supporté de vous perdre cette nuit.

Elle rougit. Retira ses doigts des siens.

— Je vous en prie...

Il soupira tristement.

— Fussent-ils inconvenants pour vous, mes sentiments sont réels, Myriam. Je ne vous demande pas de les partager et vous n'avez rien à craindre de moi, ni ce soir dans cette chambre ni demain. Je veux seulement que vous compreniez que je n'ai pas agi en héros. Mais en homme épris. Et respectueux de sa promesse à votre époux.

— D'accord..., accepta-t-elle, se faisant à l'idée que Pascal continuait à veiller sur elle par l'entremise de cet homme.

Se serait-il trouvé là au bon moment sinon ?

Tout aussitôt, elle tiqua. Cette fenêtre barrée par ses volets intérieurs ne s'ouvrait pas sur la combe. Comment avait-il pu voir tout ce qu'il lui avait décrit ?

Aurait-il pu allumer cet incendie ?

Cela ne lui ressemblait pas. Et puis pour quelle raison ? Elle refusa de laisser planer le moindre doute. Elle voulait croire en lui.

— Vous m'avez menti. Vous ne pouviez pas vous trouver dans cette chambre, alors comment avez-vous su ?

Il pencha la tête de côté, affronta son air soupçonneux.

— Je me faufilais sur le chemin de ronde du château quand je vous ai vue traverser la combe.

L'image, furtive, d'une silhouette en contre-jour affleura sa mémoire. Si surprenante que soit cette révélation, elle fit retomber son sursaut de méfiance. Elle l'invita à poursuivre d'un hochement de tête.

— J'étais inquiet pour Célestin. Son arrestation arbitraire, les projets du baron concernant votre enfant, cette femme assassinée… Il fallait que je m'introduise en catimini. Que j'en apprenne davantage.

— Par quel moyen ? Le château est bouclé jour et nuit.

Il désigna le grappin posé à terre près de ce bliaud noirci qu'il avait changé tandis qu'elle reprenait connaissance. Elle n'y avait accordé qu'un regard en englobant la pièce. Imagina Benoît s'élevant dans les airs à la force des bras, le ventre collé à la muraille. Elle sentit les battements de son cœur s'y suspendre avec lui.

— Folie…

Il ne put s'empêcher de rire.

— Vous savez bien que tout bon tailleur de pierre sait dompter le vide.

— Mais pas les lances ni les flèches.

— C'est vrai. Rassurez-vous. Nul ne m'a vu. Et ce que j'ai découvert valait le risque que j'ai pris.

Elle releva de la colère dans le ton de sa voix. Une colère froide. Qui rejoignit la sienne, peu à peu, au fil de son récit. Lorsqu'il l'eut achevé, dans le mouvement de panique qui gagnait le couloir, elle serrait les poings à son tour.

Nourrie à nouveau de détermination et de haine.

33.

Prieuré d'Utelle
Nuit du 22 au 23 juin 1494
Minuit quarante

Répondant à l'appel des cloches, trois coups frénétiques ébranlèrent la porte de la chambre de Claudio Grimaldi, l'arrachant à la contemplation des flammes qui grignotaient l'obscurité derrière sa fenêtre. Il s'en détourna précipitamment et s'en fut ouvrir.

— Le feu... le feu... dans la combe ! bredouilla le convers attaché à son service.

— Que tous se rassemblent dans la cour ! J'arrive.

Le prieur le regarda filer dans le couloir, sa lanterne à la main, risquant de la verser et d'embraser aussi le logis, puis referma pour enfiler sa bure.

Il trouva les moines au milieu des frères lais, certains accourant encore du dortoir, s'échauffant les sangs devant les rougeurs menaçantes qui se dessinaient au-delà de la ligne du mur d'enceinte.

— Une échelle ! Qu'on aille quérir une échelle pour mesurer le danger, beugla l'un des religieux.

Le prieur Grimaldi vit un bedeau entrer dans la réserve, en ressortir presque aussitôt les bras chargés. La seconde suivante, le silence se faisait dans les rangs tandis que, monté aux barreaux, l'homme scrutait l'horizon.

— C'est la maison de Myriam ! hurla-t-il.

Un cri d'effroi passa de bouche en bouche.

— Point d'inquiétude, mes frères, les rassura le prieur d'une voix forte. Je la sais avec ses enfants chez maître Jacquot.

Les regards convergèrent aussitôt vers lui.

— Le torrent nous protège du brasier, ajouta-t-il pour définitivement rabattre leur angoisse.

— Et s'il prenait le pont du val ? S'il sautait par-dessus ? Le moulin, les oliviers n'y résisteront pas, se lamenta le panetier.

— Il faut former une chaîne d'eau, empêcher que la chaleur ne dessèche les olives, suggéra le cellérier, ralliant les autres à son idée.

Claudio Grimaldi écarta les bras en signe d'apaisement.

— Laissez-moi en juger. Cède-moi ta place, Albert, demanda-t-il au bedeau.

Le prieur grimpa lestement les barreaux de l'échelle, prit le temps d'observer l'œuvre des langues ardentes, le tracé, épargné, du chemin de Notre-Dame, puis apostropha une nouvelle fois ses frères.

— Nos champs ne risquent rien. Le vent pousse le brasier vers la source. Il se brisera sur le roc.

— Dieu soit loué ! entendit-il au milieu des soupirs de soulagement.

— Prenons des seaux et courons plutôt prêter main-forte aux Secchi. Leur ferme n'est pas loin du lavoir. Si le vent tourne, ce sont eux qui seront touchés. Partez devant, je vous rejoins, ajouta-t-il, satisfait, pour l'instant, de la tournure des événements.

Les laissant s'activer, il se précipita jusqu'à sa chambre. Sitôt entré, il marcha d'un pas vif vers le mur perpendiculaire à la fenêtre et fit coulisser un panneau de bois.

Une femme se détacha d'une profonde alcôve, vint aussitôt nouer ses bras aux siens.

— Je commençais à manquer d'air, se plaignit-elle.

— Mais pas d'audace. Heureusement que je la contiens.

— Pour rien. Je suis sûre que le vent est toujours du sud.

— Il aurait pu tourner, attirer les flammes vers le chemin de Notre-Dame. Mieux valait attendre.

Elle fit la moue.

— Au risque que j'arrive au petit jour au pied du sanctuaire.

— Tu trouveras à t'en justifier...

Elle recula, scruta ces traits narquois, ce regard qui la dévorait autant que le brasier, dehors, dévorait la combe. Ce brasier qu'elle avait allumé pour lui plaire. Pour être certaine que le baron n'aurait pas cette maison.

— Parfois je me demande si ce n'est pas le diable que nous servons en le voulant combattre, murmura-t-elle.

— Dieu nous aurait déjà frappés si c'était le cas...

Un éclair lubrique traversa le regard de la nonne. Il sentit poindre son vit, revint se coller à elle, lui empoigna les fesses au travers du tissu.

— Est-ce ce que tu veux ? Être punie pour ce que tu viens de faire ? Là ? Maintenant ?

Elle déglutit, hocha la tête.

— Relève ta bure, exigea-t-il.

Malgré l'urgence, il la retourna contre lui, la ploya de l'avant, ne lui accordant que le temps de s'appuyer des mains contre le mur avant de la fesser vigoureusement de son membre tendu.

— Encore, implora-t-elle, le souffle court.

Il porta deux doigts à sa bouche, les mouilla, puis, les enfonçant en elle, la battit de l'intérieur, par intermittence.

— Est-ce assez ? Assez pour ton crime ?

— Mon crime est le nôtre, gémit-elle, bouleversée.

— Tu as raison. Je dois m'en repentir aussi.

Il s'agenouilla devant cette lune charnue, y plongea sa langue, bénissant ce cul qui ne s'en ouvrait que davantage. Ce cul qu'il ne pouvait s'interdire d'aimer. Elle se cabra, l'inonda de désir, redoublant le sien.

— Pitié, Claudio.

Il se releva, l'agrippa par les épaules, la pénétra, à peine. Il s'immobilisa en elle, ferma les yeux, savoura les contractions qui couraient de cet anneau jusqu'à son mandrin, gagnant son ventre, affûtant ses sensations, désordonnant les battements dans sa poitrine.

— Une fois. Une seule fois, supplia-t-elle.

— Non. Tu connais la règle. Jouir l'un de l'autre serait péché. Seule la frustration nous offre le pardon, ahana-t-il.

Il se retira à regret, lui recouvrit l'entrejambe de sa paume. Elle s'y frotta, languissante. Il lui écrasa un peu plus l'amande, portant leur excitation mutuelle à la limite du supportable.

— Penses-y. Penses-y en remontant le sentier. Que chaque pas, chaque frottement de tes cuisses l'une contre l'autre te rappelle cette coquille de chair, de vice. Le plaisir viendra. Plus fort. Plus violent. Au détour du chemin. Sans que Dieu en prenne ombrage.

— Sans que Dieu en prenne ombrage, répéta-t-elle, douloureusement résignée.

Il recula, enserra son vit jusqu'à ce que la douleur le fasse débander, incapable pourtant de détourner les yeux d'elle tandis qu'elle se redressait lentement, reprenait contenance.

Le même rituel. À chacune de leurs rencontres.

Elle pivota, vint coller son front au sien, brûlant.

– Je t'aime, ma gargouille, murmura-t-elle.

Il l'enlaça, ferma les yeux dans sa chevelure aux parfums de thym et de bruyère.

– Moi aussi je t'aime… Allons, ne tardons plus.

Elle hocha la tête, se détacha de lui et le suivit, titubante, dans le couloir, en prenant garde à ce qu'aucun ne les surprenne.

34.

Auberge Le Fumet des cimes
Nuit du 22 au 23 juin 1494
Minuit cinquante

— Maman ?... Maman ?... Où êtes-vous, maman ?

Reconnaissant la voix angoissée de Margaux dans le couloir redevenu silencieux, Myriam s'arracha de la couche tandis que Benoît ouvrait la porte.

— Là, mes chéris. Je suis là ! leur cria-t-elle en franchissant le seuil.

Ils coururent aussitôt vers elle. À peine eut-elle le temps de s'accroupir qu'ils se jetaient d'un même élan dans ses bras.

— Le feu. Ils disent qu'il y a le feu. Ils sont tous sortis pour voir ! s'exclama Margaux.

— Oui, je sais, ma chérie. Mais nous n'avons rien à craindre. Il est loin et nous sommes ici en sécurité.

— En êtes-vous certaine ? insista la petiote, la voix étranglée par l'angoisse.

— Absolument. Retournez dans la chambre. Je vais aller chauffer un peu de lait en cuisine. Nous le boirons ensemble puis nous nous recoucherons. Ils sont bien assez nombreux dehors pour circonscrire l'incendie.

Elle avait besoin de se sustenter. De se retrouver seule quelques minutes avant d'affronter leur peur, puis leur désespoir face à la destruction de leur maison. Cette fois c'était concret, plus seulement la menace du viguier devant leur porte. Ils n'avaient plus rien. Plus rien qu'eux trois. Et bientôt quatre.

– D'accord, maman, renifla Margaux.

Elle se détacha d'elle. Antoine, lui, resta désespérément agrippé à son bliaud. Terrifié.

– Non. Non. Non. Non.

Myriam bénit la pénombre qui, pour l'instant, leur masquait ses coupures.

– Chuuut... Tout va bien, mon chéri. Maître Benoît va rester auprès de vous jusqu'à ce que je remonte. Vous voulez bien, Benoît ? lança-t-elle par-dessus son épaule.

– Évidemment.

Elle dénoua les petits bras que son fils avait jetés, comme une amarre, autour de son cou.

– Occupe-toi de ton frère, Margaux. Je ne serai pas longue.

En guise de réponse, la fillette attira Antoine en arrière malgré ses gesticulations. Myriam sentit son cœur se serrer. Une fois de plus sa fille bravait sa terreur pour se montrer forte. Lui prouver qu'elle pouvait compter sur elle.

Elle ferma un instant les yeux.

Elle se sentait vidée. Ne tenait debout que par la colère qui sourdait en elle.

Luquine. Luquine vivante. Doux Jésus, si le baron est capable de torturer la mère de ses enfants, que fera-t-il du mien ? et de Célestin ?

Benoît était persuadé que le baron avait assassiné l'Égyptienne, mais il n'avait pu en découvrir la raison. Et comme il n'avait pas évoqué le symbole tatoué dans sa paume, Myriam n'avait pas osé lui parler de l'Ordre et du codex, refusant de trahir le secret de Pascal. D'autant que ces nouveaux éléments donnaient un sens à présent à son analyse du début de la nuit, fût-elle branlante : si le baron avait éliminé la messagère et Pascal, c'était qu'il était la cible divine. Et qu'il voulait son enfant pour l'offrir au diable.

Cela n'avait fait que la convaincre de prendre consciencieusement la médication d'Hersande. Elle ne devait pas accoucher avant que Benoît ait mis le baron hors d'état de nuire.

Il lui avait avoué piteusement ne voir qu'un seul moyen pour y parvenir, qu'il aurait réprouvé en d'autres circonstances :

— L'assassiner. Je m'y emploierai la nuit prochaine, juste après avoir délivré Luquine. Ne vous inquiétez pas, Myriam. Je connais désormais le nombre et la position des gardes. J'arriverai à sa couche sans encombre. Lorsqu'il prendra conscience de ma présence, il sera trop tard.

Myriam aurait dû s'effrayer de le voir prêt à tout pour les protéger, elle et ses enfants. Mais il se faisait là l'instrument de sa propre vengeance en plus d'être celui de la volonté divine. Même s'il l'ignorait, cela l'avait touchée. Profondément.

— Je veux pas aller avec toi ! Je veux rester avec maman ! rugit Antoine en se débattant pour échapper aux serres de sa sœur malgré l'étroitesse du couloir.

— Fais pas le bébé ! le sermonna Margaux, excédée.

— Allons, mon garçon. Et si nous allions ouvrir ta fenêtre pour voir un peu ce qui se passe en bas ? s'interposa Benoît.

— Je pourrai me pencher ? se calma aussitôt Antoine, enlevé, d'autorité, du sol.

— Avec moi, oui. Mais uniquement avec moi, exigea Benoît en allongeant son pas vers leur chambre.

Myriam attendit que Margaux s'éloigne dans leur sillage pour se redresser. Un peu trop rapidement, car elle essuya un vertige, dut se rattraper d'une main contre la paroi.

— Je reviens vite, insista-t-elle pour duper sa fille qui s'était retournée.

Un sanglot la secoua pourtant, sitôt qu'ils eurent refermé la porte. Elle l'étouffa dans sa paume, s'aida du contact du mur pour rester droite et avança tout en bénissant Benoît de n'avoir pas proposé de se rendre en cuisine à sa place.

Comme s'il avait senti que j'avais besoin de cet intermède. Besoin de me recomposer un masque pour tenir bon.

Elle était presque au bas de l'escalier, vacillante, puisant dans d'ultimes réserves de courage, lorsque Élise parut, portant falot.

— Je venais justement à toi. L'incendie…

— Oui, je sais, la coupa Myriam en descendant les dernières marches le plus dignement possible.

— Tu sais ? Mais comment ? s'inquiéta son amie, avant de découvrir les plaies sur son visage blême.

Un juron l'emporta.

— Crénom de sang Dieu ! Tu étais là-bas ! C'est toi… toi qui as mis le feu.

— Ne dis pas de sottises. Pourquoi aurais-je fait cela ?

— Pour faire la nique au baron, pardi !

Myriam tituba, appelant aussitôt le bras d'Élise sous le sien. Était-ce ce que l'on penserait d'elle lorsque l'on découvrirait ses blessures ? Était-ce ce que l'on avait voulu que l'on croie en incendiant sa maison ? Le baron avait-il fomenté ce stratagème pour mieux l'accuser ? la faire arrêter ? Quel meilleur moyen de lui prendre son enfant que de la forcer à accoucher en prison ?

Benoît avait raison.

Il faut qu'il meure. Vite. Pour le salut d'Utelle et le mien.

Mais cette perspective ne la soulagea pas. De l'acide remonta le long de sa gorge.

— Vomir... Je vais vomir, eut-elle le temps de prévenir, avant de se détourner et de régurgiter un flot de bile sous l'escalier.

— Te voilà bien ! soupira Élise qui avait refusé de la lâcher. Assieds-toi... Assieds-toi, je vais aller chercher un peu d'eau.

— Non. Non. C'est passé. Je suis exténuée, c'est tout, assura Myriam en se redressant.

Elle ne voulait pas rester seule ici, alors qu'un autre pouvait venir, la voir, s'inquiéter, l'interroger, la juger.

— D'accord. Prends appui sur moi.

— Je suis désolée. Je nettoierai, s'excusa Myriam en avançant à ses côtés.

— J'y compte bien, la taquina Élise.

Mais son ton sonnait faux et Myriam ne s'y trompa pas. Son amie était inquiète.

Elles longèrent le corridor désert, parvinrent enfin à la cuisine.

— Attends. Assieds-toi là, suggéra Élise en repoussant une dizaine de torchons étalés sur un banc, près de l'un des fourneaux encore tiède.

Myriam s'y laissa tomber lourdement, l'œil en direction des flammes qui grignotaient la combe au loin, derrière la fenêtre. Élise lui en boucha la vue, les poings sur les hanches, l'air sévère.

— Et maintenant dis-moi un peu ce qui t'a pris de retourner là-bas, toute seule au beau milieu de la nuit !

— J'avais oublié de rentrer Capucine, mentit-elle.

Élise porta les mains à sa bouche. Y étouffa un cri.

— Capucine ! Grillée aussi !

Devinant qu'Antoine aurait la même réaction, Myriam entreprit de lui raconter comment, après avoir entendu qu'on libérait l'animal, elle s'était laissé piéger dans sa maison.

— Sans Benoît…, acheva-t-elle en refermant ses paumes sur le bol fumant que son amie venait de lui remplir.

— Un saint, celui-là… Un très joli saint, appuya Élise pour combattre cet effroi que trahissaient encore ses traits.

Myriam lui recouvrit la main de la sienne, réchauffée au contact de la faïence.

— Promets-moi de garder tout cela pour toi. Sinon pour me défendre quand, demain, le viguier viendra me réclamer des comptes.

— Il oserait, tu crois ?

Un voile triste emporta le regard de Myriam.

— Ce que tu as pensé, il le pensera aussi. Incendie ou non, le baron fera valoir son hypothèque sur le terrain.

— Combien lui dois-tu encore ?

— Trop pour qu'il me laisse en paix, frissonna Myriam en songeant à tout ce qu'il avait déjà fait pour s'approprier son bébé.

Élise lui tapota le dessus du bras, l'œil soudain allumé d'une lueur revancharde.

— C'est ce que l'on verra. Oui, c'est ce que l'on verra.

35.

Sanctuaire de Notre-Dame
23 juin 1494
Quatre heures du matin

Hersande se réveilla migraineuse, avec la sensation d'avoir été en proie à des rêves terrifiants. Même si elle ne parvenait à se les rappeler distinctement.

Aucune lueur ne perçait la lucarne de sa chambre. Une fois de plus, elle devrait attendre le point du jour pour s'arracher à cette couche. Cela faisait des mois que c'était ainsi. Que les cernes se creusaient davantage sous ses yeux, que la fatigue s'ancrait plus profondément en elle.

Elle possédait de belles réserves pourtant. Le tempérament des Méditerranéennes. Solide, impétueux, vif. Rien jusque-là n'avait réussi à l'abattre. Ni les coups trop violents de son père, ni la mort de sa mère, épuisée de ne pouvoir les empêcher.

Peu de temps après le retour des obsèques, il s'était jeté sur elle, ricanant qu'elle allait devoir la remplacer. Elle avait saisi ce qu'elle trouvait sous ses doigts tâtonnants, frappé jusqu'à ce qu'il s'écroule sur son jabot. Une fois dégagée, elle avait reconnu son arme : une pierre taillée avec laquelle il calait le trépied de la broche. Elle avait contemplé la flaque de sang qui s'élargissait sous lui, glissait vers les flammes, y cuisait. Et tout ce qu'elle avait pensé alors, dépourvue d'émotion, était que le cauchemar s'achevait enfin. Qu'il ne nuirait plus à personne.

Elle avait empoché le pécule de son père, récupéré les quelques bijoux de sa mère, renversé les meubles, brisé la vaisselle, souillé les draps et le linge pour laisser croire à quelque crime de maraudeur, puis avait filé par-derrière.

Lorsqu'on l'avait finalement retrouvée pour lui apprendre qu'elle était orpheline, elle était à couvert. Personne n'avait songé à lui demander des comptes. Non seulement la supérieure du couvent à qui elle s'était confiée s'était bien gardée d'en fournir à la maréchaussée, mais elle leur avait même affirmé qu'Hersande se trouvait déjà dans la maison de Dieu quand celle de son père avait été dévastée.

Hersande n'avait pas été longue à comprendre la raison de ce mensonge. Son crime, la froideur avec laquelle elle l'avait perpétré puis raconté, l'avaient fait admettre sans réserves dans les rangs de l'Ordre. Qui, mieux qu'elle, pouvait concevoir la mort comme une rédemption de l'âme ? Elle avait sauvé celle de son père en lui interdisant de la violer. Elle venait d'avoir onze ans. Et sa vie passée, ses actes, de prendre un sens.

À la puberté, on lui avait présenté la lignée des exécuteurs divins de Vésubie. Parce qu'elle savait que tuer était parfois nécessaire. Parce qu'elle n'avait jamais douté que seule la volonté de Dieu avait guidé sa main sur cette pierre, lui avait froidement enjoint de repousser le diable au travers de son père.

Un acquis, une certitude. Jamais remis en doute.

Sa relation avec Raphaël n'avait fait que renforcer ce sentiment. Il était bon, doux, aimant. Et même s'ils bravaient les règles de l'Église, des années durant, Hersande s'était convaincue que l'œuvre de Dieu s'accomplissait au travers de leur amour. C'était aussi pourquoi elle avait admis leurs adieux lorsqu'il s'était marié, puis l'arrivée de Camilla, au point même de la recommander au sein de l'Ordre. Convaincue d'une continuité dans son destin. Convaincue que tôt ou tard une messagère viendrait. Et que servir la roue serait l'aboutissement de ce pour quoi elle était venue au monde.

Jusqu'à ce qu'elle décachette ce billet.

Elle repoussa la couverture, remonta sur les oreillers. Inutile d'espérer se rendormir. Et boire chaud n'y changerait rien. Elle l'avait essayé de trop nombreuses fois. Y compris la nuit où, inquiet pour Luquine, Raphaël s'était présenté à la porte du réfectoire, alors que, revenant de la cuisine, elle regagnait sa chambre.

Elle n'aurait pas dû lui ouvrir. Mais elle avait reconnu sa voix et n'avait su se l'interdire.

Cinq mois. Cela fait cinq mois déjà.

De nouveau, des langues de désir affleurèrent le haut de ses cuisses. Elle les réprima, furieuse contre elle-même.

Folie. C'était une folie. Dieu pardonne les égarements du cœur. Pas que l'on viole les sacrements du mariage.

Un frisson la traversa tout entière.

Cinq mois et elle ne parvenait pas à oublier.

Elle sentit de nouveau palpiter en elle cette angoisse qui l'avait envahie tandis que Raphaël la quittait, comme si soudain le diable était à ses trousses.

C'était deux mois à peine avant la mort de Pascal. Et dix jours de plus avant la disparition de Luquine.

Que fais-tu d'elle, Raphaël ? Que fais-tu subir à ta femme pour que Camilla soit tant éprouvée ?

Elle aurait voulu ne rien savoir. Mais il l'avait rendue complice de son mensonge.

Comment as-tu pu penser un seul instant qu'en me penchant sur Luquine je ne soupçonnerais rien ?

C'était offenser sa science des simples, de leurs parfums, de leurs usages ! Elle n'avait rien dit pourtant, prisonnière de son regard qui la suppliait de lui faire confiance. Persuadée qu'il pourrait tout justifier, elle ne s'était pas opposée à la fermeture du cercueil. Malgré le chagrin de Camilla, le désespoir de Barthélemy et de Léonard.

Comment ai-je pu, ensuite, me laisser convaincre que tes raisons de faire passer Luquine pour morte étaient louables, qu'elle serait tirée de cette bière et mise au secret avant que la terre ne la recouvre, que dans l'intérêt de tous, Camilla comprise, tu ne pouvais rien me révéler de ce qui se tramait ? que tu viendrais tout me dire lorsque nous serions hors de danger ?

Désemparée, elle coucha son visage entre ses mains. Elle ne se reconnaissait plus dans cette femme craintive, submergée par ses sens, cherchant à trouver des excuses à l'homme qu'elle aimait toujours. Quand la vérité lui apparaissait désormais, évidente, cruelle.

... Je ne sais plus qui tu es, Raphaël. Je ne sais plus ce que je dois penser, ce que je dois attendre de toi après ce qui vient de se passer. Sinon que le diable est ici, à Utelle. Lui as-tu ouvert les portes ? Ou essaies-tu de les refermer ? Quoi qu'il en soit, nous sommes coupables de nous être aimés contre la porte même de ce sanctuaire. Coupables de sacrilège. Et cela fait deux jours que je me bats contre ce sentiment détestable que nous avons peut-être provoqué le malheur qui va nous frapper.

Un bruit de pas feutrés traversa la porte. Son cœur s'étrangla un peu plus.

Camilla... Elle non plus ne doit pas dormir. Transpercée par sa souffrance. Elle a raison. Je ne dois plus hésiter. Je dois remettre ce billet à l'exécuteur. Ensuite je lui révélerai la vérité au sujet de sa sœur. Et nous viendrons ensemble te demander des comptes, Raphaël.

Elle leva les yeux en direction du crucifix accroché au mur en face d'elle.

Est-ce ce que Vous espériez, Seigneur ? Que la frappe du diable me signifierait clairement que je me trompe ? Qu'il s'est emparé de cette âme innocente justement parce qu'elle est l'enfant d'un amour interdit par l'Église, l'enfant du péché ? et par là même, plus vulnérable que les autres ? Que votre omniscience est incontestable, que désigner cet être de bonté n'est pas le fruit d'une erreur ? Que seul mon cœur de mère le voudrait ? Cela ne change rien à mes doutes, à ma douleur. Elle me broie, m'écartèle. Comment pourrait-il en être autrement ?

Elle étouffa un sanglot entre ses mains jointes.

Comment voulez-vous que j'accepte ? Quand bien même, je le sais, je me dois de sauver son âme, comme j'ai sauvé l'âme de mon père autrefois. Il n'en reste pas moins que cela m'est inhumain. C'est la chair de ma chair, mon propre enfant, ma lumière que vous me demandez de faire assassiner...

Elle hoqueta, inspira longuement pour refouler sa détresse au plus profond d'elle, renouer calmement, froidement avec son devoir, avec ce pour quoi elle était venue au monde.

La Madone n'avait-elle pas donné son fils pour le salut du monde ? Qui était-elle pour faire moins ?

Arme-toi de courage et de confiance. Comme Abraham face au commandement de Dieu.

— « Genèse 22.2 : Prends ton fils, ton unique, celui que tu aimes, Isaac. Va-t'en au pays de Morija, et là, offre-le en holocauste sur l'une des montagnes que je te dirai », récita-t-elle en regardant vers la lucarne.

La montagne était là. Elle apparaissait dans la brume nacrée de l'aube.

Sa décision fut prise. Dût-elle ne pas y survivre.

Demain, avant minuit, tout serait consommé.

36.

Château d'Utelle
23 juin 1494
Six heures du matin

Dans sa cellule éclairée par la flamme de la torche, Luquine se tordait au sol dans des mouvements convulsifs, le ventre noir, traversé d'ondulations fantasques. Elle aurait voulu hurler de douleur, mais Raphaël l'en avait empêchée à l'aide d'un bâillon que, dans son état, elle n'avait pu refuser.

Il la tenait à merci, regardait le diablotin qu'il avait engendré déformer sa peau tendue, y imprimer la marque d'une main ou d'une joue, grandissant à vue d'œil désormais. Une part de lui était fascinée, cette part obscure que l'usage du grimoire avait éveillée. L'autre était terrifiée.

Ce ne sera plus très long, comprit-il devant les contractions de son pubis dénudé.

Elle le couvrit d'un regard chargé de haine, de soif de vengeance. Il ne s'en laissa pas intimider.

Bientôt la potion serait prête. Bientôt il serait en mesure de la tuer et, par là, de délivrer ses fils de son emprise.

Cela la rendait folle. Mais elle ne s'avouait pas encore vaincue.

Elle se rejeta sur le dos, croisa les jambes, serra les cuisses, retenant le plus possible cette chose en elle.

— Si tu crois que je vais te laisser faire, se moqua-t-il en se détachant de la porte contre laquelle il s'était adossé, patient.

Il s'approcha d'elle, s'accroupit.

— Tu noteras que cette fois c'est toi qui te tortures et moi qui cherche à te soulager. Tu ne vas pas me reprocher un peu de compassion.

Elle grogna, fulmina, le repoussa des pieds, des mains, bien qu'il ait tendu ses chaînes, fait en sorte de limiter les mouvements de ses bras. Il lui écarta les chevilles sans ménagement, força ses cuisses à rester ouvertes.

Une odeur de soufre envahit la pièce. Il vit un crâne écarlate affleurer son buisson, l'écarteler.

— Un petit effort, encore, mon joli, l'appela-t-il.

Le diablotin s'expulsa d'un coup de ce ventre humide. Dans un flot de sang noir, grouillant de vermine.

Raphaël accusa un mouvement de recul. Pas devant cette masse gluante et putride, mais devant ces deux bras, ces deux jambes, ce torse, cette tête. Il ne s'attendait pas que le démon ressemblât tant à un enfant, à l'un de ses enfants, fût-il à peine plus gros que sa main.

Cela ne change rien. Il doit mourir. Remplir mon chaudron de son sang.

Il ne devait pas éprouver pour cette créature plus de pitié qu'envers Luquine.

S'il échouait à confectionner cette potion, il ne pourrait pas la tuer. Elle resterait sa prisonnière, certes, mais ses fils seraient maintenus aux portes de l'enfer. Susceptibles d'y basculer à tout moment. Et plus encore si la mort venait à le frapper, lui, avant qu'il n'ait pu trouver un autre moyen de les en arracher. Qui sait si, alors, ils ne libéreraient pas eux-mêmes leur mère, ne participeraient pas à l'avènement du diable ?

Il ne pouvait prendre ce risque. Il sortit son couteau. Une fois qu'il aurait coupé le cordon qui reliait Luquine à ce diablotin, il n'aurait que quelques secondes pour se replier. Selon le grimoire, elle allait bénéficier pendant un court moment d'un accroissement de sa puissance, le reliquat de cette substance maléfique dont l'enfant démon s'était nourri et qui allait se répandre en elle.

Il savait qu'elle ne laisserait pas passer cette chance, infime, trop courte, de le détruire. Ce serait elle ou lui. Il espérait seulement que ces murs sauraient étouffer ce sursaut maléfique comme jusque-là ils avaient contenu sa sorcellerie.

D'un geste vif, il tira le petit démon à lui. Il la vit remonter ses genoux, son buste. Ses paumes plaquées au sol, ses bras raidis derrière elle, ce regard débordant de soif de vengeance : tout lui indiqua qu'elle était prête à bondir.

— Tu n'auras que cette occasion, Luquine. Ne la rate pas, la défia-t-il pour lui donner à comprendre qu'il s'y était préparé.

Il empoigna le nourrisson, se prépara à rompre leur lien. Il suspendit pourtant son geste, saisi. Le diablotin avait relevé les paupières et le fixait de ses yeux jaunes. Chargés de haine.

Comme Luquine.

Il comprit en une fraction de seconde.

Elle le contrôle.

Le temps qu'il le rejette en arrière, une langue sifflante était sortie de cette bouche enfantine. Le diablotin s'écrasa sur la pierre. À l'endroit où son venin s'était dispersé, le roc se fendillait dans un crissement acide.

Furieux, Raphaël décocha un coup de pied dans la face réjouie de Luquine, l'envoyant battre le sol dans un craquement de vertèbres. D'une main il arracha son épée du fourreau, de l'autre il ramassa la couverture qu'il avait apportée. Il la jeta sur le petit monstre, l'aveuglant de son épaisseur, puis trancha net le cordon ombilical.

Il n'eut que le temps de se rejeter en arrière et d'ouvrir la porte dans le crépitement soudain dément de la torche. Ragaillardie, Luquine avait bondi sur ses pieds, des éclairs dans les yeux. Mais il était déjà trop tard pour que sa rage l'atteigne.

Réfugié derrière le battant refermé, Raphaël entendit le bruit sourd d'un moellon touchant terre, comprit qu'elle avait réussi à arracher l'une de ses chaînes. Puis plus rien.

Il compta les secondes, le souffle court. Rien ne bougea plus. Pas même la petite créature étouffée par la couverture.

C'était terminé. La geôle avait résisté.

Il entrouvrit la porte. Luquine était à quatre pattes, échevelée, les poignets et les mollets toujours enferrés, même si l'une des chaînes était à terre. Elle s'était débarrassée de son bâillon, ahanait d'une fureur sans effets.

Elle releva la tête en entendant jaillir des pleurs de nouveau-né.

Tout aussi surpris, Raphaël souleva le tissu. Il n'enveloppait plus qu'un enfant minuscule. D'apparence normale cette fois.

Mais il ne se laissa pas tromper.

Cette chose n'était pas humaine.

— Sois maudit ! cracha-t-elle devant son air vainqueur.

Il était déjà dehors.

37.

Prieuré d'Utelle
23 juin 1494
Neuf heures du matin

— À combien l'estimez-vous ?

Le visage penché sur ses mains, Claudio Grimaldi s'arracha à sa prière dans un sursaut. Il tourna la tête même si d'ores et déjà il avait reconnu la voix et le ton discrètement narquois d'Élise dans son dos.

Ils étaient seuls dans la chapelle du prieuré d'Utelle. Le jour était levé depuis plusieurs heures à présent et ses frères vaquaient, qui dans les champs, qui auprès de la famille Secchi. Comme il l'avait redouté, le vent avait subrepticement forci et tourné, jetant l'incendie sur leur ferme près du lavoir. Eux aussi avaient tout perdu.

Il amorça un signe de croix et se redressa péniblement du prie-Dieu sur lequel il s'était agenouillé depuis que sa conscience le tourmentait.

Élise s'épaula contre l'un des piliers circulaires autour desquels s'enroulaient des feuilles d'acanthe rehaussées de dorures. Elle regarda le prieur venir à elle, sa face hideuse grumelée de remords, répéta :

— À combien l'estimez-vous ?

Il s'immobilisa à quelques pas. Sourit.

— Quoi donc, mon enfant ?

— Votre secret. Celui qui vous taquine l'entrecuisse.

Elle se réjouit de le voir blêmir.

— Comment oses-tu ? s'indigna-t-il.

Un éclat de rire emporta Élise. Elle le tua net, plongea dans ces yeux fourbes.

— Y a-t-il quelque chose, à votre connaissance, que je n'aie pas osé ici-bas, mon père ? Ce qui devrait vous amener à une question plus pertinente : comment se fait-il que je sache ce que tous ignorent ? Mais vous n'aimeriez pas la réponse. Encore moins savoir que j'ai surpris un jour votre protégée en plein bois, la bure relevée, les yeux fermés, se chatouillant l'amande en se racontant vos délices... Et surtout, de quelle manière j'ai apaisé sa frustration.

Il rougit jusqu'aux oreilles, troublé, déglutit.

— Que veux-tu ?

— Que vous preniez votre bâton, pas celui avec lequel vous fessez nonne évidemment, celui de pèlerin. Et que vous le promeniez chez les membres du conseil.

Surpris, il haussa un sourcil.

— Dans quel dessein ?

— Myriam est appréciée de tous. Appeler à leur générosité pour solder sa dette auprès du baron vous sera facile.

Il releva le menton, s'agaça.

— Tu peux ravaler tes menaces. J'escomptais déjà plaider en sa faveur. Tout autant qu'en celle de la famille Secchi auprès du maire. Ou de ce brave Célestin qui croupit au cachot.

Élise se détacha de la colonne pour hausser les épaules, un éclat moqueur dans l'œil.

— Bien. Alors tout est dit.

Elle fit mine de tourner les talons, se ravisa et marcha sur lui, le pas velouté, l'œil de braise. Elle le baissa sur cette protubérance qu'elle venait sciemment d'enflammer.

— Je me suis souvent demandé comment, en plus de sa piété, votre amante avait pu faire abstraction de votre laideur, mon père. Désormais je sais. Vous n'êtes pas seulement un pervers diabolique, vous en possédez l'arme entre les cuisses. Et, foi de connaisseuse, tout autant que de curieuse invétérée, je dirais que ce n'est pas le dernier de vos secrets. Alors, de grâce, mon père, si vous tenez à ce qu'ils restent cachés, hâtez-vous en besogne. Car l'intention est une chose, mais les actes en sont une autre : quand midi sonnera à cette cloche, si la délégation du maire ne s'est pas rendue au château…

Il tendit un index en direction de la porte.

— Hors d'ici.

— Je n'entendais pas rester.

Elle pivota à mi-chemin.

— Ah, une chose encore… N'oubliez pas qu'à l'inverse de vous ou d'elle je ne suis pas tenue au secret de la confession. De sorte que s'il vous arrivait, à l'un ou à l'autre, de divulguer certains de mes petits travers, travers dont vous m'avez absoute, cela m'irriterait profondément. Et vous le savez bien, mon père, vous qui me connaissez depuis l'enfance… je perds tout contrôle lorsque je suis en colère.

Il bouillait. Cela se lisait sur ses traits de gargouille, dans son regard assassin. Elle s'en détacha et, cette fois, quitta la chapelle.

Et d'un…, s'amusa-t-elle en sortant du bâtiment.

Elle n'entendait pas s'arrêter en si bon chemin, même si pour l'heure elle se devait à ses obligations envers la bonne marche de l'auberge. Et celles-ci passaient par commander à la halle de quoi nourrir sa clientèle.

D'un hochement de tête, elle répondit au salut de frère Michel qui revenait des fours collectifs, un sac à pain sur l'épaule. L'incendie l'avait accaparé, de même que le panetier du village. Mais l'odeur de la mie chaude couvrait désormais partout celle de la fumée.

Elle remonta le chemin, refusant comme à l'aller de s'arrêter sur la vision détestable de ce parterre calciné à flanc de montagne. De l'autre côté du torrent et jusqu'en haut de la combe, tout était détruit. Le coteau sur lequel s'était tenue la maison de Myriam, l'enclos de Capucine, la forêt qui le bordait, les bâtiments qui couvraient la source, le lavoir et son dais de tuiles, les champs et la ferme des Secchi. L'incendie ne s'était arrêté qu'aux portes du village, et encore, parce que tous avaient uni leurs efforts pour l'étouffer.

Il régnait sur la combe un sentiment de désolation qui contrastait avec la vie du moulin, le vert tendre et velouté des oliviers, tous épargnés.

Un crève-cœur qu'Élise entendait bien faire payer, à défaut du vrai coupable dont elle ignorait le nom, au baron Raphaël. Son pas vif ne tarda pas à la conduire sous le couvert des premières maisons. Elle lança des « bonjour » à la cantonade, ici au savetier, là au rémouleur.

Après avoir dépassé l'arrière de la forge et traversé la grand-rue qui, d'un bord, menait à l'auberge, de l'autre à l'église, elle atteignit enfin la halle.

La Fernande, une commère tout en os et en mesquinerie, y allait de son couplet larmoyant sur les événements de la nuit, tandis qu'on garnissait ses paniers. Épouse du second aubergiste d'Utelle, lequel offrait table tout au fond du village au pied des remparts du château, elle prit un air pincé à son arrivée.

N'ayant pour elle guère plus d'affinités, Élise s'en désintéressa en laissant traîner son regard sur le parvis. Les maîtres d'œuvre y avaient repris leur ouvrage. Elle vit Benoît charger une pierre taillée sur son épaule. Détrempée par la sueur, la chemise lui collait à la peau, révélant le dessin musculeux de son dos, la ligne parfaite de ses hanches enserrées par la ceinture chargée d'outils.

Ne le laisse pas filer, Myriam…, espéra-t-elle, convaincue depuis le premier jour qu'il était fait pour son amie.

Il disparut dans l'édifice sans l'avoir remarquée. Elle reporta son attention sur la Fernande, se réjouit de la voir débourser son dû, la saluer froidement et disparaître. Cinq minutes plus tard, elle avait passé ses commandes, demandé qu'on les livre et revenait en direction de l'auberge.

Les volets de la chambre de Myriam étaient toujours clos lorsqu'elle leva la tête vers eux. Elle sourit. L'extrait de pavot qu'elle avait subrepticement versé dans son lait chaud tandis qu'elles étaient toutes deux en cuisine cette nuit avait fait son office. Myriam dormait toujours. Les enfants, eux, s'étaient réveillés tôt. Mais ils s'étaient attachés aux consignes que Benoît leur avait données. Ne pas déranger leur mère, durement éprouvée.

Élise n'avait pu leur épargner la vision de la combe ravagée. Ni le désespoir. Celui d'Antoine avait été un peu adouci lorsque Patrice était arrivé avec Capucine. Le cuisinier en second avait trouvé la chèvre broutant sous les oliviers, à quelques pas du clos de l'auberge. Comme si elle avait su que le garçonnet s'y trouvait. Margaux, elle, s'était contentée de lutter pour étouffer ses larmes, convaincue plus que jamais de l'importance d'épauler sa mère.

Jacquot et ses filles les auraient bien gardés avec eux, seulement ils se doutaient que la journée serait plus chargée encore que la veille. Entre la découverte du cadavre, l'arrestation de Célestin et cet incendie, l'auberge ne désemplirait pas. Parce qu'il n'y avait pas de meilleur endroit à Utelle, à l'exception des tables de leur concurrent, pour échanger son point de vue sur cette succession de malheurs.

Christine s'était donc chargée de conduire les enfants chez Séverine, toute leçon ayant été suspendue au prieuré, Catherine de faire les chambres de leurs pensionnaires, et elle du marché, résolue à profiter de cette sortie pour aider Myriam.

Elle avait encore un peu de temps avant que sa présence ne soit indispensable à l'auberge. Elle dépassa le long corps de bâtiment et s'arrêta trois maisons plus loin devant une autre à la façade d'ocre jaune.

Sans prendre la peine de frapper, elle poussa la porte encadrée de colonnes et passa sous son fronton de pierre. Deux anges y encadraient une couronne emplie de symboles abscons.

Comme eux, le viguier qu'elle allait rejoindre dissimulait moult secrets. Mais elle avait l'habitude, voluptueusement, de les lui arracher.

38.

Auberge Le Fumet des cimes
23 juin 1494
Onze heures du matin

Ce fut un rire sous sa fenêtre qui tira finalement Myriam de sa somnolence. Son corps tout entier refusait de quitter ce lit douillet, tant il avait été malmené ces jours derniers. Elle tâtonna autour d'elle, soupira. Elle était seule.

L'une des filles a dû s'occuper des enfants.

Elle ouvrit les yeux sous l'afflux d'une larme, la gomma d'un revers de manche.

Non. Je refuse de m'en sentir coupable. Si quelqu'un l'est, c'est toi, maudit baron !

Elle ne put s'empêcher de repenser à la détresse de ses enfants. Cette fois, craignant la rumeur assassine, elle s'était refusée à leur mentir : quelqu'un avait incendié leur maison. Mais ce n'était pas elle. Et elle entendait bien s'en défendre. Margaux avait affirmé qu'elle ne laisserait personne médire. Antoine, trop jeune pour mesurer les enjeux de semblable accusation, s'était contenté de réaffirmer qu'il lacérerait le ventre du viguier avec son épée. Avant de fondre en larmes et de la réclamer avec sa chèvre.

Elle avait promis de les lui ramener sitôt que le jour serait levé.

Les cloches sonnèrent de conserve. Elle compta les coups.

... Neuf, dix, onze... Onze heures. Me voici bien en retard sur ma promesse.

Elle se souleva sur ses coudes. Sentit tout le poids de l'enfant peser sur son pubis.

Elle s'immobilisa aussitôt, inquiète.

Il est descendu malgré la potion d'Hersande. Jusqu'à quel point ?

Durant dix bonnes minutes, s'interdisant de bouger, elle guetta une contraction.

Rien. J'ai quelques heures devant moi avant que le travail ne commence. Ce sera suffisant pour aller à la combe et revenir ici. J'y serai à l'abri jusqu'à ce que Benoît ait libéré Luquine et tué le baron.

Elle se leva péniblement, repoussa les volets intérieurs, puis se dirigea, les jambes arquées, vers le broc et la bassine. Sa toilette achevée, elle rejoignit la grand-salle en soutenant son ventre, guidée par le rire frais des trois filles qui s'y activaient.

— Te voilà enfin ! l'accueillit chaleureusement Christine, les bras chargés de panières à tranchoir.

— Et affamée ! Qu'as-tu donc versé dans mon lait, chipie ? apostropha-t-elle Élise qui la regardait, plantée, l'air satisfait, derrière son balai.

— Rien dont tu n'avais besoin. Reposée ?

— Je n'irai pas jusque-là. D'autant que...

D'un regard elle désigna son ventre, et Catherine étouffa un cri entre ses doigts :

— Tu as perdu les eaux !

Myriam n'eut pas le temps de la détromper que toutes trois fondaient d'un même élan sur elle.

— Non. Non. Non. Non, échappa-t-elle à leur sollicitude. Tout va bien. Pour l'instant. Mais l'heure approche, c'est un fait. Je suppose que les événements de la nuit ont contrebalancé les effets du remède d'Hersande.

— En as-tu repris ? demanda Élise.

— À l'instant.

— Tu devrais quand même te recoucher, conseilla Christine.

— Tout de suite, ajouta Élise.

— Je te monte à manger, décida Catherine.

Myriam recula d'un pas, les affronta avec détermination.

— Ce n'est pas mon premier, les filles. Je sais ce que je dois faire. Croyez-moi, rien ne presse. Surtout si je double les doses. Il peut tout aussi bien arriver ce soir, que demain ou même après-demain.

Christine la couvrit d'un œil suspicieux.

— Ou dans une heure. Enlève-moi un doute. Tu ne songes tout de même pas à travailler en attendant ?

Ajoutant son indignation à celle de sa sœur, Catherine battit l'air de son index.

— Hors de question !

— Suffit, péronnelles ! les repoussa Élise en s'interposant.

Elle pivota vers Myriam.

— Que veux-tu ? Là, maintenant ?

— Ce qu'il y a de prêt en cuisine.

— Omelette, purée de pois cassés au gingembre et tarte à la rhubarbe.

— Les trois, accepta Myriam.

— Je file les chercher, décida Catherine.

— Quant à moi, je dresse ta table, s'empressa Christine.

Myriam retourna son clin d'œil à Élise.

— Merci.

— Pas de quoi.

— Mes enfants ?

— Chez Séverine. Allons, viens t'asseoir et dis-moi un peu ce que tu comptes faire après ce banquet.

Myriam éclata d'un rire désabusé.

— Le compte de ce que l'incendie m'a laissé.

Élise s'immobilisa devant le tabouret qu'elle s'apprêtait à lui approcher.

— Veux-tu que je t'accompagne ?

— Non. Les premiers clients seront là dans moins d'une heure. Il suffit bien que vous ayez à assumer mon travail en plus du vôtre.

Le trépied de bois crissa sur les tomettes, masquant à peine le soupir résigné de Myriam.

— Chaque jour je manque un peu plus à mes engagements. Alors qu'en sera-t-il de ma dette envers vous ?

Les traits d'Élise se crispèrent.

— Tu n'en as aucune.

Myriam se laissa tomber sur l'assise, surprise presque de ne pas la déborder des fesses ni des hanches quand elle se voyait énorme dans le miroir. Preuve qu'elle avait tout pris dans le ventre, rongée par la fatigue et la tension nerveuse. Elle n'avait plus que sa dignité. Face au regard courroucé d'Élise, elle s'en drapa sottement.

— Comment pourrez-vous retenir le prix de mon gîte sur mon salaire si je ne travaille pas ?

— C'est ce que, toi, tu as décidé, Myriam. Pas nous. J'admire ta détermination à vouloir tout assumer seule, à y mettre ton point d'honneur. Mais ne laisse pas ton orgueil te faire perdre le sens de l'amitié.

Myriam baissa la tête, honteuse soudain. Catherine et Christine revenaient déjà, les bras chargés. Elle les laissa déposer les couverts, garnir son écuelle, emplir son hanap tandis qu'Élise reprenait son balai un peu trop vigoureusement.

Je l'ai blessée, comprit Myriam.

Lors, s'abandonnant au fumet qui montait jusqu'à ses narines, elle décida qu'Élise avait raison : il était temps d'accepter l'idée qu'elle n'était plus seule. Et que d'autres que Pascal ou ses enfants avaient le droit de l'aimer et de la choyer.

39.

Sanctuaire de Notre-Dame
23 juin 1494
Onze heures du matin

Hersande poussa tristement la porte de son cabinet. Elle venait de quitter Camilla, aussi désemparée qu'au petit matin, quand elle l'avait vue incapable de se lever.

Lorsqu'elle avait voulu la masser, détendre ces muscles ankylosés, elle avait eu l'impression de pétrir de la roche. Force lui avait été de constater que son mal s'était subitement aggravé, et Hersande ne pouvait s'empêcher de songer qu'elle en était en partie responsable par ses mensonges.

Elle entendait bien y remédier une fois son billet délivré.

Pour l'heure, je ne dois penser qu'à ma mission, se réancra-t-elle en se dirigeant vers la fenêtre pour pousser le volet, laisser entrer la lumière dans cette pièce que, pour une fois, malgré l'heure tardive, elle n'avait pas encore occupée.

Jusqu'à ce que le soleil se lève, elle avait prié dans son lit afin que la Madone la nourrisse de cette froide détermination qui lui avait permis de frapper son père sans remords ni chagrin.

Elle avait réussi à l'acquérir. Mais au fil des heures, devant l'inquiétude grandissante des nonnes pour Camilla, devant la souffrance qui tordait celle-ci sans discontinuer, Hersande avait de nouveau senti que se lézardait cette force née du rejet de toute émotion.

Ressaisis-toi. Tu lui as dit que ta décision était prise. Et elle l'est. Peu importe qu'elle te lamine. Récupère ce billet, quitte ce plateau avec Adélys puisque Camilla la veut à ton côté sur le trajet. Fais ce que tu dois. Et tout rentrera dans l'ordre, se sermonna-t-elle, déterminée à rester impersonnelle jusque dans ses propres réflexions.

Elle détacha la petite clef de son cou et se dirigea d'un pas ferme vers la niche. À l'instant pourtant de saisir le coffret, son cœur gelé se brisa dans sa poitrine.

Forcé. Il a été forcé ! se liquéfia-t-elle devant la serrure brisée.

Elle releva le couvercle fébrilement, fauchée dans ses résolutions. Fut soulagée de trouver le papyrus et dessous le lange qu'elle gardait précieusement depuis la naissance de son enfant.

Rattrapée par son instinct maternel, elle les mêla l'un à l'autre puis enfouit son nez dans le tissu, dans cette odeur enfantine que le temps avait émoussée.

Elle y étouffa un sanglot, puis un autre et un autre encore, avant de prendre une grande inspiration et de relever la tête.

Elle attendit que les battements de son cœur se calment.

Quelqu'un a profané cette cache. Le tombeau de mes fautes, de mes souvenirs. Camilla. Il n'y a qu'elle qui sache ici. Qu'elle qui m'ait vue ranger le billet.

C'était absurde. Mais elle empocha le papyrus, remit le lange à sa place et pivota en direction du couloir.

La sœur portière était assoupie sur son lit, le dos calé contre deux oreillers, lorsqu'elle entra dans sa chambre.

— Réveillez-vous, exigea-t-elle en lui pressant l'épaule.

Camilla souleva une paupière lourde, clapa de la langue puis, devant son visage fermé, s'arracha à sa somnolence.

— Qu'arrive-t-il ? Je vous croyais partie.

— Je m'y apprêtais. Mon coffret a été ouvert sans l'usage de la clef. Est-ce par vous ? demanda-t-elle froidement.

Le regard scandalisé que la sœur portière lui retourna la rendit aussitôt à sa lucidité.

Elle blêmit.

— Pardonnez-moi, Camilla. Mais vous seule savez l'importance que ce message revêt et je tardais à prendre une décision…

— Ce serait peu respecter l'amie et encore moins la tutrice de l'exécuteur que de vous avoir retiré ma confiance. Et puis, qu'aurais-je fait de cette information ? Vous seule savez à qui la remettre.

Hersande se laissa choir sur le lit, à côté d'elle. D'autant plus démunie que Camilla avait raison sur ce dernier point.

— Quelqu'un pourtant a brisé la serrure, déplié le papyrus, dérangé mes objets. Quelle que soit son intention, ce ne peut être que l'une d'entre nous.

Camilla se frotta le menton, les sourcils froncés sur une réflexion intense, avant de planter un regard inquiet dans le sien.

— Si le diable a perverti l'une de nos filles pour servir ses desseins, nous devons partir de l'hypothèse qu'il est entré chez nous dans le bagage de cette Égyptienne.

Un frisson parcourut le corps d'Hersande.

— De quelle manière ?

— Sa sœur a été déchiquetée au pied de la roue. Elle-même se demandait comment elle avait pu arriver ici sans périr. Lucifer s'est peut-être volontairement fait prendre au piège dans ce billet.

— Et je l'aurais libéré en brisant le scellé ?

Hersande resta sceptique.

— Cela expliquerait pourquoi il s'est d'abord vengé de la messagère avant de revenir clouer sa main à notre porte. Nous avons ouvert en entendant frapper. Par là, nous l'avons invité à entrer, à nous souiller du sang de sa victime. Convenez-en. C'est une bonne manière de pervertir un lieu consacré. Cela expliquerait bien des choses, Hersande.

L'herboriste se signa aussitôt.

— Doux Jésus. Et moi qui tergiversais !

— Il exerce probablement son emprise sur la plus fragile de nos filles. Quant à savoir laquelle..., soupira Camilla.

Hersande en convint. La tâche était malaisée. Toutes étaient rieuses, studieuses, pieuses. Toutes affectionnaient ce lieu, le service de la Madone, des pèlerins. Aucune n'avait fait montre du moindre vice, de la moindre colère, rancœur ou jalousie. Toutes s'entendaient bien avec leur famille.

— Nous torturer le cœur n'y change rien, Hersande. Il faut admettre ce que nous n'avons pu empêcher. Une des nonnes connaît désormais le nom de la cible. Elle va chercher à la prévenir, à empêcher qu'elle ne meure. Pour plaire au diable.

— Plusieurs pèlerins sont repartis déjà en direction d'Utelle. Croyez-vous qu'elle ait pu confier un message à l'un d'eux ?

— Vous voyant sur le départ, c'est fort probable. Il faut donc vous hâter et redoubler de prudence sur le chemin. Je suis heureuse qu'Adélys ait accepté de vous accompagner.

— Étaient-elles toutes couchées quand vous vous êtes levée cette nuit ? N'avez-vous rien remarqué ?

Camilla haussa les épaules, navrée.

— Non. Pour la première fois depuis longtemps, je suis tombée comme une souche à peine la tête sur l'oreiller. Je ne me suis éveillée qu'au plein jour.

Le regard surpris d'Hersande lui fit aussitôt prendre conscience de l'incongruité de la chose.

— Vous croyez que l'on aurait pu me droguer ?

— Et de méchante manière si j'en juge par votre état actuel. Les simples ne manquent pas autour du prieuré pour estourdir l'esprit et tétaniser le corps.

Elle en savait quelque chose, Raphaël en avait usé sur Luquine. À de plus fortes doses.

Camilla se renfrogna.

— Non... Ma souffrance ne date pas d'hier. Elle était bien antérieure à la visite de l'Égyptienne.

— Certes, mais rien n'interdit de penser qu'on l'ait renforcée. Jamais vous n'avez été dans l'incapacité de tenir debout.

— C'est vrai, admit Camilla en repoussant presque aussitôt sa couverture.

— Que faites-vous ?

— Ce que j'aurais dû faire depuis ce matin. Me lever. Et contraindre mon corps à obéir à ma volonté.

Hersande passa son bras sous ses omoplates et l'aida à se redresser.

Au bout de quelques minutes, Camilla se tenait plus droite et dans son œil un feu rageur s'était allumé.

— Accompagnez-moi jusqu'à l'herboristerie. Chaque poison a son remède, Hersande. Je vais m'appliquer à trouver celui qui me remettra sur pied. Assez pour fouiller les affaires de nos sœurs tandis qu'elles seront occupées et vous au village. Il est hors de question de laisser Satan triompher.

40.

Château d'Utelle
23 juin 1494
Onze heures cinquante du matin

Raphaël Galleani tamponna le coin de sa bouche avec sa serviette. De part et d'autre de la grande table, ses fils l'imitèrent aussitôt, l'air sérieux.

Derrière eux, plantés comme des ifs, des valets se tenaient prêts à éponger leur immanquable maladresse. L'aîné, Barthélemy, était le plus gauche des deux. Il lui arrivait souvent de renverser son verre. Léonard, lui, ne manquait pas une occasion de laisser choir ses couverts. Selon leur précepteur, il eût été facile d'y remédier en plaçant un coussin sur leur chaise. Raphaël avait refusé. Peu importait leur taille, celle des meubles qu'ils touchaient, des objets qu'ils utilisaient, ses fils devaient apprendre à maîtriser chacun de leurs gestes, chacune de leurs paroles.

Il n'était pas si exigeant autrefois. Cinq mois plus tôt, il les regardait encore jouer, rire, s'attendrissait de leurs erreurs. Aujourd'hui, il ne le pouvait plus. Il traquait chacune de leurs faiblesses comme un signe évident de l'influence de leur mère. Et de l'emprise du malin sur eux. La peur qu'il lisait dans leurs yeux l'assurait que, pour l'heure, il était encore le garant de leurs âmes.

Il leva son verre, but quelques gorgées d'un vin épicé, attentif à tous les faits et gestes de Barthélemy. Le liquide ondula dans le gobelet du garçonnet mais il parvint, à force de concentration et d'attention, à ne pas en verser une goutte avant de l'avoir porté à ses lèvres.

Il mobilise son esprit. Il le contrôle… Bien. C'est bien, mon fils.

Raphaël s'apprêtait à le féliciter d'un hochement de tête lorsque des pas s'immobilisèrent derrière lui.

Il détestait être dérangé durant le repas. À plus forte raison aujourd'hui, alors qu'il venait d'exécuter le diablotin et de préparer la potion. Le cœur lourd d'avoir dû affronter le sourire affectueux de Célestin sans pouvoir, pour sa propre sécurité, le rendre à la liberté.

— Oui ? demanda-t-il, agacé.

— On vous réclame, Monsieur.

— Qui ?

— Le conseil municipal.

Il s'attendait à sa visite après les événements de la nuit. Mais pas si tôt. Il repoussa sa chaise, couvrit ses fils d'un regard sévère pour rabattre cette étincelle de jubilation qu'il venait de lire dans leurs yeux, puis tourna les talons dans un claquement sec qui les fit sursauter tous deux.

Il n'aimait ni l'homme ni le père qu'il était devenu. Mais il aimait ses enfants bien plus que lui-même. Comme il aimait cet enfant qu'Hersande lui avait donné dans le plus grand secret.

Il sortit, traversa un corridor sur les murs duquel ses aïeux s'affichaient en portrait, puis pénétra dans son cabinet.

— Messieurs, les salua-t-il tandis qu'un valet refermait la double porte moulurée.

— Baron, lui retourna le maire d'Utelle. Nous vous prions de bien vouloir nous excuser. Midi n'a pas encore sonné et nous ne pensions pas vous trouver à table.

Il leur retourna un sourire faux. En plus de ce triste sire aux bajoues molles et au nez recourbé, il y avait là le charpentier, deux maçons, le ferronnier, le barbier et le panetier, tous affichant une mine cérémonieuse. Seul Jacquot gardait l'allure débonnaire qu'il lui connaissait. Et le viguier, appelé à valider leur requête, un masque de circonstance.

— C'est sans importance. Que puis-je pour vous ?

Le maire tortilla son bonnet.

— Pour nous, bien peu, mais pour Myriam beaucoup.

Raphaël Galleani hocha la tête.

— Je vois... Lèveriez-vous son hypothèque à ma place ?

L'homme ne s'attendait pas à la question. Il bredouilla, embarrassé :

— C'est que... je n'ai pas...

— Mes ressources ? Si mes renseignements sont exacts, vous possédez une dizaine de maisons à Utelle, toutes louées, sans parler de ces terres du côté de Lantosque, héritage de madame. Biens auxquels s'ajoute un troupeau d'une quarantaine de bœufs, pour ne citer que l'essentiel. Dois-je poursuivre ?

Le maire s'était décomposé. Il abhorrait que l'on fasse étalage de sa fortune.

— Ce ne sera pas nécessaire. Je comprends votre point de vue. À l'exception de ce château, du plateau de Notre-Dame et de la parcelle brûlée, vous ne détenez rien à Utelle.

– Ce qui ne m'a pas empêché de faire agrandir le sanctuaire et l'église Saint-Véran. Les seigneurs d'hier ont perdu leurs privilèges mais pas leurs droits. J'entends réclamer le mien. Quoi qu'il se soit passé cette nuit.

Il leur tourna le dos, y croisa ses mains, puis s'avança jusqu'à la fenêtre. Des fumerolles montaient encore du sol, masquant le prieuré. Le vent avait tourné.

– Vous ne voulez pas que Myriam paie. Payez à sa place, ajouta-t-il.

Il laissa courir un murmure de désapprobation derrière lui, puis la voix de Jacquot s'éleva, ferme.

– Combien ?

– Deux cent cinquante sols.

Il sourit devant le silence qui s'empara de la pièce. Puis un tintement le brisa. Il se retourna. Jacquot avait fait un pas dans sa direction sous l'œil éberlué de ses pairs.

– Le compte y est, lâcha-t-il en tendant son escarcelle.

– Êtes-vous sûr, maître Jacques ? déglutit le maire.

– Je fais l'avance, Le Teilleux. Cela ne dispense aucun de vous d'une obole.

– Vous aurez la mienne, affirma le ferronnier en premier.

Ne voulant paraître moins, les autres s'y engagèrent chacun leur tour, jusqu'au maire, dans un soupir contrit. Satisfait, le baron retourna la bourse sur la seule portion de table qui n'était pas encombrée.

– Comptez, Dugat, demanda-t-il au viguier qui s'était approché.

Durant quelques minutes, tous n'eurent d'yeux que pour ces pièces que l'homme rangeait en colonnes.

– Le compte est bon, monsieur, confirma le viguier en relevant la tête.

— Myriam est donc dégagée de sa dette. Vous m'en voyez ravi, messieurs. Autre chose ? demanda-t-il tandis que les pièces retournaient en bourse.

— À propos de Célestin…

Le baron haussa les épaules.

— Mon donjon est la seule prison d'Utelle. Et la profondeur de sa glacière la mieux à même de maintenir le cadavre de la victime intact jusqu'à ce qu'il ait livré tous ses secrets, si la question venait aussi à vous interpeller. Dugat, pouvez-vous confirmer à ces messieurs que je ne me mêle en rien de votre enquête ? que Célestin est bien traité ?

— C'est le cas.

— Nous aimerions le voir, demanda le barbier, peu convaincu.

Raphaël désigna la porte.

— Dugat va vous accompagner…

Ils le remercièrent, commencèrent à sortir l'un après l'autre derrière le viguier.

— Maître Jacques, l'interpella Raphaël, m'accorderiez-vous une minute ? J'ai une commande à vous passer. J'escomptais me rendre chez vous, mais puisque vous voici…

— Je vous rejoins, lança l'aubergiste au panetier avant de refermer la porte sur lui.

Raphaël ramassa aussitôt la bourse pour la lui rendre, un franc sourire aux lèvres.

— Bien joué, mon ami. À présent, te voici officiellement le sauveur de Myriam et personne ne soupçonnera que désormais je l'entretiens à travers toi.

— Remerciez plutôt le prieur qui m'a devancé dans ma démarche en réunissant le conseil, lui objecta Jacquot en empochant son bien.

Raphaël se demanda un instant quel intérêt Grimaldi pouvait y prendre avant de se souvenir qu'il était assez retors pour s'octroyer une partie de cette gloire et la monnayer auprès des habitants lorsqu'il en aurait besoin. Il chassa de ses pensées l'image de ses traits hideux, revint à l'essentiel.

— Comment va Myriam ?

— Éprouvée, épuisée. Mais sauve. Par la grâce de Dieu et du Benoît qui est arrivé à temps pour l'arracher aux flammes.

Raphaël s'agaça.

— Je la croyais chez toi...

Jacquot se laissa choir sur un siège, le front las.

— Moi aussi. Imaginez donc ma surprise et mon soulagement après coup.

Raphaël fronça les sourcils, inquiet.

— Était-ce une coïncidence ? Que cet homme soit sur les lieux au bon moment... Aurait-il pu allumer l'incendie ?

Jacquot secoua la tête.

— Non. Benoît est amoureux, c'est tout. Il prétend l'avoir vue sortir de l'auberge et, craignant qu'elle n'ait un malaise, l'a surveillée de loin. Il ne s'est précipité qu'en apercevant les flammes. Mais je suppose qu'il racontera tout cela au viguier.

— Lequel se retrouve face à cette affaire en plus de celle de meurtre. Avec potentiellement le même coupable.

Jacquot se gratta le menton sur lequel fleurissait un début de barbe.

— Vous n'avez toujours aucune idée de l'identité de cette Égyptienne...

— Pas plus que je ne sais ce qu'elle est venue faire à Utelle. Ma seule certitude, c'est qu'elle est liée à Luquine. Au moins ai-je pu lui arracher ce dont j'avais besoin pour fabriquer la potion. Dès qu'elle sera prête, je me rendrai à la grotte pour la tester sur les créatures du grimoire.

— Et ensuite ?

— Je ne ferai rien de plus tant que Myriam n'aura pas accouché.

Jacquot se leva, darda un regard douloureux dans le sien.

— Ne vous inquiétez pas. Je vous ramènerai cet enfant. Pour le bien de tous.

41.

Combe d'Utelle
23 juin 1494
Une heure de l'après-midi

Myriam avançait à pas lents, les jambes arquées, une main sur le ventre, l'autre sur son chapeau, au milieu des oliviers déserts. À cette heure-ci, tous étaient à table. Elle ne pouvait espérer mieux. Elle avait besoin d'être seule, tranquille, pour affronter son chagrin.

Elle passa le pont du val miraculeusement épargné, le cœur brisé depuis quelques minutes déjà par la vision de son terrain vide, de la forêt calcinée.

Elle grimpa le sentier, se retrouva sur le tertre. Elle pivota sur elle-même. Les trois chênes n'étaient plus que des troncs noirs, croustelevés. La clairière dans laquelle Pascal l'avait fait danser, une terre grise, recouverte de tuiles éclatées.

Elle songea à ce que le prieur Grimaldi lui avait dit la veille à propos de sa maison : « Tu es une enfant de la Madone. Je suis sûr qu'elle fera en sorte que le baron ne l'ait pas. »

Ce n'est pourtant pas la Madone qui a allumé ce brasier.

Devait-elle voir en cette terre brûlée le geste d'un ami ? Ou continuer à croire à la réaction du baron face à son refus de négocier ?

Il a bien mis Célestin aux fers! Personne ne s'y est opposé. Si Évariste m'emprisonne au château, qui pensera que le baron ne songe qu'à avoir mon bébé?

Au moins pour l'heure le viguier n'avait-il pas jugé décent de l'interroger. Elle aurait été incapable de l'affronter.

Elle le sentait bien à ces larmes qu'elle refoulait depuis qu'elle était sortie de l'auberge, depuis que son regard s'était posé sur ce désert noir.

Plus rien. Je n'ai plus rien. Plus rien de toi, Pascal. Le codex, tes outils, tes chemises... Le parfum du souvenir.

C'était cela le plus difficile. L'avoir perdu, lui, une seconde fois.

Un sanglot la déborda, creva comme une bulle dans cet été empuanti par les fumerolles qui se dégageaient encore des brandons.

La mort dans l'âme, elle déversa son chagrin dans les cendres de sa maison, cherchant à retrouver l'emplacement de la table, du lit. Tout comme les montants de la cheminée, l'évier de granit avait survécu. Il gisait sur un bout de parquet épargné, au milieu des bols, des écuelles, de tout ce que le feu n'avait pas réussi à détruire.

Elle commença à rassembler ce qui pouvait être sauvé, espérant trouver l'épée de son fils. Le reste n'avait plus d'importance.

Quinze minutes durant, elle ne fut plus qu'un geste, se vidant de son chagrin comme une outre trop pleine au milieu des gravats qu'elle fouillait. Puis enfin, elle récupéra la tasse de Margaux et, tout à côté, la lame forgée par Pascal.

Un cri de joie lui échappa. Elle se surprit à embrasser sottement le métal.

Folle. Je deviens folle, se reprit-elle.

Elle s'assit en ricanant bêtement, serra un instant les objets contre son cœur, riva son œil sur le petit tas des affaires qu'elle avait sauvées.

Voici à quoi se résume désormais mon pécule. Mais j'ai de quoi apaiser le cœur de mes enfants. Et ça, c'est une victoire.

Elle les glissa dans la poche latérale de son tablier et passa une manche sur son visage pour essuyer ses larmes. Elles avaient assez coulé. Il fallait que cela cesse.

Elle voulut se relever, prit soudain conscience de la difficulté. Les jambes largement écartées, un bras tendu en arrière, faisant contrepoids, elle n'était pas dans la meilleure des postures.

C'est un palan qu'il va falloir pour m'arracher de là !

Elle aurait dû s'en désespérer. Elle se mit à rire. Un rire clair. Un de ces rires dans lesquels Pascal calait le sien, moqueur. Il lui sembla soudain le retrouver devant elle, quelques jours avant la naissance de Margaux, alors qu'elle venait de glisser sur le parquet juste ciré. Il l'avait redressée, non sans effort, tant lui aussi était hilare.

Elle ferma les yeux sur ce souvenir, doux comme leur amour.

— Aide-moi, implora-t-elle.

Presque aussitôt elle sentit la fraîcheur de l'ombre sur son visage. Surprise, elle releva les paupières. Une silhouette d'homme immense et auréolée de lumière se tenait debout entre ses jambes.

Pascal...

Descendu des cieux pour la réconforter, l'assurer que rien ne lui arriverait plus, qu'elle ne devait pas s'inquiéter ?

Impossible... Et pourtant...

Adélys n'avait-elle pas vu apparaître la Madone ?

Aveuglée par l'éclat du soleil, elle fit confiance à la miséricorde divine. Elle releva les genoux et tendit la main. Elle se sentit soulevée de terre, n'espéra plus que les bras de son époux devenu ange autour d'elle, à l'instant où un flot lui inondait les cuisses.

— Les eaux, je perds les eaux, comprit-elle, à peine surprise que ce corps contre elle soit si ferme, si vivant.

— Je vais te soutenir, te ramener chez Jacquot, murmura l'ange.

Cette voix...

Elle se dégagea violemment, releva un menton déterminé, furieuse de s'être laissé surprendre, piéger à sa propre faiblesse.

— Non... Non, baron. Je ne veux aller nulle part avec vous.

— Ne sois pas stupide, Myriam. L'enfant arrive, la sermonna-t-il, agacé.

Elle recula, la paume tendue.

— Et vous le voulez. Au point d'avoir assassiné Pascal, incendié ma maison...

Il soupira.

— Tu ne sais pas ce que tu dis.

— Si je le sais. Et je ne vous laisserai pas me le prendre.

Elle sentit son bas-ventre se crisper. Encaissa la première contraction sans sourciller. Mais d'autres allaient suivre, de plus en plus fortes, et bientôt elle ne pourrait plus se soustraire à cet homme.

Son pire ennemi.

Lors, comprenant qu'elle n'aurait de salut qu'en la course, elle pivota brusquement et voulut s'enfuir. Elle s'aperçut bien vite de sa méprise. À peine réussit-elle à accélérer le pas. Affolée, elle jeta un regard en arrière. Le baron n'avait pas bougé d'un pouce.

Elle eut juste le temps de s'en réjouir que son pied heurta une racine protubérante et s'y encastra. Elle lança ses mains en avant, par réflexe, ne put empêcher son ventre de heurter violemment le sol.

Hurlant de peur autant que de douleur, elle roula aussitôt sur le flanc, baissa les yeux sur son jupon et s'affola plus encore. Une tache de sang s'y élargissait à hauteur des cuisses.

Elle ne sut ce qui fut le pire, l'idée qu'elle ait pu tuer son enfant dans cette chute ou la vision du baron qui, alerté, accourait.

Elle jeta un regard horrifié en direction de l'auberge. Elle en était trop loin pour qu'on l'entende crier, mais on pouvait l'avoir vue tomber.

Las, personne n'en sortit. À cette heure, les commis et les marmitons s'activaient aux fourneaux tandis que Jacquot et Patrice garnissaient les plateaux. Elle ne pouvait compter que sur elle-même.

Coude surélevé, elle se mit frénétiquement à ramper sur le côté. Elle préférait déchirer le tissu de son bliaud, s'écorcher méchamment la hanche plutôt que se rendre.

— Reculez ! Ne me touchez pas ! beugla-t-elle en voyant le baron raccourcir la distance qui les séparait.

Il n'écouta pas, la rejoignit à larges enjambées, se heurta à la menace de la petite épée que, désespérée, elle venait d'arracher de sa poche.

— Il suffit ! Je ne te laisserai pas accoucher ici ! Encore moins tuer cet enfant, tempêta-t-il en envoyant valser son arme d'un revers de main.

Ce fut trop. Elle hurla à s'en déchirer la gorge. De rage. De désespoir. Battit des pieds et des mains lorsqu'il se pencha sur elle, plus encore lorsqu'il la souleva dans ses bras. Elle n'obtint que d'y être maintenue plus solidement alors qu'une nouvelle contraction lui cisaillait le bas-ventre.

Dévastée, elle se mit à hoqueter contre lui.

— Calme-toi. Calme-toi, Myriam, supplia-t-il en reprenant sa marche.

Mais elle ne le pouvait pas. Elle sentait un liquide poisseux lui dégouliner le long des jambes, devinait que le sang coulait, de plus en plus, savait que ce n'était pas normal. Elle ne pouvait qu'imaginer le pire. Cet homme lui ouvrant le ventre pour en arracher le petit mort-né, le sacrifier à Satan.

— Pitié ! Pitié ! implora-t-elle.

Il ne répondit pas. Serra les mâchoires.

Lors, comprenant qu'il n'aurait aucune mansuétude, elle sombra, une fois de plus.

Comme si ne rien voir pouvait la sauver.

42.

Chemin de Notre-Dame
23 juin 1494
Une heure dix de l'après-midi

— Ce n'est pas du brouillard.

Jusque-là Hersande avait voulu le croire. Mais l'odeur de brûlé ne laissait plus aucun doute : un incendie avait frappé Utelle. Avec cette sécheresse, personne n'aurait sciemment allumé un feu dans le val.

Elle ne commenta pas, talonna un peu plus sa mule. De fait, elle avait à peine ouvert la bouche depuis son départ du sanctuaire, résolue à ne plus laisser place à la moindre émotion susceptible de la détourner de son but. La Madone l'y avait aidée, car Adélys avait respecté son silence en chantant des cantiques et rien ni personne n'avait troublé sa descente. Jusqu'à ce qu'elle s'étonne de cette nappe légère qui masquait le village en contrebas.

Le chemin les plaça bientôt en vue du prieuré et de la combe.

— Oh mon Dieu ! Myriam ! Les Secchi ! s'exclama Adélys, horrifiée, en portant la main à ses lèvres devant l'étendue du sinistre.

Elle tourna vers Hersande, statufiée, un visage effaré, puis s'élança en direction du prieuré.

Hersande la suivit, les mâchoires crispées, refoulant sa tristesse devant cette désolation.

Elle devait rester concentrée, continuer à accepter froidement les événements, quels qu'ils soient. S'en tenir à son rôle, à ce que l'on attendrait d'elle au prieuré, laisser suinter une affliction de façade comme lorsqu'on lui avait annoncé la mort de son père.

Elle rattrapa Adélys et franchit le portail dans son sillage. D'un même élan, elles sautèrent de leur mule devant le bedeau chargé d'accueillir les visiteurs.

– La Madone a veillé sur eux. Ils n'ont rien, répondit-il sans détour à leur inquiétude.

– Quel soulagement, mon Dieu ! lâcha Hersande en portant les mains à sa poitrine. Sait-on ce qui s'est passé ? D'où le feu est-il parti ?

– De la maison de Myriam. Voici le prieur qui descend, il vous en dira davantage.

Le laissant emmener les bêtes à l'abreuvoir, les deux femmes pivotèrent en direction de l'escalier extérieur du corps de logis.

– Je vous ai aperçues depuis la fenêtre du scriptorium. Je me suis douté que vous feriez halte, leur lança Claudio Grimaldi en abordant la dernière marche.

Elles s'avancèrent à sa rencontre.

– Quelle tragédie, mon père ! se lamenta Adélys. Comment vont-ils ?

– Bien, pour ce que j'en sais, mon enfant. Tous ont trouvé refuge. Myriam chez Jacquot, les Secchi chez le ferronnier dont ils sont cousins. Et l'on s'organise déjà pour reconstruire au plus vite, les repourvoir du minimum, ustensiles de cuisine, vêtements… J'ai passé ma matinée à organiser une collecte.

Hersande hocha la tête. Elle n'appréciait toujours pas le prieur Grimaldi. Mais elle devait lui reconnaître une grande efficacité dans ce qu'il entreprenait. Ainsi qu'une réelle empathie et affection pour les habitants du village.

— Comment est-ce arrivé ? demanda-t-elle.

Le prieur enfouit ses mains moites dans la profondeur de ses manches.

— On l'ignore encore. Le viguier a interrogé le tailleur de pierre qui a sorti Myriam des flammes. Selon lui, quelqu'un les a volontairement allumées, la pensant chez Jacquot avec ses enfants. L'intention était de nuire, mais pour quelle raison, hélas…

— N'a-t-on aucun soupçon ?

Le prieur secoua la tête, l'air profondément navré.

— Qui voudrait s'en prendre à elle ? Je ne connais personne au village de plus droit, de plus courageux, de plus apprécié. Quelques rumeurs ont bien circulé, face à la pression du baron à propos de ses dettes, mais vous le savez comme moi, Hersande, Raphaël Galleani est un homme bon. Il a ses travers, certes, mais il aurait perdu davantage dans cette affaire qu'il y aurait gagné. Et puis ce n'est pas dans ses manières.

— En effet, l'approuva Hersande. Il faut donc en déduire qu'un étranger entend terrifier Utelle. Autant avec cet incendie qu'au travers de l'assassinat de cette pérégrine.

— Cet assassinat… Quelle horreur, rebondit aussitôt le prieur en les invitant, d'un geste, à le suivre jusqu'au réfectoire.

Il était de tradition, quel que soit celui ou celle qui se présentait au prieuré, qu'il s'y attable devant le breuvage du lieu : un mélange de jus de cassis, de myrtille, de vin et d'olive fermentée. Hersande y vit une bénédiction.

D'autant que l'abbé continuait sur sa lancée, comme s'il voulait briser tous ses efforts:

– Je ne me remets toujours pas de la vision de ce cadavre amputé!

Adélys se signa. Hersande s'immobilisa au seuil de la pièce dans laquelle s'activait l'un des moines.

– Quand l'a-t-on découvert? Où?

– Hier soir. Sur les épaules de Célestin. Le viguier ne vous a donc rien dit?

– Je suppose qu'il n'en a pas eu le temps.

Elle en fut contrariée. Elle avait lourdement insisté auprès de Dugat pour qu'il les prévienne dès que l'Égyptienne serait retrouvée. Elle voulait elle-même examiner le corps afin de vérifier si ses blessures étaient similaires à celles infligées à la pauvre Anabeth en Égypte. Non que cela eût changé quelque chose, car sa décision était irrévocable. Mais elle avait besoin de savoir, tout au fond d'elle-même. Pour accepter.

Refusant de laisser transparaître son agacement, elle pénétra dans cette salle généreuse. Huit colonnes portaient un plafond en voûte d'ogives dont le plâtre était orné d'angelots dansant dans une pâture, près d'un moulin qui ressemblait à celui d'Utelle. L'ouvrage en revenait à un Florentin qui, subjugué par la douceur de la combe, s'y était reposé quelque temps, payant gîte et couvert du prix de son talent. À chacun de ses passages, rares elle devait l'admettre, Hersande ne pouvait s'empêcher de songer que la laideur du prieur n'avait de pendant que la beauté du lieu.

En cet instant pourtant, il lui sembla plus monstrueux que d'ordinaire. Comme s'il se réjouissait de ce qui s'était passé au sanctuaire.

Non. Si envieux soit-il des choses, il ne peut l'être à ce point-là. Ce serait irrespectueux à l'égard de la Madone.

Adélys restant silencieuse dans son pas, Hersande se dirigea vers l'un des fûts qui servaient de tables aux visiteurs, celle du souper des moines n'étant qu'un long plateau de bois qu'ils posaient dessus aux heures des repas.

— Comment allez-vous, frère François ? salua-t-elle le moine, occupé à remplir les hanaps.

— Aussi bien que possible. Triste jour, n'est-ce pas ?

— En effet, répondit la jeune nonne, d'une voix blanche.

— Dégustez d'autant plus les fruits du Seigneur, ma sœur. Ma mère, s'inclina-t-il encore avant de tourner les talons.

Hersande attendit d'avoir bu une gorgée du nectar, colorant ses lèvres de violet, pour demander :

— Savez-vous où Célestin a découvert ce cadavre ?

Le prieur se fendit d'un sourire empreint de commisération, ce qui chez lui s'apparentait à une grimace.

— À quelques pas d'ici, près de la maison de Myriam justement. Quelle étrange affaire, ne trouvez-vous pas ?

Hersande soutint son regard.

— Étrange, en effet.

— Ce qui l'est plus encore, c'est que l'on pense notre benêt coupable d'un tel crime. Au moins ne pourra-t-on lui imputer celui de cette nuit…

— Pourquoi ? Où est-il ? Où est Célestin ? s'affola Hersande.

— Dans l'un des cachots du château. Bien traité, selon les conseillers municipaux qui se sont empressés tantôt de solder la dette de Myriam et de s'enquérir de lui.

Les informations se mirent à tourner en boucle dans la tête d'Hersande. Avant de s'arrêter sur un détail qui la fit avaler de travers et manquer de s'étouffer sur sa gorgée.

Célestin était monté au sanctuaire la veille pour lui remettre la commande de Myriam. Elle l'avait laissé seul dans son cabinet, le temps d'aller chercher le remède dans la pièce voisine.

Suffisamment longtemps pour qu'il puisse crocheter son coffret.

43.

Auberge Le Fumet des cimes
23 juin 1494
Une heure quinze de l'après-midi

Un brouhaha indescriptible s'élevait de la grand-salle de l'auberge depuis que midi avait sonné au clocher. Jacquot avait vu juste. La découverte d'un cadavre à Utelle, l'arrestation de Célestin et l'incendie qui avait ravagé la combe avaient attisé la curiosité. Les assoiffés de rumeurs et de détails macabres grouillaient comme de la vermine.

Excédé par cette engeance, Benoît avait dû jouer des coudes pour atteindre sa table. Toujours la même, située sous l'une des fenêtres, à quelques pas de la cuisine.

— Savez-vous où se trouve Myriam ? demanda-t-il à Catherine lorsqu'elle s'immobilisa enfin devant lui pour prendre sa commande. Ses volets étaient ouverts, mais elle n'a pas répondu quand j'ai toqué et je ne la vois nulle part.

— Elle est partie chez elle. Enfin… ce qu'il en reste…, se reprit-elle.

Benoît s'était déjà tendu comme la corde d'un arc.

— Seule ?

Catherine esquissa un sourire triste.

— Myriam est quelqu'un de digne et de fier, maître Benoît. Il fallait qu'elle y retourne. Qu'elle arpente sa terre, qu'elle rassemble ce qui n'a pas brûlé. Et par là même, qu'elle prouve à celui ou celle qui a commis ce crime qu'elle s'en relèvera… Comme elle l'a toujours fait.

Benoît lança un regard mauvais à son voisin qui, un peu trop ostensiblement, venait de décaler son siège pour écouter. Il attendit que celui-ci ait remis une distance acceptable entre eux pour répondre, un ton plus bas :

— Je comprends. Mais les odeurs de fumée, sa faiblesse, le choc… elle a déjà fait deux malaises, cela pourrait recommencer.

— Je sais, à plus forte raison maintenant que l'enfant s'est positionné.

Le cœur de Benoît se suspendit dans sa poitrine. Il dut blêmir, car Catherine lui posa une main amicale sur l'épaule.

— Rassurez-vous. Nous avons cédé parce que c'était ce dont elle avait besoin, mais mon père jette régulièrement un coup d'œil par la fenêtre de la cuisine. Il y a quelques minutes encore, tout allait bien.

Avant qu'il n'ait pu s'en réjouir, Catherine pivotait vers le charpentier, deux tables plus loin. Le bonhomme avait haussé le ton, les joues enflammées, indigné qu'Élise refuse de lui en apprendre davantage sur l'état de Myriam.

— Que voulez-vous que je vous dise de plus ? Qu'elle est abattue, effrayée ? Que si je tenais le coupable, je le livrerais à votre vindicte ? Croyez-moi, avant cela, avant que le viguier ne l'emmène, je me serais chargée de lui faire passer un mauvais quart d'heure ! Parce que je suis comme vous, maître Georges ! Je m'interroge, je m'angoisse, je m'insurge, je tempête, mais je ne peux vous dire que ce qu'affirme Myriam. Alors tenez-vous-y: elle va bien !

Élise avait crié dans l'espoir de faire taire les questions, toutes les questions, qui, en plus de l'excéder par leur répétition, retardaient le service, qu'elles assuraient à deux, Christine s'occupant des clients de la cour.

Un silence prudent tomba sur la pièce, balayée par l'œillade sévère des deux sœurs. Le charpentier s'excusa puis, appelant chacun à faire de même, plongea sa cuillère dans son écuelle.

— C'est ainsi depuis que l'on a ouvert, déplora Catherine en revenant à Benoît. Nos habitués sont comme nos pensionnaires, inquiets pour Myriam.

— Oui... J'ai moi-même été interrogé sur le chantier, ajouta Benoît.

Comme le couvreur ou le maçon, le charpentier était prêt à rebâtir les deux maisons incendiées pour le prix du bois et des tuiles. Celle de Myriam en premier.

— Tourte et vin épicé ? lui demanda Catherine.

— S'il vous plaît, l'en remercia Benoît en dépliant sa serviette.

— Ce ne sera pas long. Même si mon père a pris du retard en allant au château avec la délégation municipale, les commis ont fait au mieux.

Benoît releva une oreille.

— Ils ont vu le baron ? À propos de l'arrestation de Célestin ?

— Et des dettes de Myriam. Elle l'ignore encore mais le baron a levé son hypothèque. Elle ne lui doit plus rien.

Il fronça les sourcils, suspicieux.

Une telle générosité ? Malgré ce qu'il espérait en retirer ?

Catherine se mit à rire avant de se pencher à son oreille.

— En vérité, il n'a pas trop eu le choix. Mon père a liquidé nos économies.

— Je vois..., se décrispa légèrement Benoît.

— Je ne vous ai rien dit. Si Myriam l'apprend...

Il hocha la tête. Catherine s'éloigna en direction des cuisines. Il la suivit du regard, l'esprit bouillonnant. Tout était allé très vite à partir du moment où il avait quitté le château. Sa peur devant les flammes et le hurlement de Myriam à l'intérieur de sa maison, les enfants qu'il avait fallu distraire, cette fin de nuit à tenter d'endiguer l'incendie. Il n'avait dormi que quatre heures, cauchemardé au moins autant, s'était réveillé avec le sentiment que le danger était à sa porte, à celle de Myriam, plus sournois, plus proche encore que la veille.

Refusant d'attirer l'attention sur lui, il avait renoncé à monter au sanctuaire et s'était entendu avec l'un des voyageurs qui transitaient souvent par Utelle pour qu'il remette un message à Hersande. Espérant qu'elle y donnerait suite et descendrait, il avait passé la matinée à fignoler les sculptures des piliers intérieurs de la nef en ressassant ce qu'il avait vu et appris. Sa conclusion restait la même : le baron était la cible divine. Et l'incendie de cette nuit prouvait qu'il était prêt à tout pour faire peur à Myriam et l'obliger à lui remettre son petit.

Qu'espères-tu tirer de cet enfant, baron ?

Il soupira. Cette question était devenue lancinante. Comme si sa réponse était la clef de tout.

Mieux vaut que je redouble de vigilance. Surtout si Myriam accouche avant que je n'aie pu procéder à cette exécution, décida-t-il en se frottant le menton.

L'espace d'une seconde, il eut envie de la rejoindre sur ses terres dévastées, malgré ce que venait de lui dire Catherine.

C'est stupide. Je dois respecter son intimité, la laisser faire ce deuil aussi, se convainquit-il.

Mais il ne put s'empêcher de lancer un regard en direction de la cuisine.

Il tiqua. Catherine se tenait dans l'encadrement de la porte, les traits défaits, agitant les mains vers Élise.

Un problème domestique pouvait justifier son attitude. Pourtant, n'écoutant que son instinct, il bondit de son tabouret.

44.

Auberge Le Fumet des cimes
23 juin 1494
Une heure vingt de l'après-midi

— Il faut agir, vite. Dans son intérêt et celui de l'enfant, disait le baron à Jacquot lorsque Benoît pénétra dans la cuisine.

Il s'immobilisa net, oscillant entre l'envie d'arracher Myriam des bras du baron et la nécessité de garder son sang-froid. Il opta pour ce dernier. Il n'aiderait pas Myriam en transmettant sa peur aux autres. Ils étaient déjà bien assez occupés à gérer la leur.

— Vous, là ! Retournez à vos fourneaux et faites bouillir de l'eau ! lança l'aubergiste à ses commis, avant de se tourner vers Catherine qui fixait, horrifiée, la tache écarlate sur le jupon de Myriam.

— Cours prévenir Séverine ! Qu'elle vienne avec son matériel de ventrière.

— Oui, père. Et les enfants ?

— Ramenez-les. Je m'en occuperai, décida Benoît, déstabilisé par la réaction du baron.

N'eût-il pas été plus judicieux pour lui de faire accoucher Myriam au château ?

Tandis que Catherine filait par l'arrière-cour, Jacquot secoua sa belle tête généreuse en direction d'Élise qui venait d'apparaître.

— Gère la salle jusqu'au retour de ta sœur. Personne ne doit se douter que Myriam a un problème. Sans quoi...

— Compris, père, répondit-elle.

Benoît la vit prendre une large inspiration, se précipiter vers les tourtes déjà prêtes, puis les emporter, un sourire recomposé aux lèvres, en direction des tables.

— Où se trouve la chambre de Myriam ? s'enquit le baron, soulagé de voir que tout était désormais sous contrôle.

— Suivez-moi, s'interposa Benoît.

Le baron le laissa le devancer dans le couloir, puis dans l'escalier qui menait à l'étage. Aussitôt tourné l'angle de la bâtisse, le brouhaha en provenance de la grand-salle s'estompa.

— Que s'est-il passé ? demanda enfin Benoît par-dessus son épaule en avalant les marches de bois d'un pas vif.

— Je l'ai vue tomber à plat ventre alors qu'elle revenait vers l'auberge.

Benoît comprit mieux pourquoi elle continuait de saigner. Il encaissa l'information en serrant les poings, certain que le baron n'était pas étranger à cette chute.

— Une chance que vous ayez été dans les parages, grommela-t-il.

Le baron ne s'en justifia pas et, malgré ses résolutions, Benoît sentit croître en lui l'envie d'amorcer le poison dans sa bague. Il la réprima. Ce n'était ni le moment ni l'endroit.

Tu ne perds rien pour attendre, chacal.

Il enfila le corridor étroit, dépassa la chambre de Myriam et ouvrit largement la porte de la sienne. Il vit le baron froncer les sourcils devant les vêtements d'homme qui encombraient le fauteuil.

— Mieux vaut qu'elle soit tenue à l'écart de ses enfants. Ils ont été bien assez choqués par les événements de la nuit.

— Excellente initiative. Séverine va avoir besoin de calme pour agir en toute tranquillité.

Le baron déposa précautionneusement Myriam sur la couche et ajouta :

— Tenez-moi informé des progrès de son état... Et assurez-la à son réveil que je ne suis pas son ennemi.

— Pourquoi le penserait-elle ?

Le baron soutint ce regard brun qui, cette fois, n'avait pu s'interdire de le défier. Il eut soudain la certitude que le tailleur de pierre n'hésiterait pas à se mettre en travers de sa route.

Il se ferma.

— Cela ne vous concerne en rien.

— Si vous le dites...

Le baron marcha vers la porte, se ravisa à l'instant de sortir, pivota abruptement. Il retrouva aussitôt l'œil de Benoît, qui avait escorté sa sortie.

— Vous l'aimez, n'est-ce pas ?

Saisi, Benoît ne répondit pas. Un triste sourire dégela les traits de Raphaël.

— Oui. Vous l'aimez. Alors veillez à ce que personne ne pénètre dans cette chambre, personne dont vous ne soyez vous-même sûr. Totalement sûr. Si cela doit m'inclure, je l'accepte volontiers. Tant que vous vous tenez à cette précaution.

Benoît tiqua. Une nouvelle fois, la réaction du baron ne cadrait pas avec son raisonnement.

— Pourquoi ? demanda-t-il, suspicieux.

Le baron hésita. Il ne vit pourtant d'autre moyen pour s'allier ce cerbère qu'avouer ses craintes.

— Je ne pense pas qu'on ait incendié sa maison sans savoir qu'elle se trouvait dedans. Quelqu'un a essayé de la tuer cette nuit. Et il voudra recommencer.

Pour ne pas avoir à en dire davantage, il se détourna aussitôt et s'engouffra dans le couloir. Benoît se retint de s'élancer derrière lui. Myriam venait de gémir. Et quoi que le baron eût en tête avec cette annonce, rien ne lui parut plus urgent que la rassurer.

Il se précipita à son chevet.

— Tout va bien. Je suis là... Je suis là, Myriam, murmura-t-il tandis qu'elle se recroquevillait sur elle-même dans un long râle de douleur, le visage blême, les yeux toujours clos.

— J'ai mal...

Il lui prit la main, la serra délicatement.

— Courage... Séverine ne va plus tarder.

Elle ouvrit les yeux.

— Vous...

— Et seulement moi. Vous êtes en sécurité.

— Où suis-je ?

— Chez Jacquot. Dans ma chambre.

Face à sa mine perplexe, il afficha un sourire tendre.

— Oui, je sais, cela devient une habitude.

Elle balaya l'espace autour d'elle d'un regard inquiet.

— Le baron...

— Il vient de partir. C'est lui qui vous a ramenée.

— Pourquoi ? Il me tenait... Il me tenait, répéta-t-elle sans comprendre.

— Je l'ignore, Myriam.

Elle essuya une nouvelle contraction, lui broya la main, porta l'autre à son ventre, tâtonna dans l'espoir de sentir de nouveau son petit bouger. Avant de tendre vers Benoît un visage terrifié.

— Je ne sais pas si...

— Chut..., tenta-t-il de l'apaiser. Vous êtes à terme et les filles m'ont assuré que l'enfant était descendu avant que vous ne vous rendiez dans la combe. Tout ira bien, vous verrez...

Elle opina du menton.

Tant de détresse dans son regard.

Il essuya une larme qui roulait sur sa tempe et répéta :

— Tout ira bien.

Avec le sentiment de tricher.

45.

Auberge Le Fumet des cimes
23 juin 1494
Une heure quarante de l'après-midi

— Je veux voir maman ! tempêta Antoine.

Bien que Catherine n'ait rien dit devant eux chez Séverine, le garçonnet sentait confusément que l'accouchement de sa mère ne se déroulait pas comme prévu. Il en tenait pour preuve le silence de sa sœur. Depuis que Benoît les cantonnait dans leur chambre, Margaux n'avait pas bougé. Réfugiée à la tête du lit, elle gardait un visage fermé, le dos contre les coussins en serrant devant elle celui qu'avait utilisé sa mère.

— Je veux la voir ! insista le garçonnet en martelant les cuisses de Benoît.

Après lui avoir immobilisé brusquement les poignets, le tailleur de pierre le couvrit d'un regard comminatoire.

— Non. Et si tu continues, je te ligote à la chaise jusqu'à ce que tu te sois calmé.

La menace fit son effet. Antoine se statufia, les yeux écarquillés. Personne ne lui avait jamais parlé de la sorte, sinon son père. Pas même le prieur Grimaldi qui pourtant ne s'en laissait pas conter.

— Compris ? insista Benoît, sévère.

Le garçonnet déglutit, hocha la tête.

Benoît le libéra. Antoine restant figé, il s'accroupit devant lui, s'adoucit.

— J'ai quand même une bonne nouvelle. Ta mère a retrouvé ton épée.

Les prunelles d'Antoine s'embrasèrent à nouveau.

— C'est vrai ? Et la tasse de Margaux ?

— Aussi…, assura Benoît en lançant un clin d'œil à la fillette.

— Je la veux, décida Antoine.

Benoît le prit dans ses bras et le ramena près de sa sœur.

— Ce n'est pas si simple. La poche de ta mère était trouée. Le bol est resté mais la lame, plus fine, est tombée sur le chemin. Elle ne s'en est aperçue qu'une fois arrivée ici, alors même que le bébé cognait à la porte.

Antoine éclata de rire.

— Y a pas de porte sur le ventre de maman.

— Si… une porte invisible que seules les ventrières peuvent ouvrir, affirma Margaux en entrant dans le jeu.

Benoît renchérit, complice :

— C'est pour cela que tu ne peux pas voir ta mère pour l'instant. Parce que cela les distrairait toutes les deux, et la magie ne pourrait pas opérer. Par contre, rien ne nous interdit d'aller chercher ton épée.

— Maintenant ?

— Oui. Après être passés par les cuisines. J'entends un petit ventre, là, qui gargouille, affirma Benoît en picotant le bedon d'Antoine.

Le garçonnet se tortilla aussitôt. Benoît insista jusqu'à ce qu'il ne soit plus qu'un éclat de rire, cherche sa sœur, la trouve et les mêle tous trois dans une bagarre de chatouilles.

Elle s'arrêta brusquement sur un cri :

— Pipi ! Viiiiteee !

Se dégageant aussitôt, Antoine sauta à bas du lit et courut devant le pot de chambre.

— Vous êtes doué, murmura Margaux tandis qu'à l'autre bout de la pièce son frère se soulageait dans un bruit de fontaine.

Benoît se tourna vers elle, un sourcil levé.

— Que veux-tu dire ?

Elle lui retourna une œillade affectueuse.

— Avec les enfants... vous êtes doué... Merci...

Un élan de tendresse emporta Benoît. Il attira la fillette contre son épaule, s'émut plus encore de la sentir se blottir contre lui.

Sa gorge se serra.

— Tout ira bien, Margaux. Je te le promets.

Elle prit une profonde inspiration, lâcha :

— Ne faites pas de promesses que vous ne pourrez pas tenir...

Il lui sembla entendre Myriam juste avant qu'il ne sorte et ne cède sa place à Catherine. Il tressaillit, retint son souffle, impuissant soudain. Face au mur, Antoine chantonnait en rattachant ses braies.

— ... J'étais à côté de maman quand mon frère est né. Elle a promis que cette fois je pourrais assister Séverine... mais ce n'est pas vrai, ajouta Margaux.

— Et cela t'angoisse ?

— Oui. Elle va crier. Vous ne pourrez pas empêcher que je l'écoute. Et je ne pourrai pas voir dans ses yeux si c'est normal ou pas.

Benoît se liquéfia. Il n'avait pas songé à cela. Brusquement, il se demanda si c'était une bonne idée qu'il se rende dans la combe avec les enfants pour ramasser les vestiges de leur passé, comme le lui avait suggéré Catherine. Il risquait d'ajouter du chagrin à l'inquiétude de la fillette. Pour autant il ne pouvait pas les garder là, dans cette chambre, à deux pas de leur mère.

– De quoi parlez-vous ? les interrompit Antoine en revenant.

Benoît prit un air mystérieux.

– Des trésors qui nous attendent dehors...

– Et de ceux que l'on pourrait dénicher dans les placards de Jacquot, ajouta Margaux en sautant du lit.

– Comme des petites souris ? s'excita Antoine, espiègle, en agitant ses doigts devant lui.

– Tout à fait... Comme des petites souris dans la cuisine..., confirma Benoît, résigné à ne pouvoir mieux leur proposer.

Antoine courut relever le loquet, ouvrit lentement la porte et passa la tête dans l'embrasure. Il la retira aussitôt et se tourna vers eux, un air de conspirateur sur le visage.

– C'est bon, y a personne. On peut y aller...

Margaux haussa les épaules.

– Qui craignais-tu donc ? Un gros chat ?

Il lui retourna un œil noir.

– T'es pas drôle, Margaux ! On peut jamais jouer avec toi !

Benoît s'attendit à ce qu'elle réplique, comme il l'avait vue faire la nuit précédente, mais elle se contenta de froisser le haut du crâne de son frère d'un geste affectueux et de le pousser délicatement en dehors de la chambre.

Il leur emboîta le pas, descendit l'escalier et longea le couloir en direction de la cuisine, derrière Antoine qui avançait à pas menus. Le garçonnet semblait bien décidé à surprendre Jacquot et à lui demander rançon de friandises, quand bien même il était privé de son épée. Margaux marchait derrière son frère, la tête haute, refusant de laisser sa peur la briser.

Benoît pouvait la respirer pourtant. Elle faisait écho à la sienne.

Lors, parce que ces enfants-là étaient ceux de la femme qu'il aimait, mais aussi et surtout parce qu'il s'était attaché à eux autant qu'à elle, il referma ses doigts sur la main de Margaux venue chercher la sienne.

46.

Maison de Séverine
23 juin 1494
Une heure quarante-cinq de l'après-midi

— Mère ?

Ses fers de ventrière à la main, Séverine pivota en direction de la porte de sa chambre, une jolie pièce au mobilier en bois tourné.

— Adélys, l'accueillit-elle dans un sourire. Quelle heureuse surprise !

Adélys la rejoignit près du coffre ouvert d'où elle tirait son nécessaire.

— Je ne suis pas seule. Hersande a tenu à m'accompagner pour prendre de vos nouvelles.

— Oh… entrez donc, lui lança Séverine en pressant sa fille contre son cœur.

Le ton de sa voix alerta Hersande qui escomptait surtout par sa visite voir les enfants de Myriam. Antoine n'ayant ni ses yeux ni ses oreilles dans sa poche, elle espérait qu'il aurait noté un comportement étrange de la part de Célestin. Une attitude, une parole qui le montreraient moins innocent que de coutume, quand elle, tout à son affliction, n'avait rien remarqué la veille. Or, elle n'avait vu ni Margaux ni son frère dans l'atelier quand elles étaient entrées.

Elle attendit que les deux femmes se soient écartées pour demander :

— Un souci, Séverine ?

La ventrière désigna sa besace, y fourra l'instrument qu'elle n'avait pas lâché.

— Myriam... Le moment est venu et cela ne se présente pas bien.

— Que s'est-il passé ? s'enquit Hersande, les sourcils froncés.

— Une mauvaise chute. Elle saigne, d'après ce que m'a dit Catherine.

— C'est grave, donc.

La ventrière se pinça les lèvres, regagnée par son inquiétude.

— Pour l'enfant, oui, je le crois. Pour elle, je ne sais pas. Catherine a emmené Margaux et Antoine pour les confier à maître Benoît.

— Le tailleur de pierre ? tressaillit Hersande.

— Il semble qu'il se soit rapproché de Myriam ces jours derniers.

Séverine cueillit la joue d'Adélys dans sa paume, planta son regard dans le sien.

— Je suis navrée, ma fille, mais je ne peux t'accorder que le temps du trajet jusqu'à l'auberge. Les enjeux sont trop grands. Tu comprends, n'est-ce pas ?

— Bien sûr, mère. Je comprends tout à fait. Myriam est comme ma sœur, vous le savez... et je serai heureuse de vous aider à la délivrer. Que cet enfant vive ou non.

— Malgré ce bandage ? s'inquiéta-t-elle en lui soulevant la main.

— Ce n'était qu'une entaille et le baume d'Hersande l'a déjà aidée à se refermer. Je ne garde cette gaze que par précaution.

Séverine l'embrassa au front.

— Dans ce cas, tu me seras fort utile. Et je profiterai de toi tout en m'occupant d'elle. Allons...

— Je vous accompagne, décida Hersande.

Quelques secondes plus tard, elles se retrouvaient dans la rue ensemble, sous la masse imposante du donjon, et coupaient au plus court pour atteindre l'auberge.

— J'ai beaucoup pensé à vous, à toi, Adélys, en apprenant ce crime odieux. Vous en remettez-vous au sanctuaire ? demanda brusquement Séverine à sa fille en tournant à l'angle de l'église.

Adélys trottinait d'un pas pressé pour se maintenir à sa hauteur, comme Hersande.

— Autant que possible, mère. Nous avons toutes été choquées, mais nous nous devons à nos tâches et continuons de prier pour le repos de cette malheureuse.

Séverine soupira lourdement.

— Tout de même ! En accuser Célestin ! C'est le monde à l'envers ! Rassurez-moi, Hersande, vous ne croyez pas un seul instant qu'il ait pu faire une chose pareille ?

— Ce que je crois a bien peu d'importance, je le crains.

Séverine lui décocha une œillade agacée.

— Vous vous rendez au château pour vos comptes ? Parlez au baron. Contraignez-le à relâcher ce pauvre hère et à chercher le vrai coupable de ce meurtre. Ne serait-ce que pour nous protéger, tous, ici, à Utelle, de sa menace.

Hersande soutint le feu de son regard.

— Raphaël n'a pas le pouvoir d'exiger sa libération, Séverine.

— Taratata ! Vous le savez aussi bien que moi. Que nous tous ici. La viguerie est sous la juridiction du duché de Savoie. Et qui est proche de la régente ? Le baron Raphaël ! Le viguier travaille donc pour le baron, quoi qu'il prétende, bougonna Séverine, en accélérant encore le pas pour éviter que les habitants qui vaquaient sur la place ne l'interrompent.

Hersande devina qu'elle n'avait entamé cette discussion que pour tromper son sentiment d'urgence.

Elles longèrent la forge, saluèrent le ferronnier qui s'activait au-dessus du foyer à grands coups de marteau. Le bruit s'atténua. Séverine reprit :

— Le baron fait ce qui lui chante. Il décide ce qu'il veut et, depuis la mort de dame Luquine, il montre un visage qui nous déplaît à tous ici...

Son œil qui délignait à présent les contours des premiers bâtiments de l'auberge se rétrécit plus encore.

— ... Vous voulez que je vous dise ? Il se serait mis à commercer avec le diable que je n'en serais pas autrement surprise.

— Comme vous y allez, Séverine ! s'indigna Hersande, bien qu'une part d'elle partageât son avis.

L'envolée de la ventrière retomba à peine.

— Trouvez-lui une meilleure raison que celle-ci pour retenir un innocent au cachot quand on écharpe, mutile d'un côté et incendie de l'autre ! Non, je vous l'affirme, Hersande. Il se passe de drôles de choses au château et c'est heureux que vous vous y rendiez pour en juger par vous-même.

— Je n'y manquerai pas, ni de m'enquérir de Célestin auprès du baron et du viguier.

Viguier auquel elle entendait bien de toute façon demander des comptes sur son silence après la découverte du corps de l'Égyptienne.

Un vent chaud aux senteurs de chèvrefeuille balaya à cet instant son visage. Elles venaient d'entrer dans la cour arrière, de voir la porte de la cuisine s'ouvrir à l'autre bout.

Adélys se mit à courir devant elles.

Et comme Séverine, Hersande ne songea plus qu'à découvrir pourquoi Jacquot, défait, tordait si méchamment son bonnet.

47.

Auberge Le Fumet des cimes
23 juin 1494
Une heure cinquante-cinq de l'après-midi

Dans la chambre de Benoît, l'odeur du sang emportait celle de la jonchée de lavande. Bien que Myriam s'efforçât de sourire en les voyant entrer, Hersande ne put retenir un pincement au cœur en découvrant ses traits tirés et la peur qui dominait son regard.

— Merci... Merci d'avoir fait diligence, Séverine... Adélys... ma mère..., les reçut-elle, touchée par leur présence.

— Comment te sens-tu ? demanda Hersande en prenant sa main tendue vers elle.

Des larmes affleurèrent aux paupières, déjà rougies, de Myriam.

— Terrifiée... Mais vous voir toutes les trois me réconforte. Je ne pouvais espérer meilleurs compagnie et soutien.

— Tu peux compter sur nous, Myriam, affirma Adélys, les traits vibrants de compassion.

— Elle a raison. La Madone veille, mon enfant. Elle sera juste et bonne, assura Hersande.

— Pour l'heure, c'est à moi qu'elle délègue sa bienveillance. Si vous voulez bien vous écarter, Hersande, réclama Séverine après avoir posé sa besace.

Séverine glissa une main experte sous les genoux repliés de Myriam, tâtonna le matelas, puis essuya sa paume.

— Tu ne saignes plus. Et les draps sont à peine humides.

— Est-ce suffisant pour affirmer que tout va bien ? insista Myriam.

La ventrière lui tapota délicatement la cuisse.

— Disons que, vu les circonstances, c'est plutôt rassurant. Tu es colorée, malgré cette hémorragie. Tu es solide et tu as déjà pondu. Je ne crains pas pour ta vie…

Myriam cueillit le sourire confiant de Catherine, en retrait près de la porte. La cadette de Jacquot lui avait interdit d'envisager le pire. Pourtant, l'idée de faire de Margaux et Antoine des orphelins n'avait, en plus de celle d'accoucher d'un enfant mort-né, cessé de la tourmenter.

Séverine loucha sur son genou, râpé dans la chute, soupira :

— … En ce qui concerne le petit, cependant, tant qu'il ne sera pas venu au monde…

Myriam déglutit, espérant chasser ce spasme d'angoisse qui continuait de l'étrangler.

— Je comprends… Combien de temps cela prendra-t-il, selon vous ?

— Pour bien te connaître, je dirais, cinq, six heures tout au plus. As-tu mesuré la fréquence de tes contractions ?

— En voici une qui arrive…

— Bien. Elle nous servira d'étalon. Laisse-moi regarder ton ventre, juger de la manière dont il se comporte face à elle, décida Séverine en lui relevant la chemise.

Elle se mit à compter à voix haute tout en s'attardant sur les fibrillations qui lui couraient le long des cuisses et du pubis.

— La douleur passe-t-elle ?

— Oui.

— Bien. Voyons où en est ton col… Détends-toi…

Séverine glissa un doigt entre ses chairs, les sonda, experte. Lorsqu'elle les retira, un peu de sang frais s'y était accroché.

Aussitôt Myriam s'affola.

— Cela recommence…

— Non… Non… Tout va bien… Des petits saignements comme celui-ci sont normaux à ce stade. Apaise-toi. La dilatation est conforme à la puissance de tes contractions.

Myriam se relâcha à peine. Jusque-là, elle avait réussi à se maîtriser. Mais elle savait qu'au fil des heures cela deviendrait plus douloureux. Que Margaux se torturerait d'angoisse en l'entendant crier. Et l'idée que sa fille soit une fois de plus contrainte de prendre sur elle ajoutait à son état de tension. Or, elle devait retrouver confiance et sérénité pour être parfaitement efficace et ne pas achever de s'épuiser.

Elle se tourna vers Hersande.

— Pourriez-vous me rendre un service, ma mère ?

Hersande se décolla du mur contre lequel elle s'était appuyée.

— Bien entendu. Que veux-tu ?

— Que vous me rameniez Margaux. Antoine est trop petit pour s'inquiéter vraiment, et puis on le distrait vite. Elle, par contre…

— Qu'en pensez-vous, Séverine ? demanda Hersande.

— Je n'y vois pas d'objection. Mais auparavant, aidez-moi à la lever.

— Je peux y arriver seule, se récria Myriam.

— Certainement pas, s'interposa la ventrière. Les contractions sont une chose, déchirer plus largement une plaie intérieure par un mauvais mouvement en est une autre.

— Que puis-je faire ? demanda enfin Adélys en relevant son front de ses mains jointes.

— Descendre en cuisine et en remonter l'eau que Jacquot a mise à bouillir. Quant à toi, Catherine, trouve-moi un baquet pour que Myriam puisse s'y baigner.

— Mieux vaut que ce soit vous, Catherine, qui alliez chercher Margaux et que je me charge, moi, du baquet, rebondit Hersande. Cela inquiétera moins la petite.

— Oui. Oui, évidemment, l'approuva Catherine en ouvrant la porte.

Séverine puisa dans sa besace, en ressortit un bouquet séché, le tendit à Adélys qui s'était approchée.

— Fais mettre ceci à infuser.

Hersande sourit devant les effluves échappés des simples.

— Framboisier… millepertuis… sauge…

— Ma foi. Que pourrais-je y ajouter ? Les vieilles recettes restent les meilleures pour détendre les muscles utérins et le périnée, lui sourit Séverine.

— Et augmenter le nombre des contractions, compléta Myriam qui avait engrangé, depuis la naissance d'Antoine, quelques notions d'herboristerie.

Séverine lui prit la main, la pressa délicatement dans la sienne.

— Plus vite tu accoucheras, mieux ce sera pour toi et pour l'enfant.

— Je sais…

— Je fais diligence de mon côté, lança Adélys en disparaissant dans le couloir.

Myriam lui en sut gré.

— Allons, debout, maintenant, intima Séverine en contournant le lit. La prochaine contraction ne va pas tarder.

— Accroche-toi solidement à moi, recommanda Hersande en passant un bras sous ses aisselles tandis que Séverine lui faisait pivoter le bassin.

Myriam se retrouva assise, puis, l'une tirant, l'autre poussant, hissée sans peiner. Un vertige lui faucha pourtant les jambes, sitôt fut-elle debout.

— Un instant, ma mère, réclama-t-elle, vacillante et nauséeuse, en s'accrochant à son cou.

Hersande l'attira dans ses bras.

La première fois. C'est la première fois depuis qu'elle est venue au monde.

Elle sentit le regard de Séverine peser sur elle. Refusa de le soutenir, les jambes flageolantes, bouleversée.

Ne te laisse pas distraire de ton but, de ton devoir. Pas maintenant.

Mais c'était déjà fait.

Dans cette chevelure décoiffée aux relents de fumée, elle répondit d'une voix étranglée :

— Prends tout ton temps… ma fille.

48.

Sanctuaire de Notre-Dame
23 juin 1494
Quatre heures de l'après-midi

Le troupeau qui avait envahi le plateau de Notre-Dame comptait plus de deux mille têtes, au jugé.

Si la transhumance était de tradition en Vésubie, Camilla ne s'y attendait pas aujourd'hui. Quatre heures venaient de sonner au clocher et les bergers étaient encore à se relayer dans le sanctuaire, profitant de leur passage pour prier la Madone. Depuis la fenêtre de l'herboristerie, Camilla voyait les nonnes contraintes de jouer des mains pour écarter les moutons des abords de la chapelle, tandis que les chiens tentaient de les rassembler.

Cette fois, elles sont toutes occupées dehors. C'est le moment de mener mon enquête.

Elle recula, ferma la fenêtre pour empêcher la poussière d'envahir la petite pièce carrée qui jouxtait le cabinet d'Hersande.

Camilla s'était recluse là, décidée à vérifier qu'elle n'avait pas été empoisonnée. Elle avait commencé par nettoyer ses émonctoires, se vidant par le haut, par le bas, puis s'était légèrement saignée dans un petit godet. Voyant son sang fluide et d'un beau rouge rubis, elle s'était totalement rassurée. On l'avait juste contrainte à rester couchée. Sans doute pour qu'elle ne surprenne pas celle qui avait forcé le coffret d'Hersande.

Une part d'elle aurait voulu résoudre ce mystère aussitôt, mais les nonnes entraient et sortaient sans cesse. Elle n'aurait pu fouiller leurs affaires sans attirer l'attention. De plus, elle avait dû l'admettre, elle n'en aurait pas été physiquement capable.

Il lui avait fallu plus de trois heures à boire son propre sang augmenté d'un mélange de simples et d'épices avant de se sentir mieux. Et une heure de plus pour retrouver une mobilité au moins équivalente à celle des jours derniers.

Elle était enfin prête à agir.

Laissant derrière elle cornues, balances, bocaux emplis de fleurs et de plantes séchées, claies sur lesquelles se racornissait déjà la nouvelle cueillette, elle referma derrière elle à double tour.

Hors de question désormais qu'une seule entre ici sans être accompagnée. À moins que je ne découvre qui nous trahit. Qui le diable a soudoyé.

Elle longea le corridor, dépassa la chambre d'Hersande et pénétra dans la sienne, séparée du dortoir des nonnes par une simple arche de pierre. Elle souleva le rideau, se glissa entre les lits alignés dans la longue pièce rectangulaire, puis s'en fut se poster devant l'une des étroites fenêtres qui donnaient sur le plateau.

Elle engloba une nouvelle fois la scène. Le troupeau s'était déplacé. La cabraille ruinait sous son piétinement les pissenlits, la gentiane, le plantain, l'ail rocambole, la mauve, la sarriette, et jusqu'aux rhododendrons qui fleurissaient le pourtour de leur logis. Au moins avaient-elles déjà récolté l'essentiel de leur pharmacopée.

Les nonnes étaient toujours dehors. Camilla les recompta par acquit de conscience :

– Deux devant la citerne, une sur la plate-forme, quatre à gauche qui forment rempart devant nos enclos, et trois encore qui discutent avec les bergers. Il en manque deux. L'une dans la chapelle et l'autre devant les éventaires. Bien… Je ne serai pas dérangée…

Elle se détourna et commença à inspecter le premier lit, soigneusement bordé. Elle ne trouva rien sous le matelas ni sous l'oreiller, encore moins dans le tiroir du chevet. Rien qui ne soit le reflet de sa propriétaire. La petite bible enluminée qui lui venait de son grand-père, quelques broches ornées de minéraux, un abécédaire ponctué de fleurs séchées. Elle passa à la suivante, sans plus de succès.

Que pouvais-je attendre d'autre ? pensa-t-elle en refaisant consciencieusement le lit de la quatrième.

De fait elle ne savait ni ce qu'elle devait chercher, ni ce qu'elle espérait découvrir par cette inspection méticuleuse. Le diable prenait possession des âmes, rarement des corps, et quand bien même, il laissait peu de traces.

Elle s'immobilisa au bout de la rangée, pivota, embrassa la pièce du regard, s'attarda sur les petites niches dont se dotaient les murs. Elle y avait passé la main aussi, prenant soin ensuite de replier à l'identique les vêtements de rechange.

Recommencer de l'autre côté. Trahir leur intimité.

Elle prit conscience que cela lui coûtait. Infiniment. Un instant, elle fut près de renoncer, se ressaisit.

Ne rechigne pas. Tu perdrais peut-être ta seule chance de ramener au troupeau la brebis égarée.

Elle s'appliqua, remonta en sens inverse. Il ne resta bientôt plus devant elle que le lit d'Adélys, soigneusement fait. Pas un pli n'en dépassait. Elle hésita.

Temps perdu. Que viendrait faire le diable en cette couche ? Alors même que la Madone occupe cette niche juste à côté, en place de tout vêtement... Où les range-t-elle donc, d'ailleurs ?

Son intérêt pour Adélys la fit regarder sous le sommier. Elle y vit un petit panier en osier, fut aussitôt rappelée au souvenir d'un bel été tandis qu'elles tressaient l'une à côté de l'autre.

Lorsqu'elle se redressa, son œil accrocha le socle de la statue.

Vu de face, il ressemblait à un gros bloc, mais de la position qu'elle avait gardée, il laissait apparaître sur la tranche un interstice régulier, qui traversait horizontalement le fil du bois.

Un tiroir ? Pour quoi faire ? s'étonna-t-elle.

Elle s'empara de la représentation de la Vierge, la retourna, fit coulisser la glissière.

Un codex, de la taille d'une main, se trouvait à l'intérieur de la boîte. Le cœur battant, se reprochant déjà sa curiosité, elle souleva le rabat de cuir qui servait de marque-page. L'écriture était sans conteste celle d'Adélys.

Elle fronça les sourcils, lut :

« 21 juin 1494. La messagère est arrivée ce matin. Enfin. L'heure est venue. Puisse ma main s'armer de courage. »

Elle déglutit, glacée, tourna la page.

« C'est fait. Je n'aurais pas cru que cela me serait si facile... mais j'ai dû m'entailler la paume pour justifier le fait que mes ongles et ma robe étaient maculés de sang.

Sans parler de ces griffures sur le dessus de mes mains que j'ai pu, heureusement, attribuer à la corde qui liait les jarres d'huile. Je me sens vide. Mais en paix. »

Camilla se mit à trembler de la tête aux pieds. Un tremblement long, fébrile, qui lui donna le vertige et la nausée. Elle s'obligea pourtant à lire la page suivante.

Suffoquée, prête à défaillir, elle laissa choir le codex à ses pieds.

Il resta ouvert sur ces mots dont son regard ne pouvait se décrocher :

« 23 juin 1494. J'ai lu le billet. C'est pour aujourd'hui. Hersande ne va plus pouvoir surseoir et c'est tant mieux. Il est temps que, comme le baron, elle paie le prix de son silence et de sa lâcheté. Il est temps que Camilla sache que Luquine est toujours en vie. Temps qu'elle rejoigne notre cause. »

49.

Utelle
23 juin 1494
Quatre heures trente de l'après-midi

La herse barrait l'entrée du château lorsque Hersande s'immobilisa devant. Cela l'agaça d'autant plus qu'elle venait de se heurter à la porte bouclée du viguier et que personne n'avait pu lui dire où elle le trouverait.

— Holà ! héla-t-elle l'homme qui gardait mollement la grille.

Il approcha, portant négligemment sa hallebarde, se fendit d'un large sourire édenté.

— Bonjour, ma mère.

— Bonjour, Marc. Je viens voir le baron Raphaël. J'ai son dû.

— Alors c'est pas de chance pour lui. Il s'est absenté.

Elle souleva un sourcil.

— Quand rentre-t-il ?

— Il n'a rien dit. Il a pris sa monture il y a moins d'une heure.

Il faudrait donc qu'elle patiente.

Autant le faire en parlant à Célestin. Et en examinant le cadavre de la messagère. Selon Grimaldi, Raphaël l'aurait fait transporter dans la glacière en attendant la fin de l'enquête…

— Peux-tu me conduire au Célestin ?

Le garde prit un air embarrassé.

— Je le voudrais bien, ma mère. Mais le baron nous a donné des ordres stricts. Quoi qu'il se passe, on ne doit laisser entrer personne.

— Je ne suis pas personne, chenapan, grogna-t-elle. Je t'ai connu au berceau. Et tes compagnons aussi.

Il baissa le nez.

— Je le sais bien, ma mère. Mais cela vaut aussi pour le prieur Grimaldi. Personne, je vous dis.

Elle soupira profondément. Être comparée à ce gnome ne lui plaisait guère. Mais Marc n'était pas assez futé pour le deviner.

Elle le remercia et tourna les talons.

Je n'aurais pas dû passer ces deux dernières heures auprès de Myriam, s'en voulut-elle.

Elle en avait eu besoin après que cette émotion l'eut dévastée. Besoin de s'emplir les yeux et le cœur d'elle pour l'après. Besoin aussi de chercher dans son attitude, dans son regard des preuves de sa possession diabolique. Elle n'en avait pas trouvé, mais cela ne signifiait rien. Le diable savait se cacher, et cette fois elle ne remettrait pas en doute l'omniscience de Dieu. D'autant que la date inscrite sur le billet correspondait au terme de la grossesse de Myriam. Hersande en avait conclu qu'elle devait accoucher avant d'être exécutée. Alors quand Célestin s'était présenté avec sa demande de tisane, elle l'avait remplacée par une autre qui accélérait le travail. Pour au moins sauver l'enfant.

Et si je m'étais trompée ? S'il était dans les desseins de Dieu, au contraire, qu'il meure avec elle ? s'était-elle demandé face à l'inquiétude de Séverine.

Avant de se dire que la chute de Myriam n'était certainement pas le fruit du hasard. Que Dieu réparerait son erreur.

Lors, dans cette chambre empuantie d'odeurs de sang et de sueur, elle s'était évertuée à ne plus voir en Myriam que le combat d'une mère pour sauver son enfant. Ce même combat qui la lui avait fait abandonner aux portes du prieuré vingt-cinq ans plus tôt, sachant que Séverine la recueillerait et l'élèverait, comme elles en étaient convenues. Ce même combat qui, à présent, la faisait marcher vers l'église. Forte de la certitude que l'âme était plus précieuse que le corps. Et que la mort était préférable à l'esclavage du diable.

Elle tourna l'angle du clocher, aperçut le tailleur de pierre qui pénétrait dans l'édifice. Elle salua les ouvriers et entra à son tour au milieu d'un joyeux tintamarre d'outils. Elle repéra Benoît occupé à polir des feuilles d'acanthe sur le pilier de droite, le plus proche du tabernacle que l'ébéniste achevait de dorer.

— Bonsoir, maître Benoît, dit-elle.

Il suspendit son geste et lui retourna son salut d'un hochement de tête.

— Auriez-vous quelques minutes à m'accorder ? J'envisage des travaux au sanctuaire et j'aurais besoin de conseils, mentit-elle pour détourner l'attention des autres.

— Avec plaisir, ma mère... mais point ici où le bruit culmine..., lui retourna-t-il tout aussi faussement.

Il rangea ses outils à sa ceinture puis la précéda en direction de la sacristie.

Malgré ses résolutions, Hersande sentit une bouffée de chaleur s'emparer d'elle lorsque la porte refermée les isola enfin. Il était trop tard pour reculer. D'autant que le tailleur de pierre venait de se tourner vers elle, presque soulagé.

Elle plongea la main dans sa poche, mais dut se faire violence pour en extirper le papyrus.

— Voici, dit-elle en le lui remettant.

Contre toute attente, il le garda au bout de ses doigts.

— Vous ne l'ouvrez pas ?

— À quoi bon ? Je sais déjà quel nom je vais y trouver.

Hersande se tendit.

— Célestin ?

Benoît fronça les sourcils.

— Est-ce lui que ce message condamne ?

— Non. Mais je le soupçonne d'avoir ouvert le coffret dans lequel je le conservais, hier, tandis que je préparais la médication de Myriam. Il aurait pu vous l'avoir révélé. Sur commande peut-être.

Le ton était froid. Accusateur.

— Ce n'est pas le cas, se défendit Benoît. Mais cela expliquerait pourquoi le baron le retient au secret.

— Possible, en effet, se radoucit Hersande.

— J'ai décidé d'agir cette nuit.

— C'est ce que préconise la roue. Avant minuit.

Un sourire étira les lèvres de Benoît.

— Alors il semble que Dieu m'ait bien inspiré.

Hersande se troubla. Elle s'était attendue à une autre réaction de sa part.

— Cela ne vous déconcerte pas ? ne vous bouleverse en aucune sorte ?

— Il n'aura que le châtiment qu'il mérite.

Hersande blêmit.

— Qui, *il* ?

— Le baron. Il a menti à propos de sa femme. Il la retient captive dans le donjon et la torture régulièrement. Sans compter qu'il a tué Pascal, fait incendier la maison de Myriam. Et que si son enfant vient au monde vivant, il s'en emparera pour le livrer à Satan.

Hersande sentit ses jambes se dérober sous elle.

— D'où tenez-vous tout cela ?

— Je me suis introduit dans le château la nuit dernière, j'ai vu Célestin et le cadavre de la messagère les entrailles vidées. Je n'en suis sorti que pour sauver Myriam des flammes.

Hersande prit une grande inspiration.

— Peut-être auriez-vous dû l'y laisser.

Benoît fronça les sourcils sans comprendre.

Alors, lentement, s'arrachant une nouvelle fois le cœur, Hersande baissa les yeux sur le billet.

50.

Sanctuaire de Notre-Dame
23 juin 1494
Cinq heures de l'après-midi

Camilla s'était réfugiée dans sa chambre, après avoir remis le codex d'Adélys à sa place. Depuis de longues minutes à présent, elle n'entendait plus le tintement des cloches, le bêlement des agneaux, le cri des bergers, les aboiements des chiens. Si le bruit traversait toujours les fenêtres du logis, il n'atteignait plus son oreille. Repliée en elle-même, elle fixait une toile d'araignée qui se balançait entre deux poutres. Avec l'étrange sentiment d'être ballottée sur cette maille fragile, articulée au-dessus du vide.

Les mots d'Adélys agissaient en elle comme de fins poignards qui tailladaient ses chairs. Les premiers textes dataient d'octobre de l'année précédente. Adélys y évoquait l'émoi dont elle avait été saisie au cours d'un arrêt au prieuré d'Utelle pour négocier le prix de l'huile. Elle avait toqué à la porte du cabinet de Grimaldi, pris un gémissement pour une invitation. La vision du moine, debout devant sa fenêtre, une main crispée sur le dossier d'un fauteuil, l'autre sur son vit, l'avait tétanisée sur place.

« *... Sans doute a-t-il deviné ma présence, car il a tourné la tête, s'est troublé plus encore de me voir devenir* *pivoine, incapable pourtant de le lâcher des yeux. Il s'est soulagé et, malgré la laideur de ses traits, je me suis sentie inondée entre les cuisses, comme si ce jet qu'il s'arrachait m'avait atteinte, brûlée. Bien qu'il m'ait assuré n'avoir rompu aucun de ses vœux, que cette pratique était salutaire pour purger ses humeurs, je n'ose en parler à Camilla ou à Hersande. De peur, je le confesse, Très Sainte Mère, qu'elles ne m'interdisent de retourner demain près de lui, d'apprendre, comme il me l'a suggéré, à éteindre ce feu ardent innocemment allumé. Puissiez-vous, Très Sainte Mère, m'absoudre de ce péché et, si ce n'en est un, m'offrir votre bénédiction* », écrivait Adélys.

La deuxième page racontait la manière dont Grimaldi lui avait fait soulever sa bure à sa visite suivante. Il l'avait caressée de sa langue jusqu'à la faire chavirer, puis, refusant d'aller plus avant, avait déposé ses doigts sur son amande pour qu'elle se libère elle-même tandis qu'il se branlait.

Peu à peu, leurs jeux étaient devenus plus ardents, plus pervers. Et Camilla, sous la plume nerveuse d'Adélys, avait vu la corruption, la souillure d'un désir de plus en plus violent, exigeant, noircir cette âme pure. Adélys s'épanchait sur ce parchemin, comme si elle en tirait une nouvelle jouissance, se moquait des autres nonnes qu'elle entendait parfois gémir la nuit, appelées par le désir de chair. Avouait sans vergogne avoir eu envie de relever leur couverture, de se faufiler entre leurs jambes, de les lécher comme elle avait léché le membre de Grimaldi. S'en abstenir, de crainte qu'elles n'éventent son secret et qu'on ne la prive de descendre au village, avait seulement réussi à nourrir sa frustration. À la rendre plus dépendante encore de ses rencontres avec le prieur.

Le ton, le style, avaient brusquement changé en janvier de cette année. Il était devenu cri.

« Sainte Mère de miséricorde ! Elle fornique ! Elle fornique avec le baron, en ce moment même, contre la porte du sanctuaire. À quelques pas de vous et sous l'œil de la pleine lune. Hersande. Hersande livre son cul aux coups de boutoir du baron, en réclame, en jouit. Et me voici humiliée dans ma propre chair, moi qui résiste, qui m'abstiens, qui me vilipende. Je voudrais la battre ! La battre ! L'abattre ! Pour venger dame Luquine qu'elle cocufie, sœur Camilla qu'elle trahit. Vous, Très Sainte Mère, qu'elle salit ! »

Elle n'écrivait pas comment elle avait surpris ce voluptueux échange entre Hersande et le baron mais, dans les lignes suivantes, elle se prétendait soulagée que Grimaldi ait décidé d'en parler à Luquine. Ajoutait :

« Quelle déception d'apprendre que la lubricité d'Hersande et du baron est bien antérieure au mariage de ce dernier ! Que Myriam en est le fruit défendu, nié ! Et Camilla qui ne se doute toujours de rien ! Qui croit avoir une amie chère ici. Alors qu'Hersande ne la garde auprès d'elle que pour mieux tromper Luquine, que pour se racheter une conscience ! Je suis écœurée. »

Puis l'écriture était devenue sombre, tourmentée.

« J'ai rencontré Luquine aujourd'hui, chez le prieur. Elle est inquiète, craint pour sa vie, pour celle de ses enfants. Selon elle, le baron a conclu un pacte avec le diable. Elle l'a vu cacher un grimoire de magie noire. Elle nous a aussi révélé l'existence de l'Ordre, pense qu'Hersande en corrompt l'intégrité, s'angoisse pour Camilla qu'elle y a enrôlée. J'ai peur, Très Sainte Mère. Pour la première fois de ma vie, j'ai peur. »

À partir de là, Camilla avait tourné les pages avec fébrilité et terreur, s'attardant uniquement sur ce qui concernait sa sœur. Elle s'était toujours demandé comment elle avait pu lui révéler le secret de la roue alors qu'elle en avait fait vœu de silence. Soudain cela lui revint. Luquine avait manœuvré habilement. Ce jour-là, elle lui avait parlé du grimoire. Un grimoire ancien, empli de belles promesses, lui avait-elle affirmé. Elle n'avait pas voulu le lui montrer, arguant qu'elle en avait déjà trop dit au regard de Dieu, comme elle à propos de l'Ordre. Camilla avait éprouvé le sentiment de s'être fait flouer, mais Luquine était sa sœur, une sœur qui avait toujours été bonne avec elle. Elle n'avait aucune raison de douter d'elle. Du moins l'avait-elle cru. Jusqu'à maintenant.

Elle frissonna de la tête aux pieds, sentit des larmes monter en même temps que sa lucidité.

Elle a menti. Menti à Adélys et au prieur Grimaldi. Elle les a pervertis, s'est servie d'eux. Pour le compte du diable.

Voulant en avoir le cœur net, elle avait poursuivi sa lecture.

« *10 mars 1494.*

« *L'époux de Myriam est mort, mais je n'arrive pas à la plaindre. Je la hais désormais d'être ce qu'elle est. Je sais, Très Sainte Mère, ce n'est pas sa faute. Mais je ne peux m'en empêcher. Un jour il faudra qu'elle paie, elle aussi. Qu'elle rachète les péchés de sa mère. Qu'elle me rende la mienne !*

« *20 mars 1494.*

« *Les cloches ont sonné le trépas de Luquine. J'enrage ! Je fulmine ! Le baron Raphaël a réussi à la tuer et il rejette le prieur qui veut bénir sa dépouille. Il lui préfère*

Hersande ! Soi-disant parce qu'elle sera mieux à même de veiller sur ce corps et sur Camilla qui en sera effondrée. Cette fois, c'est acté : Satan règne à Utelle et Hersande est sa complice !

« 10 avril 1494.

« Je tremble, Très Sainte Mère. J'ai parlé au prieur des violentes douleurs sporadiques de Camilla. Il pense qu'elle aurait dû s'inquiéter davantage des raisons de la mort de Luquine. Il voit dans cette souffrance un châtiment divin. Craignant d'en subir les foudres à son tour, il a décidé de profaner sa sépulture et d'examiner ses restes, espérant découvrir quel démon avait possédé le baron. Il était certain que, face à si noble cause, Dieu ne verrait rien à redire. Mais il a trouvé le cercueil empli de pierres. Je ne sais que penser. Sinon qu'il va falloir agir. Découvrir ce que le baron a fait de son épouse.

« 17 avril 1494.

« Luquine est vivante. Profitant d'une absence du baron, le prieur a pu entrer au château, découvrir qu'elle était gardée dans le donjon, réduite au minimum, battue, violentée. Elle refuse d'être délivrée de peur de nous mettre en danger. Mieux vaut attendre, selon elle. D'après lui, elle aurait anticipé son isolement, découvert le moyen de réduire le baron à merci, et que cela passe par la roue divine. Il me semble évident que nous devrons nous faire ses complices. Je suis terrifiée, Très Sainte Mère, mais je ne me soustrairai pas à mon destin. Longtemps je me suis demandé pourquoi vous m'êtes apparue. Aujourd'hui, je le sais. »

Bien que succinctes, les dernières pages la liaient directement au meurtre de la messagère et à la lecture du papyrus dans le cabinet d'Hersande.

Camilla s'arracha à son apathie sans parvenir à décider ce qui, de la colère, de l'incompréhension ou du pardon, l'emporterait. Elle revit ces larmes sur les joues d'Hersande le jour où elle lui avait confié qu'elle avait fauté avec Raphaël, donné naissance à Myriam en secret. Contrairement à ce que pensait Adélys, Hersande ne lui avait pas menti. Elle n'avait jamais triché avec elle, avait évoqué la profondeur de ses sentiments pour le baron, la douleur, l'effort qu'elle devait fournir pour les juguler.

Elle se remémora les derniers mots du carnet :

« 23 juin 1494. C'est pour aujourd'hui. Il est temps que, comme le baron, Hersande paie le prix de son silence et de sa lâcheté… »

Aujourd'hui. C'était aujourd'hui que l'exécuteur devait frapper. Une âme innocente, avait affirmé Hersande. Camilla la revit dans son fauteuil, juste après avoir lu le papyrus, démunie, liquéfiée.

Elle aurait dû comprendre, déjà, à ce moment-là. Camilla sentit ses jambes trembler, une sueur froide descendre le long de sa colonne vertébrale.

Adélys m'a droguée pour être celle qui accompagnerait Hersande au village. Elle voulait être certaine qu'elle délivrerait bien le billet, certaine qu'elle se crucifierait elle-même en condamnant l'être qu'elle aime par-dessus tout, l'être qui la lie au baron… Myriam… Ce ne peut être que Myriam. Myriam que Luquine hait presque autant qu'Hersande.

Elle bondit.

Non ! Non ! Je ne peux permettre une telle tragédie. Je dois empêcher Luquine et, à travers elle, le diable, de parvenir à ses fins.

51.

Route de Notre-Dame
23 juin 1494
Six heures du soir

Un vent d'orage forcissait, faisant frissonner sur son passage la cime des sapins, bruire les feuilles charnues des châtaigniers. Il soufflait de la mer, cette Méditerranée capricieuse que par temps clair Hersande aimait regarder depuis le plateau de la Madone. Juste un fil d'un bleu plus soutenu que le ciel, loin, au-delà des montagnes, dans le creux de la baie de Nice. L'histoire voulait que des marins en péril aient un jour appelé la Madone à leur secours et que celle-ci leur soit apparue depuis ce roc, les guidant jusqu'au rivage. C'était pour l'en remercier qu'ils avaient bâti le premier sanctuaire.

Tandis qu'elle remontait vers lui, dans le claquement des sabots des deux mules sur les cailloux du sentier, l'œil rivé sur les crêtes plombées, Hersande ne croyait plus que prier lui apporterait du réconfort.

Elle ne pouvait s'empêcher de penser à Benoît, à sa réaction lorsqu'il avait enfin compris qu'il devrait exécuter la femme qu'il aimait. Cela avait été violent. Un rejet absolu. Comme elle ces derniers jours, il ne pouvait voir Myriam autrement qu'en victime des circonstances, une femme courageuse, respectable, généreuse, altruiste. Une veuve et une mère exemplaire. Pas la prisonnière du diable.

Pour tenter de l'infléchir, elle avait dû lui révéler les liens qui avec Raphaël l'unissaient à Myriam, l'enfant du péché. Il avait à peine écouté.

— Non. Non. Je refuse d'admettre que Dieu la condamne, s'était-il entêté, soufflant comme un bœuf sous le coup de la colère et de la terreur.

Hersande avait posé une main sur son bras, l'avait obligé à soutenir son regard.

— Et pourtant vous affirmez que Raphaël a tué la messagère. Or, pourquoi l'aurait-il fait sinon pour protéger sa fille ? Pourquoi aurait-il cloué cette main à la porte du sanctuaire sinon pour me faire peur, me faire renoncer ? Pourquoi enfin aurait-il incendié la maison de Myriam sinon pour la forcer à s'installer chez Jacquot ? À l'abri de l'assassin.

C'est ce dernier argument qui avait ébranlé les certitudes de Benoît. Convaincu qu'on allait à nouveau tenter de tuer Myriam, le baron lui avait explicitement demandé de ne laisser entrer personne dans sa chambre. Personne en qui il n'ait eu une confiance absolue.

Titubant soudain, l'estomac soulevé, en proie à ce qu'Hersande avait elle-même ressenti ces jours derniers, il avait dû prendre appui contre le mur de la sacristie pour ne pas s'effondrer. Les yeux exorbités qu'il avait posés sur elle l'avaient autant convaincu de sa reddition que ces mots lâchés dans un souffle :

— Il sait… le baron… il sait que Myriam est la cible de la roue.

Hersande avait acquiescé tristement.

— C'est ce que j'essaie désespérément de vous faire entendre, Benoît. J'ignore comment il l'a appris, peut-être par le diable lui-même, s'il commerce avec lui. Ce que son intérêt pour l'enfant de Myriam laisserait entendre. J'ai souvenir d'une vieille légende qui fait état d'une grotte dans laquelle se trouve un creuset directement lié à l'enfer. Un creuset destiné à des sacrifices humains en échange de pouvoirs de sorcellerie.

— Vous pensez qu'il en serait capable ?

— De tuer l'enfant de Myriam plutôt qu'un des siens pour atteindre cette toute-puissance ? Je l'ignore, Benoît. Cela me terrifie. Mais je ne vois pas d'autre explication. Et je refuse d'en chercher à ce stade. Je ne suis certaine que d'une chose : la volonté de Dieu est sur ce billet. Si Raphaël vous a demandé de protéger Myriam, c'est qu'il vous croit au-dessus de tout soupçon, que l'identité de l'exécuteur n'a toujours pas été éventée. C'est une chance pour nous.

— Une chance ? Vous appelez cela une chance ? s'était indigné Benoît. Je n'y vois qu'une terrible, une effroyable souffrance, ma mère.

Elle avait secoué la tête douloureusement.

— Une souffrance que je partage au plus haut point. Mais que j'ai dominée. Comme vous allez le devoir aussi. Comprenez bien ceci, Benoît : si le diable s'empare de cette terre, aucun de nous ne sera plus à l'abri du mal. Antoine, Margaux et tous les enfants d'Utelle seront les premiers à devenir ses esclaves. Tuer Myriam et ensuite Raphaël comme vous vous apprêtiez à le faire, c'est les sauver tous.

Elle l'avait quitté sur ces mots, le laissant aussi dévasté qu'elle, mais résigné.

De retour à l'auberge où elle devait rejoindre Adélys, elle n'avait pu s'empêcher d'embrasser Myriam une dernière fois, avant de refermer la porte de sa chambre sur son sourire empli de gratitude et sa main serrée autour de celle de Margaux.

Refusant sa propre détresse, elle était remontée sur sa mule et s'était emmurée dans le silence.

Dix minutes s'étaient écoulées depuis leur départ du village. Et Adélys, la suivait, l'air absorbé.

Sans doute prie-t-elle pour Myriam, se réconforta-t-elle, l'œil attiré par un renard qui dévalait la montagne.

Il traversa le sentier, à moins de dix coudées devant, suivi d'une femelle et de deux petits, puis disparut dans le versant. Au même instant, elle sentit une vague de chaleur l'envelopper tout entière. Elle leva les yeux. Bien que les nuages aient rongé un peu plus le ciel, la température de l'air venait d'augmenter. Elle s'aperçut alors que le vent était tombé, qu'un silence singulier, anormal, venait de recouvrir la montagne.

Elle força sa mule à ralentir, se tourna vers Adélys.

– Un violent orage approche. La bonne nouvelle, c'est que nous devrions être à l'abri du sanctuaire avant les premières gouttes.

– C'est heureux, ma mère. Je m'en inquiétais à l'instant. Pourrions-nous pourtant faire halte quelques minutes, le temps pour moi de soulager ma vessie ? Cela me chatouille depuis un petit moment et avec le mouvement de la mule…

Hersande la couvrit d'un air de reproche.

– Tu n'aurais pas dû attendre. Ce n'est jamais bon.

– Vous paraissiez soucieuse. Je n'osais pas vous déranger…

Hersande s'en voulut aussitôt. Un regard devant et derrière lui confirma que personne n'approchait.

— L'endroit me semble parfait. Je vais en profiter aussi.

Elle immobilisa sa mule, s'agaça de la voir rechigner, hennir, parvint malgré tout à la contenir le temps d'en descendre.

C'est au moment où elle l'attachait, à une dizaine de pas d'Adélys, occupée de même avec la sienne, que cela se produisit.

Un grondement long, sourd, venu des profondeurs de la terre. Il délogea d'un coup les oiseaux des branches, peupla le ciel, déjà sombre, d'une envolée bruyante.

Avant qu'Hersande ait pu s'en affoler, elle était secouée avec violence, perdait l'équilibre, chutait et roulait en contrebas, chahutée en tous sens par la montagne elle-même. D'instinct, elle avait ramené ses bras autour de sa tête, mais ne put rien pour empêcher les pierres et les épines de la meurtrir, de la lacérer au passage.

Elle heurta un gros rocher, s'immobilisa derrière alors que le sol tremblait toujours, qu'elle entendait craquer des arbres, s'effondrer des troncs autour d'elle. Elle n'eut pas même le réflexe de prier, terrifiée par la violence du séisme, le premier de cette intensité depuis qu'elle était venue au monde.

Puis, tout s'arrêta.

Aussi brusquement que c'était arrivé.

Le silence emprisonna de nouveau la montagne, transpercé parfois par le bruit d'une branche qui s'abattait, d'un caillou qui roulait.

Hersande dénoua lentement ses bras, releva la tête. Elle avait encore le souffle coupé, mais elle était saine et sauve, au beau milieu de ce paysage apocalyptique.

Autour d'elle, ce n'était plus qu'un amoncellement. Que rien ne l'ait transpercée, ensevelie, tenait du miracle.

Adélys ! songea-t-elle, reprenant ses esprits. *Je dois m'assurer qu'elle n'a rien.*

Elle voulut se relever, regagner le chemin. Elle bougea, étouffa un gémissement de douleur. Elle avait les côtes moulues, les hanches et les genoux écorchés, un pied pris sous des ramures. Elle tenta de se dégager, ne parvint, tant bien que mal, qu'à s'asseoir.

— Adélys ?... Adélys ?

Elle entendit un craquement au-dessus d'elle, leva les yeux en direction de la route, fut aussitôt soulagée. Adélys s'avançait prudemment au milieu des décombres. Visiblement elle avait été épargnée.

— Là ! Là ! Je suis là, cria Hersande en agitant les bras.

— Je vous ai vue, ma mère. J'arrive.

— Fais attention. Je peux attendre, insista-t-elle.

Adélys enjamba, contourna les débris, fut enfin devant elle.

— Rien de cassé, elle est juste bloquée. Trouve de quoi faire levier, conseilla Hersande en lui montrant sa cheville, prise sous une grosse branche.

Adélys sourit.

— J'ai ce qu'il faut, ma mère. Juste ce qu'il faut pour régler le problème.

Hersande la vit lever le bâton qu'elle venait de ramasser. Ses traits angéliques se muer en une grimace de haine.

Elle eut à peine le temps de s'en étonner que, sous l'impact, son crâne lui sembla éclater.

52.

Utelle
23 juin 1494
Six heures quinze du soir

Après le départ d'Hersande, Benoît avait dû retourner à son ouvrage dans l'église, s'efforçant de paraître naturel. Il s'était mis à siffloter, pour donner à penser aux autres maîtres d'œuvre qu'il était content d'avoir conclu une affaire. Dans le même esprit, il avait contraint ses doigts à ne pas trembler. Peu à peu, les yeux rivés sur l'entrelacs des acanthes du pilier, il avait réussi à donner le change.

À l'intérieur de lui, c'était une autre affaire. Il était dévasté. Ce qu'Hersande lui avait révélé, le papyrus même qui dormait au fond de sa poche, ses propres découvertes le ramenaient à l'inévitable : tout comme le baron, Myriam devait mourir.

Mais il ne pouvait s'y résoudre.

L'idée d'aller dans cette chambre où elle se tordait pour donner la vie, de récupérer discrètement dans ses affaires la bague à poison, de se tenir prêt à la moindre occasion lui était insupportable. Tout en lui se crispait à lui faire perdre souffle, à ratatiner son cœur dans sa poitrine, y provoquant des élancements violents. Alors qu'en serait-il une fois devant elle, couvert par ses yeux confiants, cette tendresse qu'elle s'interdisait avec lui mais qu'il avait pourtant sentie naître cette nuit, après qu'il l'eut sauvée des flammes ?

Hersande a raison : j'aurais mieux fait de l'y laisser..., s'était-il dit avant de se reprendre. *Non... elle mérite une mort douce. Rapide. Mais serais-je capable de m'en charger ?*

Les autres avaient quitté l'édifice depuis quelques minutes déjà. Il était sur le point de faire de même lorsque, mû par un besoin irrépressible, il s'agenouilla devant la statue de la Madone.

Qui pouvait comprendre mieux qu'elle ? l'aider à assumer son devoir, à accomplir la volonté de Dieu ? Alors même qu'une part de lui, celle en laquelle Pascal avait placé sa confiance, lui hurlait de protéger Myriam au lieu de l'occire. Que c'était par l'amour et l'amour seul que le diable pouvait être vaincu.

Guidez-moi, Très Sainte Mère, la supplia-t-il en tendant un regard empli d'espoir vers elle.

À l'instant où la terre se mit à trembler.

D'un bond, il fut sur ses pieds, d'un autre il s'élança vers la sortie, titubant sur ce sol qui se fendait, faisait sauter les pavés, se renverser les bancs, branler les colonnes, se détacher les pierres des voûtes. L'instinct de survie ? Son savoir de tailleur de pierre ? La main de Dieu ?

Il fut dehors en quelques secondes et sans égratignure.

Il s'immobilisa au milieu de la place, bousculé par ceux qui étaient sortis des maisons à la hâte, cerné par leurs hurlements, par leur effroi tandis que se disloquaient les murs, tandis qu'il peinait à rester droit. Il vit s'effondrer sur lui-même ce clocher à peine terminé, le bourdon émettre un dernier branle assourdissant avant de chapeauter un amas de moellons et se faire recouvrir par des pans de l'église. Des pierres s'abattirent à quelques pas de lui, dispersant les uns, en blessant d'autres.

La terre semblait ne jamais vouloir cesser de trembler, désorganisant toute tentative de fuite, ensevelissant ceux qui cherchaient un abri. Des rats par centaines déferlaient de la rue du château, complètement obstruée pourtant par les décombres.

Il enleva de leur passage un petit garçon qui hurlait en tournant sur lui-même, le déposa dans les bras de sa mère tout aussi affolée, les attira tous deux contre lui.

C'est à cet instant, tandis que mère et fils gémissaient de terreur dans ses bras, qu'il comprit. Il ne tuerait pas une femme et son enfant. Quels qu'ils fussent. Il en était incapable.

Était-ce la réponse qu'il attendait ? Tout cessa.

Durant quelques secondes, les respirations restèrent suspendues dans la crainte que cela ne recommence, mais cela ne recommença pas. Et le silence empesé de poussière épaisse se remplit de nouveau. De cris, de pleurs, de suppliques.

— C'est fini. Tout va bien. Je dois partir, m'occuper des miens, dit-il en repoussant délicatement ses protégés.

La mère hocha la tête. Il n'entendit pas son merci. Il se mit à courir en direction de l'auberge, la fumée d'un incendie dans le nez, dans ses yeux déjà irrités. Il les plissait, affolé de seconde en seconde davantage par les images qui se déroulaient au fil de sa course. Images de gens ensanglantés, fracassés autant que leurs maisons.

Myriam... Les enfants...

Il ne songeait plus qu'à eux, à les retrouver saufs, alors même que tout lui prédisait le contraire. Le fait que la chambre soit à l'étage, que Myriam y soit alitée. Margaux auprès d'elle. Il ne pouvait éprouver un réel espoir que pour Antoine laissé à la garde de Jacquot en cuisine. Pourtant il refusait cette idée, parce que la mort de Myriam lui apparaissait plus injuste maintenant qu'à l'instant où Hersande lui avait confié le papyrus.

Dieu avait-il perçu qu'il serait incapable d'agir ? Avait-il décidé de combattre lui-même l'œuvre du diable ?

Il courait vers la vérité, enjambait des décombres, des débris de toutes sortes, sauta par-dessus une flaque de lait versée d'un pot cassé, dispersant des chats qui s'y étaient précipités.

Et soudain l'auberge, ou du moins ce qu'il en restait, fut là, devant lui, bâillant par pans entiers, laissant voir la combe en contrebas, les oliviers fauchés.

Son cœur s'arrêta. À la place des volets de sa chambre, à la place de l'étage, il n'y avait plus que le ciel, un ciel plombé qui n'allait pas tarder à crever.

– Benoît ! Benoît ! entendit-il sur sa droite comme il chancelait.

Il tourna la tête, reconnut le prieur Grimaldi, couvert de poussière de la tête aux pieds, une manche arrachée, tachée de sang.

– Par ici ! hurla encore le religieux en lui faisant signe.

Benoît ne se posa pas de questions. Il n'était qu'une plainte intérieure, un long cri de désespérance dans lequel toute raison de vivre se perdait. Mais il avait encore des bras, des jambes. Et on l'appelait à l'aide. Alors il fit ce qu'il devait faire, ce qu'il savait faire.

Soulever des pierres pour ne pas penser.

53.

Vallon d'Utelle
23 juin 1494
Six heures quinze du soir

Le baron Raphaël fut surpris par le séisme alors qu'il remontait à cheval. Sa monture dansa sur ses jambes, tenta de maintenir l'équilibre avant de se cabrer puis de filer au galop dans un hennissement terrifié. Mais les arbres s'abattaient dans le vallon comme un château de cartes et Raphaël comprit qu'il ne survivrait pas s'il tentait de le traverser. Il sauta de sa selle juste avant que l'animal ne soit fauché par une grosse branche détachée d'un tronc.

Il roula sur lui-même, puis réussit à gagner un rocher et à s'y agripper solidement pour résister aux secousses. Ce n'était pas la première fois que la terre tremblait en Vésubie, mais jamais aussi violemment, jamais de cette manière. Jusqu'à ce que cela se calme, il crut sa dernière heure arrivée, ne cessa de fixer ce pan de montagne duquel il était sorti. Persuadé que le diable avait décidé de se venger de ce qu'il venait de faire.

C'est fini, comprit-il après de longues minutes de silence sans que plus rien bouge autour de lui.

Il releva la tête, examina les alentours. Il avait échoué dans un espace dégagé, à une vingtaine de pas seulement de la falaise. Si des blocs s'en étaient détachés, compliquant l'accès à la grotte, le mécanisme de paroi amovible qui en protégeait l'entrée n'avait pas été activé.

C'est fini..., se répéta-t-il. *Et je suis toujours en vie.*

Ce n'était pas un argument en faveur de l'efficacité du diable. Il se prit à sourire. Souffla bruyamment, soulagé. Avant de mesurer du regard l'ampleur des dégâts. Les sapins aux têtes sectionnées, aux racines soulevées se comptaient par centaines, à moins de deux toises de lui et jusqu'au fond du val. Châtaigniers, argousiers et autres espèces n'avaient pas plus été épargnés.

Il se mit debout, nourri d'une angoisse grandissante. Ce séisme avait laissé des traces profondes alentour. Les parois des montagnes qui l'encerclaient étaient ravagées. Pour s'y être intéressé plus jeune au travers des récits des Anciens, il savait que les tremblements de terre pouvaient être ressentis à certains endroits et pas ailleurs. Impossible pourtant d'imaginer que le village d'Utelle n'ait pas été touché. De même que le sanctuaire de Notre-Dame. Il se tenait dessous.

Myriam... les enfants... Hersande... Faites qu'ils soient toujours en vie, Seigneur, implora-t-il, la peur au ventre.

Il avança jusqu'au sentier de chasse par lequel il était arrivé. Blêmit. À sa place, se trouvait à présent un sillon profond d'où sourdait une eau sale, ferrugineuse, comme d'une plaie. Plus loin, il disparaissait totalement sous les arbres abattus.

Il leva les yeux au ciel. Méchamment plombé, strié de noir, il laissait présager la chute imminente de trombes d'eau. Or, il était dans une cuvette, coincé d'un côté par la falaise, de l'autre par l'amoncellement des végétaux.

Il déglutit.

Avec ce fatras, les ruisseaux grossiront vite, quitteront leur lit et se déverseront ici. À coup sûr... Je n'ai pas d'autre choix que d'emprunter l'ancien chemin des braconniers.

Il ne le vit pas, tant la végétation le masquait. De plus, il pouvait le découvrir coupé, être contraint de redescendre au pire moment. C'était trop hasardeux.

Il reporta son regard sur la falaise devant lui. Pour avoir sondé l'intérieur de cette grotte vouée aux enfers, il savait qu'elle ne possédait pas d'autre issue que celle qu'il avait ouverte à l'aide d'une des incantations du grimoire. Elle se contenterait de l'abriter.

En m'exposant à d'autres périls...

Cette fois encore il en rejeta l'idée. Il en était sorti précipitamment, son affaire faite, avec le sentiment que des centaines de regards ennemis le suivaient.

Scrupuleusement, il chercha une autre échappatoire. Finit par voir un mouflon qui, à une cinquantaine de toises de hauteur, sur sa droite, se frayait un passage à flanc de roche en direction du chemin de Notre-Dame.

S'il a réussi à accrocher un sentier, je le peux aussi.

Il s'empara d'une branche du diamètre d'un demi-poing. À l'aide de son épée, il la sectionna puis, l'épurant de ses turgescences, en fit un bâton solide. Ainsi armé pour repérer d'éventuelles crevasses dissimulées par les débris, il s'approcha de la montagne, escalada un bloc qui s'en était détaché et entreprit prudemment de longer l'accotement, en enjambant ou en contournant chaque obstacle.

La première goutte de pluie que les nuages libérèrent en valait quatre. Elle s'écrasa sur son front au moment où il abordait l'esquisse d'un sentier dans des éboulis. À peine la largeur d'un passage de chèvre. Moins que celle de ses épaules. Et alors qu'une pénombre menaçante avalait à présent le paysage. Il se hâta, autant que le lui permettait sa posture de biais, conscient que cette pluie épaisse n'allait pas tarder à devenir cinglante.

Il était assez haut à présent – environ cinq toises – pour se protéger d'une éventuelle montée des eaux dans le vallon. Mais assez aussi pour y mourir s'il chutait.

Je dois au plus vite trouver un abri. N'importe lequel...

Il plissa les yeux pour affiner son champ de vision, réduit par le peu de visibilité. Il avisa un rocher formant une grosse verrue au flanc de la montagne, légèrement au-dessus de lui. S'il parvenait à l'atteindre, il pourrait se faufiler en dessous. Il ne serait pas protégé de la pluie, seulement de son ruissellement. Mais au moins ne serait-il pas emporté par une coulée.

Il abandonna son bâton, gardé jusque-là pour chasser devant lui les pierres les mieux à même de le faire glisser, en avisa une saillante, solidement accrochée au-dessus de sa tête. Il opéra un mouvement tournant en retenant son souffle, se retrouva face à la paroi. Refusant de songer au vide au-dessous de lui, il leva la main, la referma sur l'aspérité, tâtonna du pied pour en trouver une autre, à hauteur de genou.

Tu sais grimper. Tu ne l'as plus fait depuis longtemps, mais tu sais le faire...

De jeunes rires frappèrent sa mémoire. Il retrouva ce frémissement qui l'avait parcouru devant les parois abruptes, vertigineuses des gorges. Il avait douze ans. Ils étaient une dizaine de son âge, ce jour d'été. Téméraires, insouciants. Cherchant à savoir lequel d'entre eux était le meilleur. Il avait pris le pari, s'était lancé après avoir craché dans ses mains, comme il avait vu son père le faire. Il se souvint d'avoir regardé en contrebas à mi-hauteur, d'avoir accroché les reflets irisés, cristallins, de la Vésubie sous le soleil. C'était là que pour la première fois il avait aperçu Hersande. Elle battait les draps dans la rivière avec sa mère et d'autres femmes du village. Elle avait levé les yeux vers lui, placé sa main en visière à hauteur des sourcils.

Aiguillonné par l'orgueil, il était arrivé le premier au sommet. Pour elle dont il ignorait alors qu'elle deviendrait son seul amour.

Cette fois encore. Pour toi… pour mes fils… pour notre fille… pour nos petits-enfants… pour empêcher qu'on ne nous les enlève…

Il s'éleva à l'instant où les nuages crevèrent. Il se retrouva trempé en quelques secondes, plongé dans l'obscurité, le visage, les épaules dégoulinants, les doigts, les pieds peinant à garder leur appui.

Pour toi… pour mes fils… pour notre fille… pour nos petits-enfants… pour empêcher qu'on ne nous les enlève…, répéta-t-il, dans un sursaut de vie.

Et soudain il ne sentit plus rien s'abattre au-dessus de lui.

J'y suis.

Du plat de la main il parcourut la surface pour s'en assurer, chercha un nouveau support sous ses semelles.

Il se hissa dans un rugissement féroce. Puis, se ratatinant sous le roc pour s'abriter, il regarda, subjugué, les éclairs fouetter la montagne tout autour de lui.

54.

Vestiges de l'auberge Le Fumet des cimes
23 juin 1494
Huit heures du soir

— Maman... Maman ? hurla Antoine, réveillé brusquement par une douleur au poignet.

Ce n'était qu'une contusion. Myriam s'en était déjà assurée. Elle referma néanmoins son bras autour de lui.

— Je suis là, murmura-t-elle pour l'apaiser.

— J'ai mal, maman... J'ai trop, trop, trop mal, pleurnicha-t-il.

C'était exagéré, elle l'entendait dans sa voix. Entrant pourtant dans son jeu, elle lui déposa un baiser sur le front.

— Je sais. Mais tu dois être courageux.

Il renifla.

— Comme un chevalier ?

— Oui, comme un chevalier... Tout ira bien, je te le promets. On va venir nous chercher.

— Quand ? insista le garçonnet, se recroquevillant un peu plus contre Myriam qui avait réussi à s'adosser à la paroi, à allonger ses jambes.

— Bientôt.

Un soupir émergea dans l'obscurité. Quelque part sur leur droite.

— J'aime ton optimisme.

Élise. Pour une fois, l'aînée de Jacquot peinait à garder le sien.

— Cela fait combien de temps à votre avis ? Combien de temps qu'on est coincés là ? demanda Catherine, près d'elle.

— Aucune idée. J'ai dormi, je crois. Et vous ? s'enquit Christine.

— Margaux somnole encore, répondit Myriam en sentant le souffle régulier de sa fille dans le creux de son autre bras.

— Et la petite ?

Un sourire confiant étira les lèvres de Myriam.

— Elle tète. Couchée entre les deux. Elle survivra.

— Je m'inquiète pour papa, trembla la voix de Catherine. Il nous a assuré qu'il allait bien tout à l'heure malgré sa chute, mais sa respiration est saccadée. Et je le trouve un peu chaud.

Un silence angoissé enveloppa à nouveau cette pièce taillée dans le roc que le miracle leur avait offerte.

Le miracle de la Madone.

Il revenait à Margaux.

Malgré sa vaillance, sa peur devant la souffrance de sa mère, le sommeil avait fauché la fillette peu après le départ d'Hersande et Adélys. Elle s'était abattue sur le lit, la tête dans un repli de son coude, s'était mise à ronfler bruyamment.

Myriam ne l'avait pas dérangée. C'était mieux ainsi.

Séverine l'avait fait lever, marcher, retourner dans le bain. En sortir, marcher de nouveau. Rien. La tête de l'enfant affleurait pourtant, Myriam la sentait, mais son corps refusait de la laisser passer. Preuve, s'il lui en fallait une, que ce petit être avait souffert lorsqu'elle était tombée pour échapper au baron, et qu'il n'était plus capable, seul, d'aller vers la vie.

Torturée par la violence des contractions, désespérée par la certitude qu'elle-même ne finirait pas la nuit, Myriam avait rendu les armes.

— Promets-moi de veiller sur mes enfants, Séverine... Quand je ne serai plus, promets-moi de veiller sur mes enfants comme tu as veillé sur moi, avait-elle murmuré en pesant plus lourdement des mains sur ses épaules.

La ventrière avait secoué la tête. Elle ne renonçait pas. Elle lui faisait face, l'obligeant à la regarder, à l'écouter, à se nourrir d'elle, de son expérience, de sa confiance, même si Myriam ne s'en apercevait pas.

— Nous n'en sommes pas là, petite. Tu es debout, tu pousses, tu cries. Tu vis encore, crois-moi.

— Mais pour combien de temps, Séverine ? Je n'en peux plus.

— Si, tu peux. Tu as pu bien plus longtemps pour Margaux ou pour Antoine.

Myriam avait davantage écarté les cuisses, cherchant autant à soulager cette douleur, devenue inhumaine, qu'à éjecter ce petit qu'elle avait cessé de croire vivant.

— C'était dans d'autres circonstances, avait-elle haleté.

— Justement... Tu pouvais te reposer sur Pascal. Ce n'est plus le cas. Antoine et Margaux ont besoin de toi. Bats-toi. Qu'il soit mort ou vif, tu dois mettre cet enfant au monde. Sauver ta vie si tu ne peux sauver la sienne, l'avait encouragée Séverine.

— Que la Madone me vienne en aide ! avait imploré Myriam, torturée par la souffrance.

Quelques secondes plus tard, Margaux s'était réveillée dans un hurlement :

— Il ne faut pas rester là !

Myriam n'avait pas réagi, tout à l'effort d'une énième et infructueuse contraction. Margaux avait bondi, saisi les deux femmes, l'une par la manche, l'autre par le bras, les avait secouées.

— La Madone. Elle dit qu'il faut descendre dans la glacière. Maintenant ! Maintenant, maman !

Malgré la pression qu'exerçait Myriam sur le haut de ses épaules, Séverine s'était tendue comme la corde d'un arc. Elle savait que les injonctions de la Madone ne se discutaient pas. C'était approximativement à l'âge de Margaux que la Vierge était apparue à Adélys.

— D'accord. D'accord, Margaux. Passe devant, avait-elle aussitôt décidé, blême.

— Non. Je vous attends !... Vite, maman ! Vite, avait insisté la fillette malgré la souffrance qui déformait les traits de sa mère.

— Descendre l'escalier ? Dans cet état ? Non, chérie, refusa Myriam. Je n'en suis pas capable.

— Si, tu l'es. Et tu le dois. Tu as imploré la Madone et la Madone t'a répondu, Myriam. Il faut lui obéir, avait insisté Séverine en lui jetant le drap sur les épaules pour qu'elle s'y enroule.

Enfermée dans son sentiment d'impuissance, Myriam s'était entêtée.

— C'est inutile. Je n'irai nulle part.

S'agrippant désespérément à elle, Margaux avait alors éclaté en sanglots.

— S'il vous plaît, maman ! S'il vous plaît. On va tous mourir si on reste là...

Myriam avait senti son cœur se broyer. Jamais elle n'avait vu sa fille dans un tel état. La terreur la mangeait. Peu importait la nature du cauchemar dont Margaux ne parvenait à s'extraire, elle devait y mettre fin.

— Aidez-moi toutes les deux, avait-elle cédé alors que la douleur recommençait.

Vaille que vaille, souffrant mille morts, serrant les dents mais poussant à chaque pas dans le couloir, puis plus encore à chaque marche, elle était finalement arrivée au seuil de la grand-salle que les filles préparaient pour le dîner.

— Allons bon ! Voilà autre chose ! s'était exclamée Élise, si saisie par cette vision ahurissante, qu'elle en avait laissé choir un cruchon de vin.

Alertée par le fracas, Catherine était sortie de la cuisine pour s'indigner à son tour.

— Vous n'entendez pas la faire accoucher ici, Séverine ?

— Pas ici. Dans la glacière. Et vous y descendez avec nous. Ordre de la Madone ! avait imposé Séverine.

À l'évocation de la Sainte Vierge, les trois filles avaient réagi aussitôt.

— Papa ! avait appelé Christine en abandonnant son balai.

— Papa ! avaient réitéré en chœur les deux autres en la rejoignant pour soulager Séverine.

Essuyant ses grosses mains à son tablier, Jacquot s'était aussitôt imposé dans l'encadrement du passage entre les deux pièces.

— Par la Madone ! s'était-il signé devant le spectacle de ses filles soutenant, tirant, poussant Myriam, nue sous son drap, vers l'entrée de la glacière.

— On a besoin de vous, Jacquot. En bas. Maintenant ! avait lancé Séverine pendant qu'Élise ouvrait la porte.

Bousculé par Antoine qui ne voulait plus que rejoindre sa mère et sa sœur, Jacquot n'avait pas cherché à comprendre.

— J'attrape la lanterne et j'arrive, avait-il dit.

Il descendait l'escalier, son falot allumé à la main, pour les rejoindre au bas de cette vaste pièce carrée, quand la montagne s'était mise à trembler. Si violemment qu'en quelques secondes à peine tout s'était effondré. Les marches avec Jacquot dessus, jurant, les étagères avec leurs réserves de confit, de miel, de viande séchée. Ce, tandis que roulaient les tonneaux de vin et de cidre, qu'éclataient les ustensiles et que volaient les jambons et les outils.

Dans l'obscurité retombée tout s'était mélangé, cris de terreur, de douleur, fracas des objets.

Protégée des impacts par le rempart que lui avait offert Séverine, le dos collé à cette paroi qui vibrait, les jambes compressées par les bras de ses enfants recroquevillés, Myriam était parvenue à rester debout. Jusqu'à ce que Séverine s'effondre soudain devant elle, lui arrachant un hurlement d'effroi.

Lorsque tout s'était enfin arrêté, elle avait pu s'accroupir, l'examiner. Séverine ne bougeait plus. Myriam avait cherché son visage, senti un sang épais lui coller aux doigts, trouvé ses yeux, sa bouche grands ouverts. C'était fini.

Il faisait noir, l'air empestait la poussière, la crème au caramel, le jambon et le vin. Margaux remerciait la Madone, Antoine pleurait. L'on toussait, crachait, soufflait, s'appelait, tentait de se rassurer les uns les autres.

Choquée, bouleversée par la mort de Séverine, mais ne songeant déjà plus qu'à ramener ses enfants à la surface, Myriam s'était brusquement rendu compte qu'elle ne souffrait plus.

Affolée, elle avait tâtonné sous elle, trouvé un petit corps tiède, gluant.

Dans la violence de ce tumulte, elle ne se souvenait pas de l'avoir mis au monde.

L'avait-elle seulement fait ? Il était immobile.

Un sanglot avait envahi sa gorge. En même temps qu'une prière, muette, à celle qui avait essayé de les sauver, elle, ses enfants, sa famille.

De grâce, Très Sainte Mère…

Elle avait recueilli le bébé entre ses mains en coupe, l'avait porté à son sein nu avec tout l'amour qu'il lui restait à donner. Il s'était réveillé au contact de sa chair, dans un petit cri, appelant le rire de Margaux, le « Oh ! » émerveillé d'Antoine.

Et apportant au cœur de chacun, pour un temps du moins, une lumière dans l'obscurité.

55.

Prieuré d'Utelle
23 juin 1494
Neuf heures du soir

Des trombes d'eau s'abattaient désormais sur le village. Et comme tous ceux qui, jusque-là et depuis plusieurs heures, s'étaient activés au milieu des décombres en quête des disparus, Benoît écoutait les consignes du maire dans le réfectoire du prieuré, encore debout bien que quelques tuiles fussent tombées. Le plafond peint gouttait entre deux angelots juchés sur la roue du moulin mais, de l'avis des maçons, les voûtes d'ogives étaient solides. L'ensemble tiendrait.

Ce n'était pas le cas des autres bâtiments du village.

Les bâtisses épargnées étaient rares, disséminées ici et là. Basses, de taille modeste, pour la plupart. C'était ce qui les avait sauvées. Femmes et enfants s'y étaient regroupés, le viguier ayant refusé que l'on se réfugie au château sans l'aval du baron, introuvable. Les gardes avaient fort à déblayer de leur côté pour dégager l'espace, éloigner tout danger. Le maire avait appuyé sa décision : seul le baron pourrait assumer la responsabilité d'un toit branlant, fût-ce pour les plus démunis. Il ne tenait pas à avoir d'autres victimes. Beaucoup trop de gens manquaient encore à l'appel.

— Nous devons, avant tout, nous enquérir de l'endroit où ils se trouvaient lorsque cela a commencé. Cela nous fera gagner du temps. Vous en avez sorti deux, indemnes, tout à l'heure, de la Halle. Nous en trouverons d'autres, miraculeusement épargnés mais bloqués par des amoncellements de débris. Ou blessés et espérant du secours. Cognez sur les pierres, appelez. Il faut tout faire pour les sauver, insistait-il.

Quatre maîtres d'œuvre dont le verrier et le charpentier étaient allés déposer leurs outils dans leurs chambres quand la terre avait commencé à trembler. Ils manquaient toujours à cette heure. Et pour avoir vu ce qu'il restait de cette partie-là de l'auberge, Benoît n'avait pas plus d'espoir de les retrouver vivants qu'il n'en avait de revoir Myriam.

Il s'était fait à l'idée qu'elle ne soit plus. Il en était inconsolable, avait l'impression que sa poitrine était lacérée chaque fois qu'il inspirait, mais une part de lui était soulagée. Dieu, il ne voyait que lui, lui avait épargné sa besogne infâme. Il n'admettait simplement pas que Margaux, Antoine ou même Jacquot à qui il avait laissé le garçonnet aient été terrassés. Tout comme Élise, Christine, Catherine, et une dizaine d'autres, hommes, femmes, enfants et vieillards dont on était sans nouvelles.

Si la violence de l'orage, l'obscurité précoce, avaient amené les plus courageux à abandonner les recherches, Benoît avait été le dernier à renoncer. Et encore, seulement parce que le prieur Grimaldi s'était posté devant lui, sur ce bloc qu'il voulait déplacer, en lui criant :

— Assez... !

À cet instant seulement, Benoît avait pris conscience que, comme lui, le religieux était trempé. Que, comme lui, il s'était démené dans ce qu'il restait de l'auberge, malgré son épaule blessée.

Ils ruisselaient toujours, l'un à côté de l'autre dans cette salle, écoutant le maire avec les hommes du village rassemblés en arc de cercle autour de lui.

— Bien, conclut ce dernier depuis le tonneau sur lequel il s'était juché. Rejoignez vos familles, interrogez-les et reposez-vous jusqu'à ce que la pluie s'arrête. Ensuite nous pourrons allumer des flambeaux et nous remettre au travail.

— Pardon, m'sieur l'mair' ! J'suis l'Patrice ! L's'cond d'maît'Jacquot..., intervint un homme, le front cerclé d'un pansement, le visage marbré de noir et de bleu.

Benoît le reconnut aussitôt pour l'avoir vu en cuisine quand le baron avait ramené Myriam.

— J'viens just'd'arriver. À caus'qu'j'étais ensucat[1], poursuivit-il.

— Oui. On m'a dit que tu avais été retrouvé dehors. Une sacrée chance, ajouta le maire, qui comptait toujours deux disparitions dans sa famille.

Fort de son importance, l'homme avança d'un pas, s'arrêta.

— On p'dir' ça... J'v'nais d'sortir quand ça a s'coué. J'suis encor'tout confus à caus'd'c't'badola[2], mais c'rois ben qu'si on dégag'la glacièr', on z-y trouvera mon maît' et d'aut'. J'l'a entendu dir' qu'y z-y descendaient avec l'p'tiot, la Myriam et aut' doumaisell.

---

1. Assommé, en patois nissart.
2. Bosse à la tête, en patois nissart.

Le cœur de Benoît se suspendit dans sa poitrine. Il se détacha du nombre, l'interpella :

— Myriam ? Tu es sûr ? Pour ce que j'en sais, elle était dans sa chambre, en couches…

Un sourire fleurit le visage marqué du premier commis.

— J'sais, mait'Benoît ! Mêm' qu'c'est vous qu'avez m'né m'sieur l'baron à l'escalier, quand y l'a ram'née d'la comb'd'où qu'elle avait chu, mais moi j'dis qu'elle y était pu quand ça a s'coué. J'dis qu'elle v'lait du frais. Mêm'qu'les aut' ça les a fait rir', pas qu'y s'moquaient, on l'aim' ben, la Myriam, mais l'fatras du bas, c'est pas l'confort d'une étab' pour pond' un jésus.

Quelques rires fusèrent, portés par l'espoir qu'il soulevait.

— Et vous pensez que la glacière a pu les protéger ? insista le prieur à son tour, fauchant la même question sur les lèvres de Benoît, emporté d'un espoir fou.

— Dam' ! Que d'la roch'. À moins qu'la montagn' s'soit coupée en deux d'ssous, moi j'dis qu'ça vaut la pein' d'creuser.

— Je le crois aussi, l'approuva le maire, réjoui. Que tous ceux qui se portent volontaires derrière maître Benoît soient à pied d'œuvre dès que cette fichue pluie se sera calmée.

— Je ne pense pas que cela pourra attendre, intervint Benoît dont l'œil venait d'être attiré au plafond par le ventre d'un des chérubins qui s'arrondissait de seconde en seconde.

— Et pourquoi cela ? s'inquiéta le maire.

Benoît n'eut pas le temps de répondre que l'outre de plâtre creva, libérant aussitôt le passage à une trombe d'eau en provenance du toit.

— Pour la même raison que celle-ci, poursuivit le prieur en désignant la flaque qui grossissait sur les pavés. Si tout ce monde est dans un trou, avec ce qui tombe dehors…

— Ils seront noyés avant que l'on n'ait commencé à déblayer, termina Benoît en réprimant un frisson.

Il pivota d'un bloc, se dirigea d'un pas vif vers la porte.

— Avec lui ! Avec moi ! lança le prieur dans le brouhaha que venait de réamorcer sa conclusion.

Tous, menés par le maire, le prieur et le viguier, furent bientôt dehors à vouloir rattraper Benoît. Mais il s'était mis à courir sous cet orage qui refusait de quitter la vallée. Il remontait la rue à la lumière des éclairs, le visage inondé.

Myriam, les enfants, Jacquot, les filles…

Il ne savait lequel, de Dieu ou du diable, les avait conduits dans cet enclos, à l'abri. Mais il savait une chose : minuit n'avait pas encore sonné.

Il pouvait soit laisser cette cuve se remplir pour la tuer elle. Soit les sauver. Tous.

Et son cœur, en renaissant dans sa poitrine, venait de trancher.

56.

Glacière de l'auberge Le Fumet des cimes
23 juin 1494
Neuf heures trente du soir

— Qu'est-ce ? s'écria Christine en s'arrachant à sa somnolence.

Elle y répondit aussitôt, dans un second cri d'angoisse.

— De l'eau ! Bon sang, on est dans l'eau !

Myriam émergea difficilement de sa torpeur. Tout en elle avait fini par se détendre, sombrer profondément. Pour la première fois depuis longtemps, malgré l'inconfort de leur posture, elle avait cessé d'avoir mal, d'avoir peur. Ses trois enfants étaient saufs, elle aussi. On les sortirait de là. Elle en avait la conviction. Une conviction inébranlable.

Jusqu'à cet instant.

Évitant de brusquer ses enfants, elle resta immobile, les épaules appuyées au mur pour garder le buste surélevé, les jambes allongées. Retirant sa paume de la tête de sa petiote, elle la posa délicatement à terre, se crispa. Christine avait raison. Un filet d'eau tiède lui recouvrait les doigts.

Voilà pourquoi cela ne m'a pas alertée. Le drap s'est imbibé sous mes fesses et mon dos, mais je suis restée dans ma propre chaleur et celle des enfants.

Anxieuse, elle entendit les filles se lever brutalement.

– D'où cela vient-il ? s'enquit Élise, inquiète.

– D'en haut. Je sens l'eau ruisseler dans mon cou, reprit Christine.

– Je viens de recevoir une goutte sur la tête, sursauta Catherine.

– Il pleut et l'eau s'infiltre au travers des gravats, là où se trouvait l'escalier. La glacière est grande et profonde... Pas de quoi s'affoler, en conclut Myriam, déterminée à rester objective.

– Je ne suis pas de ton avis, écoutez ! ordonna Élise.

Un grondement venait de sourdre au-dessus de leurs têtes, le bruit du ruissellement d'augmenter d'un coup sur leur droite.

– Ce n'est pas juste de la pluie, c'est un déluge ! Le niveau monte.

Myriam déglutit. Elle venait de s'en apercevoir, elle aussi. En quelques secondes l'eau avait atteint ses chevilles.

Elle refusa pourtant de céder à la panique.

– Il nous reste encore du temps avant d'être submergés. Et nous pourrons toujours constituer un plancher avec les étagères, les tonneaux et les marches de l'escalier.

– Sans lumière ? ricana Catherine que l'idée de périr noyée avait toujours terrifiée.

– Avec deux enfants et un nouveau-né ? appuya Christine.

– Ça suffit ! Myriam a raison. Ce n'est qu'un orage. Si violent soit-il, pour l'instant, il ne menace que notre confort. Il faut rester calmes. Soudés. Nous sommes alertes. Et nous savons toutes ce qu'il y a dans cette cave. Alors rassemblons nos idées, récupérons ce qui peut nous servir et agissons, imposa Élise, son autorité naturelle retrouvée.

— Oui, oui, bien sûr…, s'apaisa aussitôt Christine que l'impétuosité de sa sœur avait toujours fascinée.

— Désolée. Vous savez dans quel état l'eau me met, s'excusa Catherine, dont la voix tremblait.

Myriam consentit à se détendre un peu. Le bloc de leur complicité était là, solide. Unies, efficaces, elles survivraient.

— Avant de commencer, il faut que l'on se repère dans l'espace. Où es-tu, Christine ? demanda Élise.

— De ce que j'entends, à ta gauche. Tends ta main, tu devrais trouver la mienne.

— Je t'ai. À toi, Catherine.

Myriam suivit le bruit de ses pas dans l'eau, jusqu'à ce qu'il s'arrête et soit remplacé par celui de leurs accolades. Un profond sentiment de tendresse remonta en elle, la fit resserrer ses bras autour de ses enfants. Ils ne bougèrent pas. Sa main revint à la petite, endormie, elle, sur ses seins. Elle la sentit frissonner d'aise sous sa caresse. S'en rassura. Tout allait bien. Tout irait bien.

— Réveillons papa à présent, décida Élise en s'arrachant à l'étreinte de ses sœurs.

Myriam les devina s'accroupir, guidées par Christine.

— Papa ! Il faut bouger ! l'appela cette dernière, avant d'étouffer un petit cri. Il est tout mol, Élise. Crois-tu qu'il puisse être… ?

— Pousse-toi, la pressa son aînée.

Au froissement de l'étoffe, Myriam comprit qu'elle s'était remise à palper Jacquot.

— Je ne trouve toujours rien d'anormal sous mes doigts.

— Mais il a pris un coup sur la tête et il est resté inconscient un long moment tantôt avant de revenir à lui, se mit de nouveau à trembler la voix de Catherine.

— On ne meurt pas après coup d'une belle bosse. Je suis sûre qu'en le secouant un peu…

Christine manqua s'étrangler.

— Secouer papa ? Comme tu y vas…

— Et que veux-tu qu'il me fasse ? Qu'il me morde ?

— Cela se pourrait, renchérit Catherine, guère plus téméraire face au caractère, parfois explosif, de leur père.

— Eh bien, au moins, cela prouvera qu'il va bien. Papa ! Réveille-toi papa !… Papa, tu m'entends ? Grogne, rouspète, dis quelque chose, s'il te plaît ! le bouscula Élise.

Comme Catherine et Christine, Myriam retint son souffle. Connaissant le personnage, soit il réagirait, soit il était mort.

— Allez, feignasse ! Debout ! insista Élise.

— Humm ?… Élise ? Quelle heure est-il ? Et pourquoi me trifouilles-tu la tête ? s'éleva enfin une voix aussi surprise que courroucée.

Un même rire soulagé les emporta toutes les quatre. Conjuguant les effets de sa bosse et des effluves de vin, Jacquot s'était laissé happer par un profond sommeil.

Bien joué, Élise, s'attendrit de nouveau Myriam en songeant qu'il faudrait bientôt arracher aussi Margaux et Antoine aux bras de Morphée.

— Christine ? Catherine ? Vous êtes là, vous aussi ?

— Tout va bien, papa ! Tout va bien.

— Certainement pas. Il fait noir. Depuis quand économise-t-on les bougies dans cette maison ?

— Depuis que nous sommes prisonniers de la glacière. Sans feu, lui rappela Christine.

— La glacière ? Bon sang, je ne comprends rien à ce que tu racontes, ma fille. Pourquoi suis-je mouillé ? Je ne me suis pas fait dessus quand même ? Mais enfin que se passe-t-il ici ?

Un lourd silence tomba entre elles, et Myriam eut l'impression de respirer leur inquiétude.

Son coup à la tête lui a tout de même laissé des séquelles. Importantes ?

Suivant sans doute le même cheminement d'idées, Élise demanda :

— Quelle est la dernière chose dont tu te souviennes ?

Myriam eut l'impression que Jacquot fouillait dans sa mémoire, car il resta muet un moment avant de rire.

— Ce chenapan d'Antoine dans mes pattes, ouvrant les bocaux, plongeant ses doigts dans la farine et piquant ma coiffe pour se la mettre sur la tête.

— Rien après cela ? insista Christine à son tour.

— Le tremblement de terre, l'escalier fracassé sous tes pieds ? ajouta Catherine.

Un silence, puis un soupir douloureux.

— Ah… ce n'était donc pas un cauchemar…

— C'était bien réel, papa. Et nous sommes toujours prisonniers, se lamenta Élise.

— Myriam ? s'enquit la voix triste de l'aubergiste.

— Je vais bien, Jacquot, et les enfants aussi.

— Alors nous nous en sortirons. Quoique… dites, c'est une idée ou le niveau est monté d'un coup autour de moi ?

Réveillant brutalement ses enfants, Myriam s'était déjà redressée. Le flux venait brusquement de lui recouvrir le haut de la taille et de menacer son bébé.

57.

Vestiges de l'auberge Le Fumet des cimes
23 juin 1494
Onze heures du soir

Les hommes ruisselaient autour de Benoît. Casqués par des trombes d'eau, l'arête du nez servant de gouttière, le visage penché vers les décombres, ils respiraient à peine. Ils défiaient le vent tourbillonnant qui interdisait toujours aux nuages de quitter la vallée, déblayant sans relâche, à la lueur dantesque des éclairs d'un bleu glacier qui zébraient la montagne. Refusant de penser qu'à tout instant l'un d'entre eux pouvait se retrouver immolé.

— Êtes-vous sûr de l'endroit ? s'enquit une nouvelle fois le prieur Grimaldi en s'arrachant la voix pour couvrir le tumulte.

Benoît hocha la tête.

Bien qu'ayant cessé d'avoir le moindre doute, il persistait à refaire ses calculs sans répit, se fondant sur les angles des murs tronqués, sur l'arche branlante d'une porte, sur l'emplacement de l'un des fours, miraculeusement épargné. Chaque fois il arrivait au même résultat : l'escalier qui descendait à la glacière se trouvait sous l'éboulis du mur mitoyen de la cuisine.

Juste là, sous ses pieds.

Ils avaient déjà évacué tuiles brisées, poutres et poutrelles, scié et écarté les morceaux de la charpente. Ils n'en étaient plus qu'à la dernière épaisseur, constituée par les moellons.

Il est temps de s'assurer que tout cela n'est pas vain, décida-t-il, rongé par une anxiété nourrie d'espoir.

Il se redressa, offrit son visage aux éléments déchaînés, héla les trois hommes les plus proches.

— Cognez au sol, aussi fort que vous le pourrez. Trois coups puis deux puis trois, puis deux... et tendez l'oreille. Recommencez régulièrement, ordonna-t-il lorsqu'ils furent devant lui.

Ils acquiescèrent, se mirent aussitôt à leur nouvelle besogne.

Ils touchaient au but, il en était certain, mais serait-ce à temps ? Si, en s'effondrant, le plafond de la salle à manger avait recouvert la montée d'escalier, il savait aussi que chaque caillou ôté offrait un nouveau passage à l'eau, transformant la glacière en citerne.

— Aidez-moi, demanda-t-il au prieur qui, comme tous, ne ménageait pas sa peine.

Grimaldi s'accroupit, entreprit de dégager les pourtours de la pierre que Benoît cherchait à soulever. Prise par des dizaines d'autres, plus petites, elle refusait de bouger.

— Elle semble faire bouchon. Vous ne craignez pas qu'en la retirant l'eau déferle d'un coup en bas ? cria-t-il.

— Si ! Mais nous n'avons pas le choix.

Grimaldi dégagea le dernier morceau qui gênait.

— C'est quand vous voulez.

Benoît allait réessayer lorsque l'un des hommes chargés d'établir le contact se mit à hurler.

— Ils répondent ! Noël ! Ils répondent !

Benoît sentit la main du prieur se refermer sur son épaule. Il se dégagea avec douceur. Chaque seconde que ces hommes autour de lui prenaient à s'accoler était une de perdue pour les prisonniers.

— Nous nous réjouirons plus tard, mon père. Si ce déluge le permet.

— Vous avez raison. Nous ne devons pas nous relâcher.

Le prieur Grimaldi plongea ses mains sous le bloc pour faire levier.

— Je suis prêt. Allez-y.

Benoît s'échina sur la pierre.

— Elle résiste toujours, la bougresse ! rugit-il, les muscles tétanisés sous l'effort.

— Elle doit être plus grosse que ce que l'on en voit...

— Sûrement.

Il insista, avant de s'immobiliser brusquement au geste du prieur.

— Écoutez..., s'écria Grimaldi, certain d'avoir perçu une voix étouffée.

Benoît s'agenouilla, colla son oreille juste à côté de la sienne. Ensemble, ils s'efforcèrent de faire abstraction du vacarme de la pluie sur les gravats.

— Ils sont là ! Juste là, je te dis ! finirent-ils par entendre.

— Antoine ! C'est Antoine, affirma le prieur en se redressant le premier.

Benoît esquissa un sourire. Lui aussi avait reconnu le timbre aigrelet du garçonnet.

Ne pas me laisser distraire, emporter par la joie. Pas encore... d'autant qu'en retirant ce moellon d'autres peuvent s'effondrer sur les enfants.

Il colla ses lèvres au sol, hurla à son tour :

— Écarte-toi, petit ! Rejetez-vous tous au fond !

Il leur laissa quelques secondes, le temps de se relever et de se remettre en position, puis, de nouveau, tenta de décoller le bloc.

— Je n'y arriverai pas ainsi, comprit-il à la troisième tentative.

— Des barres ! Vite ! réclama le prieur, arrivé au même constat.

Deux hommes accoururent, munis de fers.

— Ici… et là, leur indiqua Benoît en désignant les points d'appui des leviers.

Quelques secondes plus tard, la pierre était rejetée par côté, dégageant un orifice suffisant pour laisser passer les petits.

La tête d'Antoine apparut soudain, puis ses épaules.

— Benoît, Benoît ! s'époumona-t-il, soulagé.

Benoît le souleva dans ses bras. Il voulut l'y serrer, mais le garçonnet le repoussa.

— Faut faire vite. L'eau arrive aux épaules de maman.

Saisi par l'urgence, Benoît s'en fut à pas vifs le confier au maire qui accourait pour l'emmener au sec. Il le lui déposait dans les bras lorsqu'un cri le fit se retourner. Le prieur Grimaldi et Jean le ferronnier essayaient de dégager Margaux. Elle avait réussi à passer la tête et la poitrine mais restait coincée à hauteur des hanches.

— Benoît ! hurlait la fillette, terrifiée.

— Tout ira bien, je te le promets, bonhomme, lança Benoît à Antoine avant de repartir en courant.

Revenu au bord du trou, il s'accroupit au niveau du visage de la fillette.

— Cesse de t'agiter. On va te sortir de là. Dis-moi plutôt qui se trouve en bas…

Margaux s'efforça au calme. Le prieur et le ferronnier dégageaient quelques pierres autour d'elle. Le panetier avait tendu sa pèlerine au-dessus de sa tête pour la protéger de la pluie, l'aider à mieux respirer. Et Benoît pressait sa main avec tendresse.

Elle inspira profondément.

— Maman, Jacquot et ses trois filles. Séverine a été tuée.

Benoît refusa de s'émouvoir. Il ne devait avoir en tête que les vivants, seulement les vivants, et l'image de Myriam se tordant de douleur en couches ne cessait de l'obséder.

— C'est bon ! annonça le prieur.

Le panetier s'écarta.

— Des blessés ? demanda encore Benoît en extrayant enfin Margaux.

Elle s'accrocha à son cou, secoua la tête.

— Légers. Tout le monde va bien. Mais ça ne va pas durer…

— Oui, nous savons. L'eau monte vite. Nous allons agrandir le trou, affirma le ferronnier en saisissant déjà l'une des barres de fer.

— Non, non. Pas encore. Posez-moi, Benoît, supplia la fillette.

Il obtempéra, la vit se précipiter au bord et s'y agenouiller en hurlant :

— C'est bon, maman ! Ils vont vous sauver ! Passe-moi Marie.

Bouleversé, Benoît vit deux mains jaillir.

Et entre elles, un petit être dodu qui s'époumona lorsque sa sœur l'emporta.

58.

Chemin de Notre-Dame
23 juin 1494
Onze heures trente du soir

La pluie avait cessé. D'un coup. Dans une bourrasque qui avait courbé la cime des grands pins encore debout. Décrochés enfin de la vallée, les nuages roulaient à présent vers l'est. Ne restaient plus, de-ci, de-là, que quelques gouttes qui se détachaient des branches agitées par le vent. Et, dans ce ciel de traîne, le visage rond de la lune.

C'est fini... Très Sainte Mère, merci de m'avoir épargnée une fois encore, murmura Camilla devant ce spectacle désolant.

Le séisme l'avait surprise à mi-chemin du village. Ne pouvant espérer aucun refuge sur cette sente à flanc de montagne, elle avait cru sa dernière heure venue. Lors, elle s'était assise et, tout en recommandant son âme à la Madone, avait attendu sa fin.

Quand le tremblement de terre s'était arrêté, elle avait ouvert les yeux, incrédule. Son long corps maigre, encerclé par des amas de pierres et de branches, était indemne.

Sa première réaction, après en avoir remercié la Vierge, avait été de remonter pour porter secours aux nonnes.

Mais elle s'était immobilisée au bout de quelques pas. Elle ne souffrait plus, ne boitait plus depuis qu'elle avait pris la décision de quitter le plateau et d'agir. Preuve pour elle que la Madone lui donnait sa bénédiction. Comment pouvait-elle maintenant douter d'elle ? Douter qu'elle eût également protégé les âmes du sanctuaire ?

Elles sont sauves. À l'abri, s'était-elle convaincue en reprenant son chemin vers Utelle, défiant tout ce qui ferait obstacle à sa ténacité et à sa foi, inébranlables.

Lorsque la pluie avait commencé à tomber, elle n'était plus qu'à quelques pas de la source. Ahurie, elle avait découvert que le dais de tuiles qui en protégeait l'accès était toujours intact. Devant la violence du déluge, elle s'y était réfugiée.

La Madone l'avait protégée. Des heures durant, Camilla n'avait eu à souffrir que de l'humidité. À présent que l'orage s'éloignait, elle se sentait plus vive que jamais.

Elle étira ses jambes, craignant un regain de cette douleur qui l'avait épuisée des mois durant, mais il n'en fut rien. Le mal l'avait bel et bien quittée. Elle sortit de son abri et s'en fut s'immobiliser de l'autre côté du sentier.

D'ordinaire, en plein jour, on bénéficiait là d'une vue plongeante sur Utelle. Las, malgré la clarté lunaire, elle ne put évaluer l'ampleur des dégâts. Elle ne distinguait au loin que quelques silhouettes, et peinait à reconnaître ce paysage qui lui était jadis si familier. Sa seule certitude fut celle d'un grand vide en place du clocher de Saint-Véran.

Elle frissonna.

Inutile de se leurrer. Ils ont été touchés. Qu'en est-il de Myriam, d'Hersande à cette heure ? Combien de temps me faudra-t-il encore à escalader des blocs, à contourner des branches avant de le découvrir ? Cette pluie n'a pas dû arranger l'état du chemin, soupira-t-elle, avant de se ressaisir.

Pardonnez-moi, Très Sainte Mère. Vous veillez sur elles comme vous veillez sur le sanctuaire et sur moi, je le sais.

Elle reprit sa marche, refusant d'embraser la torche qui pendait à sa ceinture pour pallier le manque de clarté lorsque la lune disparaissait derrière un nuage. Elle avait trop souvent besoin de ses deux mains pour dégager le passage. Comme si le nombre de débris qui encombraient la sente n'était pas suffisant, des torrents d'eau sale et de boue dévalaient des hauteurs. Elle dut relever sa bure, tremper ses souliers, se retenir à la paroi pour les traverser sans être emportée. Une fois, deux fois.

À la troisième, elle franchit la coulée sans ralentir l'allure.

Elle approchait d'un lacet, ravie de son regain d'assurance, quand son regard accrocha les cadavres de deux mules sur le bas-côté. L'une gisait, à demi éventrée par la chute d'un roc, l'autre était encore attachée à un arbre sectionné en deux.

La pauvre bête a dû tenter de s'en libérer. Elle n'a réussi qu'à s'étrangler avec sa corde, comprit-elle, inquiète du sort de son propriétaire.

Elle approcha, sentit aussitôt son cœur se tordre dans sa poitrine.

La selle d'Hersande ! Doux Jésus, c'est la selle d'Hersande !

Affolée, abandonnant toute prudence, elle se précipita sur l'animal. La mule avait mis du temps à mourir. Sa langue pendante, ses yeux révulsés l'attestaient. Crispée sur son angoisse, Camilla en fit le tour, autant que le lui permettaient les débris végétaux.

Personne.

Fébrile, comprenant que l'autre monture était celle d'Adélys, elle se mit à chercher dans l'éboulement.

Rien... Pourtant elles se sont arrêtées là. Avant le séisme. Au moins Hersande. J'ai reconnu sa manière de nouer le licol.

De plus en plus terrifiée, elle plaça ses mains en porte-voix, cria :

— Hersande ! Adélys ! M'entendez-vous ?

Elle retint son souffle, guetta.

Seul le murmure du vent s'ajouta au ruissellement de l'eau. Elle approcha du bord, recommença, plus fort.

— Hersande ! Adélys ! M'entendez-vous ?

À la troisième tentative, il lui sembla percevoir un gémissement en contrebas. Si faible pourtant qu'elle se prit à douter.

Je dois aller vérifier... mais cela ne va pas être facile, jugea-t-elle au fatras qui lui barrait le passage.

Elle entreprit de descendre prudemment, en se tenant aux plus grosses branches. Elle ne put s'empêcher pourtant de glisser sur une plaque de boue. Elle se rattrapa de justesse, empêtrée par la longueur de sa robe, attendit que les battements de son cœur s'atténuent, puis, tant bien que mal, enjamba un tronc abattu.

Craignant de déraper à nouveau, elle s'y adossa.

— Hersande ? Adélys ?

Un râle discret s'éleva plus bas, sur sa droite.

Elle fouilla le versant du regard.

Les troncs s'y enchevêtraient, les racines y saillaient, seuls les argousiers et les châtaigniers en touffe étaient encore debout, mais dévastés, écrasés par les couronnes des sapins.

Comment être certaine d'y trouver quelqu'un avec cette clarté que les nuages me volent par intermittence ?

Elle allait se décourager lorsque son œil s'attarda sur une silhouette près d'un gros rocher, dans une vaste fondrière. Une silhouette recroquevillée, à demi couverte par des ramures. Elle hésita. À cette distance, avec si peu de lumière, une branche pouvait aussi bien donner l'illusion d'un corps.

Prendre le risque de glisser, de m'écraser dessus ? Sainte Mère, éclairez-moi de votre prescience, supplia-t-elle.

La lune réapparut, déligna le détail d'une main.

Le cœur suspendu, elle descendit la ravine à pas comptés, peinant à garder l'équilibre. Elle parvint enfin juste au-dessus de la nonne, en reconnut les formes généreuses.

– Hersande !

Camilla dévala la pente, plus douce, qui les séparait encore.

C'est alors qu'elle remarqua, horrifiée, cette tuméfaction qui défigurait l'herboriste.

59.

Chemin de Notre-Dame
23 juin 1494
Onze heures quarante du soir

— Vous n'avez plus rien à craindre, Hersande. C'est moi, c'est Camilla ! tenta de la rassurer la sœur portière après l'avoir débarrassée des ramures qui lui recouvraient les hanches.

Une fois de plus elle avait rendu grâce à la Madone. S'il n'y avait eu ce gros rocher pour arrêter la chute de l'arbre, Hersande aurait été écrasée.

Elle s'agenouilla près d'elle, alarmée par l'état désastreux de son profil gauche.

Elle a dû dévaler la ravine au moment du séisme. Elle serait morte, seule, dans ce chaos végétal, si je n'étais passée par là…, comprit-elle devant sa bure déchiquetée qui laissait apparaître un grand nombre de griffures et de petites plaies.

Hésitant encore à la bouger, elle lui caressa l'arrondi de l'épaule. Se demanda si le crâne lui-même n'avait pas été endommagé irrémédiablement. Si elle était toujours en mesure de percevoir la réalité.

Il n'y a qu'un moyen de le savoir.

— Reconnaissez-vous ma voix, mon amie ?

— C...lla, murmura-t-elle dans un souffle à fleur de roche.

Camilla saisit délicatement sa main, la serra.

— Que la Madone soit louée, vous êtes toujours vous-même ! C'est bien. Ne parlez pas. Votre visage est trop tuméfié pour que j'en sois sûre, mais je crois que l'os de votre pommette est cassé. Tout comme celui de l'arcade sourcilière. J'imagine sans peine que vous devez être moulue de partout, mais sentez-vous autre chose de brisé ?

Elle la vit tendre ses muscles, se mettre à l'écoute de son corps. Lorsqu'elle bougea la nuque, Camilla se sentit soulagée. Elle avait craint que le choc au visage ne la lui ait déplacée, l'empêchant définitivement de se redresser.

— Pied, finit par répondre Hersande, avare de mots.

Camilla jeta un coup d'œil en direction de son mollet. Il disparaissait sous les aiguilles du sapin déraciné.

— Je m'en occupe. Restez calme. Ne vous agitez pas, lui recommanda-t-elle en détachant sa serpe de sa ceinture de hanche.

Elle entreprit précautionneusement d'ébrancher.

— Rien de grave, vous êtes juste bloquée par un entrelacs, la rassura-t-elle en apercevant sa cheville.

Elle continua son travail de sape jusqu'à la dégager complètement.

— Vous pouvez ramener votre jambe à présent. Doucement.

Hersande s'y appliqua. Camilla comprit qu'elle hésitait encore à bouger son torse, à soulever sa tête de peur que la douleur ne la foudroie.

Il va pourtant le falloir. Je ne peux pas l'abandonner pour aller chercher du secours. À présent que l'orage est passé, les odeurs de sang vont resurgir, attirer les loups, les charognards. Elle ne sera pas en mesure de se défendre. Ma torche pourrait bien les repousser un moment, mais elle finira par s'éteindre. Non... Il faut que je sache si, soutenue, elle sera capable de marcher, d'enjamber ou de contourner les obstacles pour atteindre le village.

— Je vais vous redresser. Ce sera sans doute douloureux, Hersande, mais, vous le savez mieux que moi, c'est le seul moyen que nous ayons pour estimer votre état réel.

— Oui, articula l'herboriste.

Camilla lui souleva le bras, le passa autour de sa nuque, attendit qu'il s'y verrouille, puis lentement la fit pivoter jusqu'à l'asseoir devant elle contre le rocher.

— Vertiges ?

Hersande répondit en lui agrippant solidement les bras.

— Attendons qu'ils passent. Je ne bouge pas.

Camilla resta immobile, sans mot dire, accroupie pour la maintenir droite, priant pour qu'elle recouvre vite le contrôle d'elle-même.

Hersande ouvrit les yeux. Le droit, emprisonné par le gonflement de la paupière, l'éclatement de la pommette et de l'arcade sourcilière, n'était plus qu'un trait larmoyant. Comme l'autre cependant, il était empli de reconnaissance.

— Doux Jésus, dans quel état je vous retrouve..., se désola Camilla. Laissez-moi arranger cela.

Elle récupéra un mouchoir dans sa poche, le trempa dans la flaque. Elle allait lui décoller la boue et les aiguilles de pin du visage lorsque les doigts tremblants d'Hersande immobilisèrent son geste.

— A...lys..., articula la révérende.

La sœur portière secoua la tête. Le sort de la nonne avait cessé de l'attendrir depuis qu'elle en connaissait la noirceur. Et le moment était mal choisi pour en parler.

– Je ne l'ai pas vue. Elle gît peut-être plus loin. J'irai vérifier lorsque je me serai occupée de vous.

– Non... A...lys... frap...é... m...oi...

Camilla se crispa.

– Adélys ? C'est Adélys qui vous a fait cela ?

– Coup... bâ...ton..., lâcha tristement Hersande que chaque syllabe arrachée mettait au supplice.

Camilla se sentit submergée par un sursaut de colère. N'était-ce pas ce qu'elle avait craint en quittant le sanctuaire ? Que la jeune nonne s'en prenne physiquement à Hersande ?

L'incompréhension dans le regard borgne de l'herboriste la poignardait.

Je ne peux pas me taire, décida Camilla.

Elle soupira.

– Je suis navrée, Hersande. J'aurais dû arriver à temps pour l'en empêcher. J'ai trop traîné à m'occuper de moi. Et aussi après la lecture d'un codex découvert dans ses affaires. Elle y épanche ses frasques, des plus obscènes aux plus meurtrières. J'étais aveuglée par sa dévotion, je suis restée d'autant plus démunie devant sa perversité, ses accusations contre vous, incapable de réagir. Lorsque je me suis décidée, j'imagine que vous aviez déjà quitté Utelle.

La voyant plus troublée encore, elle lui barra les lèvres de son index.

– Non. Chaque effort que vous faites pour parler aggrave vos fractures. Et puis c'est inutile. Toutes les questions que vous vous posez ont été miennes. Je n'ai pas encore l'ensemble des réponses, mais d'après ce que j'ai lu, Adélys est complice d'une vengeance contre Raphaël et vous. Une vengeance qui, je ne sais comment, est passée par l'Ordre et la roue. Via Luquine. Je sais qu'elle est toujours en vie. C'est elle la prisonnière du diable. À cause d'un grimoire de magie dont elle m'a parlé il y a quelques mois et auquel Adélys fait référence. Vous aviez raison, Hersande. La volonté de Dieu a été pervertie. Je voulais vous prévenir, empêcher que vous ne condamniez Myriam à tort.

Une larme roula sur la joue d'Hersande. Le cœur de Camilla se broya devant la soudaine détresse de son regard. Elle secoua la tête avec compassion.

— Je sais. Vous pensez qu'il est trop tard. Pas moi. La terre a tremblé cette nuit comme jamais. J'aurais pu mourir. Vous auriez dû mourir, mais nous sommes toujours en vie…

Camilla la serra affectueusement contre son cœur.

— … Et puis, je ne souffre plus, je ne boite plus depuis que j'ai quitté le plateau pour venir à votre secours et à celui de Myriam. Je n'ai pas besoin d'autre preuve du soutien de la Madone. Et pourtant j'en ai eu, tout au long de ce chemin. Croyez-moi, rien n'est joué.

— Si... é...cou...tez..., murmura à cet instant Hersande à son oreille.

Camilla suspendit son souffle.

L'herboriste avait bien entendu. La cloche du prieuré venait de s'ébranler. Ensemble elles recomptèrent la deuxième volée :

— Douze coups.

Un frisson glacé passa de l'une à l'autre.

Quoi qu'il se soit passé au village, le sort de Myriam était désormais scellé.

60.

Glacière de l'auberge Le Fumet des cimes
Nuit du 23 au 24 juin 1494
Minuit cinq

Les vêtements trop grands de Séverine flottaient autour de Myriam. Les filles l'avaient aidée à les lui enlever puis à les passer, estimant qu'elle serait plus décente lorsque l'on viendrait les sauver. Séverine n'aurait pas voulu qu'il en soit autrement.

Pourtant cela lui avait coûté de la dépouiller ainsi, alors que son corps était solidement lesté au fond de la glacière. Séverine l'avait recueillie au berceau, l'avait aimée comme sa fille, même si, pour une raison inconnue, elle avait toujours refusé qu'elle l'appelle « maman ». Le chagrin de sa perte était immense, une plaie vive qui l'ébranlait par à-coups, rendant plus forte encore, plus pressante, sa nécessité de quitter cet endroit et de vivre.

– Qui claque des dents ? s'enquit Élise.

Serrés les uns contre les autres, tous cinq ne formaient plus qu'un bloc destiné à empêcher que l'un d'entre eux, épuisé, ne s'affaisse et ne se noie.

– Moi, répondit Catherine d'une voix chevrotante.

Une heure plus tôt, voyant que l'eau lui atteignait les omoplates, elle s'était brusquement agitée, perdant tout contrôle, déstabilisant l'empilement des objets qui composaient l'estrade sur laquelle ils avaient trouvé refuge. Les bras tétanisés à force de maintenir Marie au-dessus du flot, Myriam avait perdu l'équilibre. Jacquot, qui la serrait de près, l'avait retenue, mais tout s'était mis, plus encore, à branler sous leurs pieds.

– Tiens-toi tranquille, Catherine ! avait tempêté l'aubergiste avant de confier Antoine, qu'il portait jusque-là, à Christine.

Myriam l'avait entendu plonger.

– Il va mourir ! Nous allons tous mourir ! s'était écriée Catherine, incapable de s'apaiser.

Le bruit d'une gifle avait claqué, aussitôt suivie de sanglots convulsifs.

– Si tu continues, c'est sûr, bougre d'âne ! Soit tu te calmes maintenant, soit je t'assomme ! lui avait assené Élise.

Myriam avait senti les mains de Jacquot s'affairer autour de ses chevilles. Puis le plancher s'était stabilisé. L'aubergiste avait resurgi quelques secondes plus tard en recrachant une gerbe d'eau sur Antoine, faisant éclater de rire le garçonnet.

Ensuite tout s'était enchaîné : les coups perçus depuis la surface ; la poussière sur le nez de Christine, les cris d'Antoine assurant qu'on déblayait juste au-dessus d'eux ; la voix étouffée de Benoît, leur recommandant de se pousser ; leur angoisse de ne pas le pouvoir, celle de Myriam à voir le crâne d'un de ses enfants fracassé par la chute d'une pierre. Et enfin ce trou, si petit, mais ouvert sur la liberté.

Désormais, à moins d'une coudée de leurs têtes, des mains amies achevaient d'arracher les planches, les lambourdes et les solives enchevêtrées de l'ancien plafond de la grand-salle.

Myriam fit lentement jouer sa nuque tétanisée. Curieusement, les douleurs résiduelles de l'enfantement avaient disparu, comme si ce liquide tiède autour d'elle avait cicatrisé ses chairs à vif, remodelé ses hanches. Elle avait cessé d'avoir peur pour ses enfants dès l'instant où le dernier avait été secouru.

Elle s'efforçait juste de rester droite, de maintenir son menton à fleur d'eau, de penser à Benoît et seulement à Benoît dont elle avait perçu la voix au-dessus d'elle, à plusieurs reprises. Elle ne doutait plus de le revoir, lui et la lumière. Elle en avait envie. Besoin. Depuis que la pluie s'était arrêtée. Depuis qu'il avait sorti Margaux, Antoine et la petite Marie.

— L'intervention de la Madone, avait affirmé Élise.

Myriam voulait y croire, comme elle croyait que Pascal siégeait auprès de la Vierge, et que Benoît était un cadeau du ciel. Il avait été envoyé non seulement pour contrecarrer les projets du baron, mais aussi pour lui faire rendre gorge s'il osait s'approcher de sa fille. Myriam savait désormais qu'il lui redonnerait le goût d'aimer. Elle n'y était pas encore prête, mais elle ne doutait plus d'y parvenir.

Benoît lui plaisait, elle ne pouvait plus le nier. Peut-être aussi parce que Séverine lui avait avoué qu'elle serait heureuse de la voir de nouveau au bras d'un homme, *a fortiori* celui-là.

Un homme que Pascal avait lui aussi choisi pour me protéger.

Une part d'elle voulait y voir leur dernière volonté, à tous deux.

— Courage, Catherine. C'est pour bientôt, affirma Jacquot en l'entendant renifler.

— Tu passeras la première, assura Myriam.

— Oh, merci, merci, merci ! Je m'en veux tellement, chevrota la cadette.

Personne ne la jugeait. Elle était la seule à avoir cédé à la panique, mais tous avaient dû, à un moment ou à un autre, y faire face.

— Tu nous revaudras ça en corvées de vaisselle ! lança Christine pour la déculpabiliser.

Élise soupira, désabusée.

— Faudrait encore qu'il y ait quelque chose à laver...

— Ne vous lamentez pas. Nous sommes en vie. Le reste, cela se reconstruit avec des pierres, du courage et du mortier.

— Oui, papa, l'approuva Christine, convaincue depuis longtemps de la capacité de son père à toujours se relever.

Il l'avait déjà prouvée. Après la mort de leur mère. En les élevant, en faisant tourner l'auberge, en refusant de laisser le chagrin l'éloigner de son devoir, de sa volonté.

— Nous œuvrerons tous. Ensemble, assura Myriam en voyant enfin un rayon de lune tomber sur son visage.

Son cœur s'embrasa. Benoît venait de retirer le dernier bloc qui empêchait leur extraction. Penché au-dessus d'eux, les traits creusés par la fatigue, il souriait.

61.

Vestiges de l'auberge Le Fumet des cimes
Nuit du 23 au 24 juin 1494
Minuit dix

Le cœur de Myriam tambourinait. Jacquot avait tenu à ce qu'elle sorte juste après Catherine. Le trou, au-dessus de leurs têtes, était à présent suffisamment grand pour que deux hommes s'y penchent et les soulèvent tour à tour.

Elle ne songeait plus qu'à cela, à s'élever dans les bras de Benoît. À s'attarder un instant contre lui, lui donnant à comprendre que ces heures glacées, tourmentées, l'avaient appelée à vivre, à renaître. Qu'il pouvait à présent espérer d'elle qu'elle l'écoute, l'entende, accepte ses promesses, ses vœux.

Ensuite elle irait rassurer Margaux et Antoine, donner le sein à sa fille. Elle redeviendrait mère. En attendant d'être de nouveau femme.

— À toi, Myriam, lança enfin le ferronnier.

Elle tendit les mains au-dessus de sa tête, vit Benoît se pencher à son tour pour la saisir sous les aisselles.

Elle s'envola, jaillit sous les « Noël ! » d'une quarantaine d'hommes et de Catherine attendant d'être certaine que sa famille était hors de danger. Elle toucha enfin le sol, se sentit lâchée par le ferronnier, mais pas par Benoît.

Il avait planté son regard dans le sien. Aussi troublée que lui, elle bredouilla :

— Merci… Je…

Elle ne put achever.

Défiant toute bienséance, emporté par un élan incontrôlable, il l'avait attirée à lui.

Elle ferma les yeux au contact de ses lèvres, entendit à peine le rire joyeux des hommes autour d'eux, se laissa emporter par la fougue de ce baiser.

Tout en elle l'appelait. Comme une évidence.

Elle reprit sa respiration dans un sanglot, s'abattit contre cette poitrine qui se soulevait au même rythme dément que la sienne.

— Pardonnez-moi, murmura Benoît, confus, craignant brusquement d'avoir abusé de sa faiblesse, d'un élan de reconnaissance.

Les laissant à leurs retrouvailles, quelqu'un avait pris sa place, extrayait Christine. Ils avaient tout le temps à présent.

Tout le temps d'être l'un à l'autre, songea Myriam, bouleversée.

Elle leva son visage vers lui, sourit au milieu de ses larmes, chercha des mots pour lui dire qu'il avait fait ce qu'elle attendait. Ne les trouvant pas, elle lui enveloppa les joues de ses paumes glacées et, à son tour, l'embrassa, l'embrassa jusqu'à chanceler dans ses bras, l'obliger à lui rendre souffle, à la soulever et à la porter en direction du prieuré sous les applaudissements des hommes.

Comme une mariée, pensa-t-elle, troublée par cette idée.

Elle s'abandonna, ferma les yeux, refusant de voir ces amas de pierres autour d'eux, de s'attarder sur la grogne des chiens qui se disputaient les vivres grattés sous les décombres. Elle ne voulait pas savoir. Pas maintenant. Il serait temps de compter les morts, de les pleurer, de faire le bilan de toutes les pertes. Temps de reconstruire.

Bercée par le pas vif du tailleur de pierre, l'oreille contre son torse trempé, elle entendait son cœur battre, refuser, comme le sien, de s'apaiser. Elle se rendit compte qu'elle pleurait toujours. Fut incapable de savoir pourquoi. Trop d'émotions se bousculaient en elle. Elle était tel un bateau ivre, au mitan d'une tempête dont elle savait que ce serait la dernière. Juste parce que cet homme la serrait contre lui et qu'il la ramenait vers ses enfants, silencieux, recueilli, comme s'il tenait entre ses bras un miracle.

Lui savait qu'il l'avait voulu, choisi, ce miracle. Il savait aussi, à présent que ses sentiments explosaient en lui, qu'il les sentait partagés, qu'il devrait faire face à leurs conséquences. Jusque-là, il n'y avait pas songé. Tout ce qu'il désirait, c'était arracher Myriam de cette glacière, les sauver tous, sans exception.

Il se prit à sourire.

Minuit avait sonné et il était trop tard. Trop tard pour Dieu. Pas encore pour le diable. Mais il s'en moquait. En cet instant, il se sentait invincible, certain de pouvoir le défier, l'obliger à relâcher sa proie. Certain que l'âme de Myriam redeviendrait pure au travers de l'amour qu'il escomptait lui donner, jour après jour.

Hersande comprendra. Mieux que personne, se convainquit-il avant de se demander si elle avait survécu.

Si, par le biais de ce tremblement de terre, Dieu et la Madone n'avaient pas déjà racheté le salut de Myriam et interdit au baron de se servir de son nouveau-né pour réaliser ses noirs desseins.

Ce suppôt de Satan n'a toujours pas reparu.

L'idée qu'il ait été fauché par le séisme acheva de le réjouir. Il poussa la porte du réfectoire du prieuré où le maire avait emmené Antoine, puis le prieur Grimaldi les deux filles, avec le sentiment que demain serait un jour de lumière et de paix.

— Maman ! s'écrièrent d'un même élan Margaux et Antoine lorsqu'elle parut dans les bras de Benoît.

De toute évidence, ils s'étaient refusés à dormir avant de la savoir sauve. Ils se levèrent aussitôt des deux paillasses qu'on leur avait allouées dans un coin de la pièce, coururent à elle. Benoît déposa Myriam devant eux, s'attendrit de les voir s'enrouler autour d'elle, de la regarder les enlacer, les embrasser, soupirer d'aise, puis se relever et le couvrir d'un œil tendre.

— Merci. Merci de les avoir sortis de là, Benoît. De nous avoir tous sortis de là, murmura-t-elle enfin.

Il ne trouva rien à répondre. Il avait juste envie de l'embrasser encore.

— T'as vu, j'ai une petite sœur maintenant, lui lança Antoine avec fierté, les yeux gonflés de fatigue.

— Oui, j'ai vu, bonhomme, s'en émut Benoît en lui froissant affectueusement la chevelure.

— Où est-elle ? Elle doit être affamée, demanda Myriam après avoir balayé la salle du regard.

D'autres paillasses avaient été tendues. Une table avait été dressée avec des fruits secs, du vin, du pain et du fromage. Deux moines approchaient avec une serviette, des vêtements. Mais aucun d'eux ne portait sa fille.

— Elle pleurait et je ne savais pas quoi faire. Alors le prieur l'a prise pour la conduire à une nourrice, expliqua Margaux, navrée.

Myriam se figea.

— Quelle nourrice ?

Elle ne connaissait aucune femme allaitant en ce moment dans le village.

Margaux haussa les épaules.

— Je ne sais pas, maman. Il a juste dit que c'était jusqu'à ce que vous reveniez. J'ai cru bien faire.

Myriam lui cueillit la joue dans sa main, s'efforça de ne rien laisser paraître de l'angoisse qui venait de lui remonter en gorge.

— Tu as bien fait. Je vais aller me renseigner. Et vous, vous recoucher. Vous avez eu votre lot d'émotions et de fatigue pour aujourd'hui.

Antoine bâillait. Margaux dodelinait d'un pied sur l'autre, visiblement épuisée elle aussi.

Myriam les raccompagna jusqu'à leurs couches, les borda et, puisant dans ses réserves, les embrassa comme si de rien n'était.

— Dormez à présent. Je serai là, avec votre sœur, à votre réveil.

— Bonne nuit, maman.

— Bonne nuit, mon chéri.

Margaux la retint par le bras. Rattrapée par un soupçon d'inquiétude.

— J'ai bien fait, dites, maman ?

— Oui, Margaux. C'est le prieur Grimaldi qui m'a recueillie, aux portes mêmes de ce prieuré. Je n'avais moi aussi que quelques heures. Il sait ce qu'il doit faire d'un nourrisson, affirma-t-elle pour l'apaiser.

Margaux posa sa tête sur l'oreiller. Myriam attendit qu'elle ait fermé les paupières, puis se rapprocha de Benoît qui avait rejoint les deux moines.

— Ravi de vous voir sauve, Myriam ! l'accueillit le premier à la bonhomie chaleureuse.

— Merci, frère François. Savez-vous où le prieur a amené Marie, ma petite fille ?

— Non. Comme je viens de l'apprendre à maître Benoît, il ne nous a rien dit.

Myriam se sentit défaillir. Elle se raccrocha à la manche de Benoît. Se troubla plus encore de le voir blême, décomposé.

— Quoi ? demanda-t-elle, affolée.

62.

Route de Notre-Dame
Nuit du 23 au 24 juin 1494
Minuit dix

Camilla avait dû se rendre à l'évidence. Hersande était incapable de se mouvoir seule. Quant à espérer la soutenir dans ce sous-bois ravagé, il n'y fallait pas compter. Remonter jusqu'au chemin était inenvisageable. Elle-même aurait été en danger face aux coulées de boue. Elle se souvenait trop bien avec quelle facilité son pied avait chassé lorsqu'elle était descendue. Elle ne gagnerait rien à recommencer. Leur seule option était d'attendre la lumière du jour pour rejoindre le sentier en contrebas. En prenant leur temps.

Elle lui avait donc aménagé une couche plus confortable faite d'un lit de fougères, l'avait aidée à s'y étendre, lui recommandant de dormir autant que la douleur le lui permettrait. Elle s'en voulait d'être partie si vite du sanctuaire. D'ordinaire, elle prévoyait une pommade pour les coups, un baume pour les petites blessures, sachant que cela pouvait toujours arriver, n'importe où. Face à la souffrance d'Hersande elle était démunie.

Répondant soudain à son inquiétude de tantôt, deux loups se mirent à hurler un peu plus haut.

Ils ne tarderont pas à trouver les mules, comprit-elle. *À rameuter leurs congénères. À nous sentir aussi.*

À la hâte, elle s'en fut couper d'autres branches, les disposa en un tas épais sur le haut du rocher et tout autour. Puis jugea du résultat.

C'est assez. Mais il manque des épines.

Elle fouilla la ravine du regard, avisa quelques ronces à droite, les tiges encore fleuries d'un églantier à gauche, un peu plus loin il lui sembla reconnaître les pointes acérées d'un berbéris. Elle déchira un pan de sa bure, s'en entoura la main puis s'en fut les couper pour les placer au-dessus de son rempart végétal.

Il faudrait que les loups s'y frottent pour forcer ce périmètre. Et elle savait qu'ils n'aimaient guère confronter les coussinets de leurs pattes aux aiguilles trop vives.

Elle s'installa de manière à les voir venir puis battit ses pierres à feu pour embraser l'amadou de sa torche. Elle avait de quoi entretenir celle-ci jusqu'à l'aube, dût-elle continuer à raccourcir sa robe.

Le feu crépita à l'instant même où deux grognements inamicaux s'élevaient sur la route.

Ils se disputent le butin, comprit-elle.

Cela ne durerait pas. Il lui suffit de tendre l'oreille pour entendre bientôt le clappement de leurs mâchoires gourmandes. Elle réprima un frisson. Se cala un peu plus à l'abri du rocher. Elle planta solidement son flambeau dans la tourbe et attendit, certaine que, tôt ou tard, l'un d'entre eux s'approcherait.

Cinq minutes plus tard, un craquement suspect survenait à sa gauche.

Elle reprit aussitôt sa torche en main, la leva puis l'agita pour donner l'illusion d'un feu plus grand.

Cette menace aurait dû faire reculer une bête isolée. Or, tout indiquait que celle-ci se rapprochait silencieusement, avec détermination et méthode.

Un regard vers Hersande l'assura que l'herboriste dormait. Camilla se recroquevilla un peu plus sous le roc, attira les rameaux qu'elle avait préparés et l'en masqua autant que possible. Puis, se préparant à affronter une attaque violente, elle s'arma de sa serpe.

Je ne céderai pas sans ouvrir le ventre d'un de ces bestiaux, se dit-elle avant de pousser un petit cri de surprise.

Une tête venait de surgir au-dessus de sa palissade de fortune. Mais ce n'était pas celle qu'elle attendait.

— Raphaël ! s'étrangla-t-elle.

— Camilla ? Sang Dieu, j'escomptais trouver quelque bûcheron pris au piège de ce chaos, mais certainement pas vous. Que diantre faites-vous ici ? Êtes-vous blessée ? s'inquiéta-t-il en enjambant son enclos.

— Pas moi. Hersande, avoua-t-elle, résignée, en soulevant l'une des branches.

Décomposé, le baron s'accroupit aussitôt.

Il s'attarda sur son profil tuméfié.

— C'est sérieux, en conclut-il.

— Plutôt. Mais elle a toutes ses facultés. Et aucune autre fracture. Elle est simplement trop douloureuse et épuisée pour se déplacer. Je me préparais à passer ici le restant de la nuit. Et à affronter les loups.

— Oui. Je les ai entendus. Je me trouvais légèrement en contrebas quand j'ai aperçu la lueur de votre torche. Je suis venu prêter main-forte à qui l'avait allumée.

Il se pencha sur l'herboriste, le cœur lacéré de la voir ainsi défigurée.

– Hersande. C’est moi, Raphaël. M’entendez-vous ?

Reconnaissant la voix de son aimé, Hersande s’arracha du sommeil et ouvrit son œil gonflé.

– Ra...ph...ël...

– Non. Ne dites rien. Je vais vous soulever et vous ramener à Utelle.

Il dut pourtant surseoir, relever la tête, alerté par un grognement tout proche.

Un des loups venait d’apparaître sur un tronc, en surplomb de la fondrière. Camilla se liquéfia. Elle n’avait pas envisagé que l’un d’eux serait assez retors pour ramper sous la masse compacte des végétaux qui s’étaient écroulés et gagner cette position qui la désavantageait.

Elle vit l’animal s’accroupir. Puis se déplier et sauter au moment où le baron arrachait son épée.

Elle n’eut qu’un seul réflexe. Se placer devant Hersande pour la protéger.

63.

Route de Notre-Dame
Nuit du 23 au 24 juin 1494
Minuit quinze

Le loup couina en s'empalant au vol sur la lame de Raphaël. Le baron le rejeta sur le côté, le laissant agoniser, gueule ouverte, langue pendante, souffle court, à quelques pouces seulement de Camilla et Hersande.

— Les autres vont venir, annonça-t-il, debout au milieu de ce cercle de rocs, de branches et d'épines.

Il tourna la tête vers Camilla qui s'était remise à guetter, sa serpe dans une main, sa torche dans l'autre.

— Étendez-vous près d'elle. J'ai besoin d'espace. Ils vont attaquer, en masse cette fois.

— Oui. Je les entends qui approchent.

Il la prit par le bras, planta un regard déterminé dans le sien, apeuré.

— Vous devez me faire confiance, Camilla. Je vous ramènerai sauves, toutes les deux.

Elle hocha la tête, s'allongea contre Hersande. Le baron Raphaël posa sa lame, tira le cadavre du loup plus loin, puis déplaça la haie. Indifférent aux épines qui lacéraient ses paumes et ses vêtements, il la rapprocha des deux femmes, jusqu'à les faire disparaître sous le volume. Satisfait, il planta la torche devant.

Le temps qu'il reprenne son arme, trois paires d'yeux luisaient méchamment dans l'espace ouvert devant lui. Le regard rivé sur les pieds de Raphaël au travers du rougeoiement du flambeau, Camilla s'était mise à trembler.

Très Sainte Mère, veillez sur nous. Donnez-lui la force de repousser ces bêtes.

Raphaël se battait avec hargne et sang-froid face à ces babines retroussées sur de longs crocs nauséabonds. Il avait étudié le comportement des loups. Il connaissait leur manière d'attaquer en meute. Il savait que ce front n'était qu'une diversion. Que d'autres cherchaient déjà à l'encercler, rampant dans les futaies obscures.

Bientôt, le danger viendrait du dessus, des côtés, à défaut de derrière, protégé par le rocher et l'éclat de la torche.

Il s'y était préparé. Mais devinait que ce serait insuffisant. Qu'il aurait peut-être besoin, pour survivre au nombre, pour sauver Hersande et Camilla, d'utiliser l'un des sortilèges qu'il avait découverts dans le grimoire.

En dernier recours. Seulement en dernier recours, décida-t-il en retirant sa lame d'un des flancs.

L'animal s'effondra, à côté d'un autre dont il avait fauché les pattes avant et qui, à terre, geignait de douleur.

Le dernier s'avança, plus prudent, éveillant sa méfiance. Il releva la tête. Un vieux loup au poil gris, à la gorge presque blanche venait de se ramasser là d'où s'était déjà élancé le premier. Il ne l'avait pas entendu surgir. Pas plus que les deux autres dont les yeux venaient de s'allumer à droite et à gauche.

Ils vont s'abattre sur moi, en même temps, comprit-il en une fraction de seconde.

Il recula jusqu'à sentir la chaleur derrière lui, ramassa le brandon au vol et le balaya pour les dissuader de sauter. Ils hésitèrent. Restèrent tendus, la bave aux babines, les yeux mauvais.

Ils ne partiront pas. Ils savent que, tôt ou tard, je vais me fatiguer, que la flamme va faiblir. Et pendant ce temps, d'autres arriveront pour leur prêter main-forte.

Comme pour lui répondre, celui qui lui faisait toujours face s'assit et se mit à hurler.

Je n'ai plus le choix, comprit-il.

Il porta la main à son cou, referma ses doigts glacés sur la médaille bénite de la Vierge.

Protégez-moi, Très Sainte Mère. Je ne cherche qu'à nous défendre. Permettez-moi d'utiliser ce sort par amour et non par ambition, noirceur ou dévotion au diable. Enveloppez-moi de votre bienveillance pour que je reste celui que je suis et non l'un des suppôts de Satan, pria-t-il, craignant toujours d'être aspiré dans les ténèbres comme Luquine.

Les loups, tous les loups s'étaient mis à hurler, appelant leurs congénères.

— Raphaël ! s'affola Camilla dans son dos.

Il entendit Hersande gémir de terreur.

— Patience. Je sais ce que je fais, tenta-t-il de les apaiser.

Mais il n'était sûr de rien, en vérité. Comment pouvait-il espérer faire le bien en se servant du mal ?

Il attendit. Quelques minutes passèrent. Immobile. Il savait qu'au moindre geste les trois bêtes bondiraient sur lui.

Camilla s'était mise à prier, à voix haute, invoquant plus que jamais la protection de la Madone. Il s'en réjouit. Espéra qu'elle interviendrait avant qu'il ne lance son incantation.

Mais d'autres yeux brillèrent au-dessus de gueules menaçantes. Seul, il n'en viendrait pas à bout.

Il prit une profonde inspiration, plongea son regard dans les flammes, puis en pensée dans le grimoire. Lorsqu'il fut certain qu'une part de lui, cette part obscure qu'il s'était efforcé de repousser, touchait aux portes des ténèbres, d'une main il leva la torche, de l'autre son épée prête à frapper, et prononça :

— *Obsecro vos Satanas validus. Tractus sunt lupi rapinis. Daemones carne vescantur mercede debita*[1].

1. J'en appelle à toi, puissant Satan. Que les gorges de ces loups se déchirent, que les démons se repaissent de leurs chairs pour paiement de leur dû.

64.

Prieuré d'Utelle
Nuit du 23 au 24 juin 1494
Minuit vingt

Jacquot était devenu blanc. D'un blanc cireux. Et, l'espace d'une seconde, tous crurent qu'il allait tourner de l'œil dans la salle capitulaire du prieuré d'Utelle. Le voyant chanceler, Benoît le soutint, Élise lui servit un verre de vin, Catherine poussa un cri d'angoisse et Christine attira un tabouret pour qu'il s'asseye.

Myriam les regardait s'agiter sans bouger, droite comme un if, gelée jusqu'au bout des ongles depuis que Benoît, en quelques mots, lui avait raconté ce qu'il savait. Tout ce qu'il savait. Y compris sa conversation avec Hersande.

— Je ne pouvais pas garder le silence, Myriam. Dussiez-vous ne jamais me pardonner d'avoir, ne serait-ce qu'un instant, envisagé votre exécution comme nécessaire.

Elle était restée muette. Frappée par un trop-plein d'informations, ravagée par la violence d'une tempête intérieure à côté de laquelle ce qu'elle avait vécu ces jours derniers ressemblait à des bourrasques.

— Myriam ? avait-il insisté devant le vide abyssal de son regard.

Elle avait hoché la tête. Juste pour qu'il se taise, lui laisse le temps d'assimiler l'impensable.

Surtout le fait que son père était le baron Raphaël et sa mère Hersande. Qu'elle était le fruit d'un amour impossible, réprimé par l'Église. Que le diable y avait vu le moyen de régner sur la Terre. En faisant du baron son valet et en l'obligeant à sacrifier Marie dans une grotte maléfique en échange de pouvoirs de sorcellerie.

— Marie. Je l'ai appelée Marie pour remercier la Madone d'être apparue à Margaux, de nous avoir protégés. Elle ne peut pas finir égorgée au-dessus de ce creuset, avait-elle fini par bredouiller, comme si cette justification seule pouvait contredire les affirmations de Benoît.

— Venez, avait-il insisté devant la pâleur de ses traits.

Lui prenant la main, il l'avait conduite devant la table dressée. Il l'avait forcée à boire. Mais elle tremblait tant qu'elle s'était étranglée à la première gorgée, n'avait su que lever vers lui un regard éploré.

Il avait resserré les pans de la couverture autour d'elle, l'avait attirée dans ses bras, rongé par une fureur vengeresse qui grandissait de seconde en seconde.

— Me faites-vous confiance, Myriam ?

— Vous m'aimez. Vous m'avez sauvée. Vous avez sauvé mes enfants, avait-elle récapitulé pour s'en convaincre.

— Et je sauverai Marie, avait-il affirmé.

C'était à ce moment-là que Jacquot et ses filles étaient arrivés. À ce moment-là qu'ils s'étaient inquiétés devant le visage décomposé de Myriam. À ce moment-là qu'une nouvelle fois, ayant besoin de toute aide, Benoît avait raconté.

À ce moment-là, enfin, que les filles avaient hurlé, incrédules, terrifiées. Et que Jacquot s'était liquéfié.

Soutenu par Benoît et Christine, l'aubergiste crispait toujours sa main sur sa poitrine, peinait à respirer dans ses vêtements trempés.

Les moines étaient partis leur en chercher des secs. Ils étaient seuls dans cette salle voûtée, au plafond crevé en de multiples endroits désormais.

Assez loin des enfants qui dormaient.

— Bois. Bois, papa, tu te sentiras mieux, affirma Élise en lui portant le gobelet aux lèvres.

Il le vida d'un trait. Aussitôt il devint grenat, souffla comme un bœuf, faisant dire à Catherine, soulagée :

— Ouf ! le voilà qui revient.

Ce n'étaient pourtant pas les épices qui avaient fouetté le sang de Jacquot, mais la résignation morbide qu'il venait de lire sur les traits de Myriam.

Et cela, il ne pouvait l'accepter.

Se dégageant d'un coup de ses soutiens, il bondit hors de son siège pour lui emprisonner les bras à pleines mains.

— Regarde-moi. Regarde-moi, Myriam.

Il la secoua violemment, sous les yeux éberlués de tous.

— Crénom de Dieu ! Regarde-moi !

Elle reprit conscience. Elle était de nouveau là, avec eux et non plus dans cette gangue sans fond qui lui aspirait le corps, le cœur et l'âme. Ce néant qui grignotait ses émotions, l'attirait dans sa folie, la rendant certaine que le diable avait déjà mangé sa fille, qu'il était trop tard pour agir, qu'avant longtemps il surgirait dans un rouleau de flammes pour l'entraîner aussi avec Margaux et Antoine. Avec tous les habitants du village. Elle aurait dû en être terrifiée. Elle n'y parvenait même plus.

Elle fixa Jacquot redevenu lui-même, père avant d'être homme. Elle sentit une larme rouler sur sa joue. Mesura la profondeur du silence qui s'était fait autour d'eux, la douce clarté des chandelles en nombre, qui, depuis la table, rayonnait sur leurs visages tendus.

— Tu crois que le baron, ton père, est un monstre sanguinaire, assoiffé de sang, au service du diable. Mais tu te trompes. Vous vous trompez tous deux, Benoît, jeta-t-il par-dessus son épaule.

— C'est-à-dire ? sursauta le tailleur de pierre.

Myriam, elle, ne réagit pas. Elle en avait trop entendu ce soir pour pouvoir se réjouir d'une telle annonce. Elle se contenta de soutenir ce regard qui ne cillait pas et semblait, de toute la puissance de sa tendresse, vouloir la convaincre.

— Je sais depuis longtemps qu'il est ton père, et qu'Hersande est ta mère. Comme Séverine le savait. Le baron Raphaël t'aime de loin, Myriam. Mais il t'aime. Il veille sur toi, sur tes enfants, de la même manière qu'Hersande et Séverine le faisaient. De la même manière que je l'ai fait. La petite Marie n'est pas sa proie. S'il la voulait à tout prix, c'était pour la protéger. Selon lui, Marie devait naître puissante et du coup devenir soit un enjeu pour le diable, soit une menace.

— En quoi serait-elle puissante ? demanda Myriam, s'arrachant enfin à son mutisme.

— Nous l'ignorons. Pourtant tu dois me croire quand je t'affirme que le baron combat Satan, ici, à Utelle, et que le prieur a été perverti dans sa foi.

— Pourquoi ? Pourquoi le devrais-je ?

Elle avait toujours eu confiance en Jacquot. Elle ne voulait pas douter de lui. Mais elle avait peur. Effroyablement peur. Marie avait besoin d'elle et elle ne savait pas où Grimaldi l'avait emmenée.

Jacquot l'attira contre lui, la serra presque à l'étouffer.

— Parce que ce n'était pas lui qui devait la remettre au baron, mais moi.

Elle voulut le repousser, s'accordant au cri d'incompréhension des filles, à l'incrédulité de Benoît. Il la bloqua.

— Imagines-tu un seul instant que j'aie pu vouloir te nuire ? Nuire à tes petiots ? Moi ? Moi, Jacquot ?

Elle ne savait plus que penser. Des images vinrent frapper sa mémoire. Des images douces, chaleureuses, puisées au cœur de son enfance : un lait de poule qu'il déposait entre ses mains lorsque, attirée par l'odeur vanillée, elle s'approchait de la cuisine ; des fruits confits tendus avec amour à la sortie de l'église, un soir de Noël ; ses genoux qui sautaient sous elle pour la faire rire aux éclats. Et encore les jeux dans la cour de l'auberge, cache-cache, chat perché, quilles, avec les filles. Ses attentions, encore et encore, comme au jour de son mariage lorsqu'il avait offert le buffet ; son émotion devant la petite bouille de Margaux, puis celle d'Antoine ; sa bienveillance depuis que Pascal était mort. Chaque jour à veiller, à faire en sorte qu'elle survive, redresse la tête, se sente chez elle, à l'abri, aimée, entourée, choyée. Et là encore dans cette fosse obscure, inondée, père vaillant, se relevant malgré son coup à la tête pour protéger sa couvée, maintenir Antoine hors de l'eau, le faisant rire.

Elle éclata en sanglots, l'étouffa de ses bras crispés, hoqueta.

— Non… Non… Jamais…

Il la pressa plus encore contre lui, douloureux jusque dans l'âme. Répéta :

— Non… Non… Jamais… Jamais je ne te ferai du mal. À toi ou à tes enfants.

Il détacha ses mains de son cou, la repoussa, assez pour tourner la tête vers Benoît resté sur la défensive.

— Malgré nos recherches, ni le baron, ni le viguier, ni moi n'avons réussi à découvrir qui avait massacré cette femme. C'est pour cela que Célestin a été arrêté. Pour donner le change. Pour laisser croire que le baron se fourvoyait, que l'enquête serait bâclée. Jamais je n'aurais pensé que le prieur Grimaldi fût impliqué. Mais il l'est. Et je sais à qui il veut remettre Marie.

Myriam poussa un cri sauvage. Les yeux exorbités de rage, elle s'agrippa à son col.

— Où ? Où ce chien a-t-il emmené ma fille ? rugit-elle.

Jacquot releva le menton, soulagé de retrouver en elle la mère, la louve, la Myriam volontaire, déterminée qu'il aimait.

Résolu, il l'était aussi. Plus que jamais. Il serra les poings sur un sursaut de haine.

— Auprès de Luquine. La sorcière d'Utelle.

65.

Utelle
Nuit du 23 au 24 juin 1494
Minuit quarante

Poussée par Benoît qui craignait de la voir faire un nouveau malaise au mauvais moment, Myriam avait consenti à se sustenter un peu tandis que Jacquot sortait prévenir le viguier, certain qu'il était encore dans la cour du prieuré.

Revenus presque aussitôt, les deux hommes l'avaient trouvée occupée à se changer, tenant tête à Benoît qui tentait de la convaincre d'attendre auprès de ses enfants et des filles qu'ils aient réglé son compte à Grimaldi.

Selon Jacquot, le prieur allait profiter d'une des brèches du rempart pour délivrer Luquine à présent qu'il avait enlevé Marie.

— Par contre, je ne crois pas qu'il prendrait le risque de croiser le baron avec la petite dans les bras. Après tout il ne sait pas, et nous non plus, si Raphaël est rentré chez lui.

— Il l'aura d'abord cachée, en avait déduit Benoît, approuvant son analyse.

— C'est ce que je ferais à sa place, avait renchéri Jacquot. Il a dû s'éloigner du village, se mettre en quête d'un endroit qui n'ait pas été ravagé, une cabane, un abri, quelque chose en tout cas qui lui permette de tenir Marie à l'abri des bêtes sauvages, jusqu'à ce qu'il revienne avec Luquine. Nous avons encore le temps d'arriver au château avant lui, avait-il conclu.

Cet argument avait apaisé les craintes de Myriam. Ce n'était pas au diable qu'elle allait se confronter pour l'heure, mais à un homme. Un homme en qui elle avait confiance depuis son plus jeune âge, un homme qui lui avait appris à lire, à écrire, qui aujourd'hui donnait ces mêmes leçons à ses enfants. Un homme de foi, de principes et qui pourtant l'avait trahie de la plus misérable des manières. Elle entendait bien se dresser devant lui et lui cracher tout le fiel qui lui venait en bouche. Avant de lui arracher l'endroit où il avait caché sa fille.

Habillée de braies et d'un bliaud d'homme que Benoît, à bout d'arguments, avait finalement raccourci d'un rapide trait de couteau, Myriam était désormais à l'aise, enjambant des pierres sans risquer de s'entraver. Et depuis quelques minutes – rejoindre la face ouest du château depuis le prieuré n'en demandant pas davantage –, elle avançait d'un pas rapide au milieu des champs craquelés, en essayant de tromper son impatience.

— Combien compte-t-on de disparus ? demanda-t-elle au viguier, l'œil rivé sur cette brèche dans le rempart, juste au-dessus de sa tête.

Évariste Dugat repoussa une branche brisée.

— Seulement trois : Casimir, Ferrante et le petit Nicolas. Mais comme pour vous les hommes savent où chercher. Cela ne tardera plus. La Madone a été clémente, nous n'avons pour l'instant que cinq morts à déplorer, dont Séverine… Et Hersande.

— Hersande ? s'étrangla Myriam en même temps que Jacquot et Benoît.

Le viguier s'arrêta, secoua la tête.

— Je suis navré. Je ne savais comment vous l'annoncer.

— Quand l'avez-vous appris ? Comment ? s'étonna Benoît en attirant Myriam, de nouveau choquée, contre lui.

— Par sœur Adélys, revenue prendre des nouvelles.

— Je ne l'ai pas remarquée, avoua Benoît.

Mais qu'avait-il vu sinon ces pierres, cette eau qui ruisselait dans la glacière ? Tout n'était qu'ombre mouvante, délavée, autour de lui.

— Le prieur l'a ramenée dans son sillage lorsqu'il a emmené Margaux et la petiote au prieuré. Elle était bouleversée.

— Hersande… tuée, répéta Myriam avec le sentiment déchirant d'avoir, comme Adélys, perdu ses deux mères dans la même soirée.

Pourtant elle ne parvenait pas à pleurer. Elle avait vécu trop de choses en trop peu de temps. Trop de choses terribles. Par la faute de Grimaldi.

Lui aussi devra en payer le prix, s'embrasa-t-elle.

Elle s'écarta de Benoît.

— Ne tardons plus. Si le prieur nous aperçoit, il se détournera et nous en serons pour nos frais. Or, plus que tout, je veux ma fille. Et justice !

Ils commencèrent à grimper l'escarpe dont la pleine lune découpait le relief tourmenté.

Dans une minute, ils seraient au château, à couvert.

— Adélys ne se trouvait pas dans le réfectoire du prieuré. Savez-vous où elle est allée, Évariste ? s'enquit Jacquot à qui Élise avait confié en aparté les liens scabreux qui attachaient la nonne au prieur.

Il ne voulait pas affliger davantage Myriam avant d'être certain qu'Adélys avait été aussi complice des malheurs qui la frappaient.

— Non, désolé, s'en excusa le viguier avant de se tourner vers Myriam et de lui tendre la main pour l'aider à escalader un bloc de rochers.

Il attendit qu'elle ait repris son équilibre pour soutenir son regard.

— Je sais que l'heure est mal choisie pour cela, mais je te prie de me pardonner d'avoir été si dur avec toi.

— Vous êtes là pour m'aider à récupérer ma fille. C'est tout ce qui m'importe, assura-t-elle.

Il n'en fut pas convaincu.

— Le baron tenait à ce que, te sentant acculée, tu emménages au plus vite chez Jacquot, insista-t-il. Là seulement, à son sens, tu aurais été en sécurité.

Elle battit l'air d'une main agacée.

— Non. Il pensait que cela simplifierait l'enlèvement de Marie. Il aurait dû me dire la vérité. Qu'il soit mon père ne change rien. Je n'aime pas ses méthodes. Ni les vôtres. Vous avez fait peur à mes enfants.

C'était la seule chose qu'elle ne pouvait excuser.

Il l'entendit, s'embarrassa davantage.

— Cela n'a pas été de gaîté de cœur, crois-moi. Ni pour lui, ni pour moi. Faire mon devoir, c'était donner le change, dans la mesure où nous ne savions pas qui était impliqué dans l'assassinat de cette étrangère. Qui te visait.

Elle ne répondit pas. Elle n'en avait pas envie.

Devant elle s'ouvrait à présent l'un des pans de l'enceinte. Elle enjamba les pierres.

Tout ce qui comptait, à présent, c'était d'entrer et d'attendre là que Grimaldi vienne délivrer Luquine.

Puis de lui arracher le cœur, ainsi qu'à tous ceux qui se mettraient entre elle et sa fille.

66.

Château d'Utelle
24 juin 1494
Une heure cinq du matin

Un silence anormal régnait à l'intérieur des remparts, donnant brusquement à Myriam l'impression de violer une sépulture. Elle s'attendit presque au cri, glaçant, d'une hulotte perchée quelque part sur la coursive.

Comme ses trois compagnons, profitant du couvert que leur offrait l'un des murs de l'écurie vide et éventrée, elle scrutait les alentours avec méfiance. Une lumière froide découplait les masses de pierre de part et d'autre de l'enceinte.

Le long corps de logis, à sa gauche, semblait intact, à l'exception de la façade qui avait entraîné un pan de la toiture dans son éboulement.

— C'est l'emplacement de la chapelle, leur apprit Jacquot. Dieu merci pour les enfants, le reste de la bâtisse a l'air d'avoir été épargné.

— Les soldats ont dû s'y réfugier, leur casernement est à terre, mais l'armurerie semble intacte, annonça le viguier en désignant une pièce accrochée à un empilement de moellons, de chevrons, de poutres et de tuiles.

— Je ne serai pas contre y faire un tour si cela devient nécessaire. Je me sens un peu nu de mon côté, avoua Jacquot qui avait laissé jusqu'à ses couteaux dans sa cuisine.

Myriam jeta un regard en direction de Benoît. Il examinait l'angle du donjon, situé à l'autre bout de la cour.

— Qu'avez-vous vu ? lui demanda-t-elle, à mi-voix, refusant, comme les autres, de se faire remarquer.

— C'est ce que je ne vois pas qui m'inquiète.

Ils se resserrèrent autour de lui. Il tendit son index en direction du chemin de ronde.

— Il devrait y avoir des gardes devant le cachot de Luquine. Quand bien même ils auraient péri durant le séisme, je ne peux pas croire qu'on ne les ait pas remplacés.

— Je suis d'accord. Le baron en faisait une priorité, l'approuva le viguier.

De ce qu'ils pouvaient en juger, la porte basse du donjon, celle qu'avait forcée Benoît lors de sa précédente visite, était toujours close.

— Est-ce là que Célestin est gardé ? s'enquit Myriam.

— Oui, au sous-sol. Je ne pense pas qu'il ait été blessé. Mieux vaut s'en assurer. Ce calme ne me dit rien qui vaille.

— À moi non plus, avoua le viguier en arrachant son épée du fourreau.

Benoît prit Myriam par les épaules.

— Vous feriez mieux de nous attendre, avec Jacquot. On ne sait jamais.

Elle secoua la tête, soutint farouchement son regard.

— Non, c'est ma fille. C'est mon combat. Et Célestin compte pour moi.

Il s'y était déjà frotté. Il n'insista pas.

— Restez derrière moi, quoi qu'il advienne. Surveillez nos arrières, Jacquot, recommanda-t-il à l'aubergiste tandis que le viguier passait devant.

Ils avancèrent à pas comptés, l'oreille et l'œil affûtés. Ils longèrent le réservoir dont la grille retenait un gros moellon. Quelques autres gisaient à terre de-ci, de-là. Parvenu à la hauteur du portail, situé sous le chemin de ronde qui reliait le logis au donjon, Benoît dut se rendre au même constat :

— Personne non plus. Ce n'est pas normal.

— Là ! désigna soudain le viguier.

Benoît plissa les yeux, aperçut une silhouette avachie dans l'ombre d'un contrefort.

Soulagé de retrouver un peu de normalité dans ce lieu trop calme, il lança son bras en arrière pour protéger Myriam.

— Je crois qu'il y en a deux autres près de la poterne, à droite du donjon, trembla la voix de Jacquot.

— Et là aussi, ajouta Myriam en montrant l'escalier qui, derrière elle, descendait de la coursive.

Son attention venait d'y être attirée par un battement d'ailes.

Instinctivement, ils firent bloc autour d'elle. Scrutèrent chacune de ces silhouettes immobiles. Elles étaient si bien fondues à la pierre que rien ne les en avait distinguées jusque-là. Même gris sombre. Même silence, ajoutant de la gravité à cette atmosphère déjà inquiétante.

— Ne bougez pas, décida Benoît, voyant qu'aucun des gardes ne songeait à leur reprocher leur intrusion, y compris celui qui s'était immobilisé sur les marches.

Or, il ne pouvait pas ne pas les avoir remarqués.

Renonçant à toute discrétion, il revint sur ses pas, l'apostropha.

— Holà, l'ami ! C'est moi, maître Benoît. Je suis accompagné du viguier, de maître Jacques et de Myriam. Nous venons voir si tout va bien chez vous, mentit-il.

L'homme ne fit pas un geste.

On dirait pourtant qu'il est armé… et en mouvement…, se troubla-t-il.

Il grimpa lestement les marches, se figea sitôt parvenu au pied de celle que l'homme occupait.

— Statufié. Il est statufié ! cria-t-il par-dessus son épaule, le cœur battant violemment dans sa poitrine.

— Comment ça, statufié ? s'étrangla Jacquot.

Myriam sentit un vent glacial la traverser.

Le viguier courut vers celui qui se trouvait près de l'entrée. Il le toucha et ne trouva que le contact froid de la pierre. Voulant le secouer, il ne réussit qu'à le faire basculer.

Le corps se disloqua sur le pavé, arrachant un cri d'effroi à Myriam lorsque la tête s'en détacha.

— C'est Marc, le reconnut le viguier.

Le malheureux avait été pétrifié sur une expression de terreur indicible. Sa bouche était encore ouverte, ses yeux exorbités.

— Par la Madone ! jura Jacquot en se signant.

Benoît avait déjà dévalé les marches, sauté les deux dernières à la volée.

Le viguier avait arraché son arc de l'épaule, encoché une flèche, prêt à tirer, même s'il était incapable de dire sur quoi.

Visant chaque recoin d'ombre, tous deux reculèrent jusqu'à Myriam et Jacquot, collés l'un à l'autre, scrutant les autres silhouettes, espérant en vain les voir s'animer.

— Ils sont morts. Tous, apparemment, conclut Jacquot.

— Une idée de ce qui a pu provoquer cela ? demanda Benoît au viguier.

— À l'exception d'un sortilège de magie noire ? Pas la moindre.

— Grimaldi en serait-il capable, à votre avis ? s'inquiéta de nouveau Jacquot.

— J'en doute.

— Luquine. C'est Luquine. Qui d'autre qu'elle ? lâcha Myriam en se signant.

Benoît chassa le doute qui l'avait saisi au souvenir de la gargouille que lui avait commandée le prieur. Un dessin d'une précision extrême, comme si la pierre elle-même lui avait parlé. Mais cela ne prouvait rien.

— ... Croyez-vous qu'elle soit encore là ? ajouta Myriam, effrayée à l'idée d'être pétrifiée à son tour sans avoir seulement pu prononcer le nom de sa fille.

— Il n'y a qu'un moyen de le savoir, décida le viguier en marchant d'un pas vif vers la porte basse du donjon.

Ils le suivirent, aussi terrifiés que décidés.

— Mortecouille ! s'exclama-il, sa lame à la main, sitôt le battant poussé du pied.

Il avança d'un pas pour les laisser entrer derrière lui.

Ils eurent le même mouvement de recul devant la plaie large, béante, du donjon. Elle fendait la pierre de bas en haut, laissant l'escalier suspendu dans le vide et un monticule d'éboulis dans la pièce.

Myriam frissonna face à cette vue plongeante sur la vallée, baignée par le halo de la lune.

Luquine s'est évadée.

– C'est vous, Dugat ? s'éleva une voix du sous-sol.

– C'est moi, monsieur, répondit aussitôt le viguier en reconnaissant celle du baron.

Le temps que Myriam se fasse à l'idée de devoir cette fois soutenir le regard d'un père, Raphaël Galleani surgissait, son épée au poing.

Il s'immobilisa, saisi, devant eux.

– Palsembleu ! Je vous croyais seul, Dugat.

– Navrée de vous décevoir, père, ne put-elle s'interdire de lancer, poussée par un reste d'amertume à son égard, en se détachant de l'ombre de Benoît.

Un soupir de soulagement apaisa aussitôt les traits crispés du baron.

– Dieu soit loué, tu es sauve !

Il n'attendit pas qu'elle réplique. Il cria par-dessus son épaule.

– Hersande ! Camilla ! Myriam est là !

67.

Vallon d'Utelle
24 juin 1494
Une heure trente du matin

Le temps était compté pour rejoindre la grotte.

Ce temps contre lequel courait le baron depuis cinq mois, cherchant par tous les moyens à contrecarrer l'avènement du diable. Mais plus encore depuis que Luquine s'était évadée.

Myriam marchait derrière lui d'un pas vif, le laissant avec les hommes repousser les obstacles qui encombraient le chemin de contrebande menant au pied de la montagne de Notre-Dame.

Selon lui, Luquine avait dû emprunter le sentier de chasse qui sillonnait le val, ignorant qu'il était coupé. Elle se heurterait au labyrinthe de la forêt, perdrait de précieuses minutes à la contourner, réduisant plus encore son avance : elle avait ravagé le logis pour tenter de s'emparer de la potion qui la rendait vulnérable. Elle était repartie bredouille mais pas sans ses fils, laissant peu de doutes sur ses intentions à leur sujet.

Quant à ces cadavres de pierre abandonnés derrière elle, le baron s'était attristé de devoir les attribuer à Adélys. De toute évidence, après qu'elle l'eut libérée,

Luquine l'avait transformée en gorgone : un monstre capable de pétrifier qui le regarderait dans les yeux.

Effarée des crimes de sa sœur de lait, Myriam n'avait pourtant pu à la fois douter de Camilla, d'Hersande au visage fracassé et de Jacquot qui avait confirmé la relation ténébreuse de la jeune nonne avec le prieur Grimaldi. Elle était restée longtemps sans pouvoir détacher son regard bouleversé de l'homme statufié, accroché aux barreaux de sa cellule, qu'était devenu Célestin. Comme si Adélys avait voulu essayer ses nouveaux pouvoirs sur lui, victime inoffensive, avant de s'en prendre aux gardes, dans la cour.

Le sourire figé du benêt prouvait qu'il ne s'était pas méfié d'elle, au contraire. Sans doute même, ayant survécu au tremblement de terre, avait-il cru qu'elle venait le délivrer. Comment aurait-il pu en être autrement ? Il la connaissait bonne et généreuse depuis toujours.

Myriam avait dû accepter l'impensable : Adélys n'était plus elle-même depuis un bon moment. Luquine avait seulement fait apparaître le monstre derrière l'ange.

Comment a-t-elle réussi à feindre son inquiétude, sa tendresse pour moi ? à tromper Hersande, Camilla, Séverine ? Je ne comprends pas.

Leurs moments partagés s'étaient bousculés dans son esprit. Adélys avait parfois un regard envieux envers les enfants, un soupir amer. Des petits riens. Des remarques que Myriam avait prises pour de l'humour, mais qui n'étaient rien de moins que du cynisme. Elle aurait dû savoir interpréter ces signaux, comprendre qu'Adélys la jalousait, qu'elle aurait aimé, elle aussi, fonder une famille. Tout ce qu'en la vouant au couvent l'apparition de la Madone lui avait interdit. S'était-elle détachée de sa foi à cause de cela ? des jeux du prieur ? en découvrant qu'Hersande lui avait donné naissance, à elle, elle que Séverine avait prise sous son aile, choyée ?

– Sans doute un peu de tout cela, avait expliqué Camilla.

Mais devant cette grille close, ces doigts de pierre qui s'y enroulaient, Myriam, dévastée de chagrin, s'en était voulu de n'avoir rien vu venir.

– Ne te sens pas coupable, avait murmuré le baron en l'arrachant à la vue de Célestin. Luquine possède de véritables pouvoirs d'ensorceleuse, j'en ai moi-même fait les frais.

Camilla avait soupiré.

– Adélys n'a cru, au départ et en toute bonne foi, que l'aider à contrer le diable en Raphaël.

– Et c'est le diable lui-même qui l'en a remerciée, avait admis Myriam en refoulant ses larmes.

Le baron avait serré les poings.

– Désormais, elle lui appartient. Et ce sera bientôt le tour du prieur Grimaldi.

– Et de Marie, avait murmuré Myriam, de nouveau glacée. Jacquot m'a dit qu'elle serait puissante. Est-ce à cause de Pascal ? Du fait qu'il était un exécuteur divin ? Parce que Margaux et Antoine sont ses enfants aussi et...

Coupant court à ses extrapolations, il lui avait cueilli la joue dans sa paume.

– Je ne sais pas, Myriam. Je n'ai appris l'existence de l'Ordre, de la roue, que tout à l'heure de la bouche de Camilla. Je ne connaissais pas l'existence de ce billet et encore moins que c'était ton nom qui y serait inscrit. J'ai juste pensé, avec l'incendie de ta maison, que le ou la complice de Luquine t'avait vue y revenir et avait voulu t'assassiner pour empêcher que Marie ne naisse. Cela pouvait signifier que Luquine en craignait les innocents pouvoirs, mais en réalité, j'ignore quel sort elle lui réserve. Je te promets juste de te la rendre, avait-il ajouté, l'œil brûlant d'une tendresse qu'elle s'était souvenue d'y avoir entrevue quelquefois, bien avant que tout cela ne commence.

Lors, lâchant prise, elle s'était tournée vers Hersande, adossée à la paroi rocheuse du sous-sol. Là où le baron l'avait déposée quand ils étaient entrés dans le donjon.

Myriam s'était accroupie devant elle, lui avait pris la main, l'avait portée à ses lèvres, le regard brûlant.

— Je sais tout, ma mère... maman..., avait-elle murmuré, émue.

— Par...don, avait seulement articulé Hersande en laissant fleurir ses larmes.

— Je ne vous en veux pas. Benoît m'a expliqué. Je sais que lui remettre ce billet, accepter de me condamner pour sauver mon âme était aussi pour vous un acte d'amour.

Hersande avait hoché la tête, mais Myriam avait lu dans son regard à quel point elle continuait de s'en vouloir.

Elle aurait aimé avoir plus de temps à lui consacrer. À elle, au baron qui lui avait pressé l'épaule.

Oui, elle aurait aimé avoir plus de temps.

Mais elle devait d'abord rattraper Luquine. Sauver Marie. Sauver Barthélemy et Léonard, ses demi-frères.

Et le viguier était apparu dans le tournant de la vis de l'escalier. Avec Benoît et Jacquot, ils avaient dévalisé l'armurerie. Ils étaient prêts à partir.

Le baron avait pris Hersande dans ses bras puis l'avait déposée au prieuré pour rejoindre ensuite le sentier de contrebande.

Depuis, Myriam comptait les minutes qui les rapprochaient de l'emplacement de la grotte. Marchant au-dessous d'une voûte épaisse de branches, en contournant certaines, en escaladant d'autres. Ne pensant qu'à son but, sans s'en laisser détourner.

— Nous arrivons, lança enfin le baron en désignant le pied de la falaise.

Elle sentit les battements de son cœur s'accélérer en voyant la montagne s'ouvrir lentement devant Luquine.

Quatre cents coudées, tout au plus, la séparaient encore de sa fille.

Mue par son instinct, Luquine tourna la tête dans leur direction. Elle n'était accompagnée que de ses fils aux yeux bandés et d'une créature ressemblant vaguement à Adélys.

Elle aurait pu, elle aurait dû la laisser devant ce passage pour les attendre, les pétrifier.

Mais il n'en fut rien.

Et comme le baron Raphaël qui s'était mis à courir devant elle, Myriam ne put s'empêcher de penser que le prieur devait déjà se trouver à l'intérieur. Et que Luquine avait besoin de la gorgone. Pour figer Marie.

68.

Grotte du diable
24 juin 1494
Une heure trente-cinq du matin

Le prieur Grimaldi avait été long à atteindre la grotte.

À peine avait-il laissé Adélys, bouleversée par la mort de Séverine et Hersande, au pied du château, qu'il avait mesuré l'ampleur de son fardeau : porter Marie contre lui, ses hurlements dans l'oreille, tout en se frayant un passage au milieu des végétaux brisés, d'une seule main de surcroît, affaiblie par sa blessure à l'épaule… Tout cela après l'effort qu'il avait dû soutenir au-dessus de la glacière… Sans parler de sa tristesse à l'idée de l'inquiétude de Myriam pour sa fille.

Il espérait juste qu'elle aurait suffisamment confiance en lui pour ne pas douter qu'il agissait dans son intérêt et celui du bébé. Comme il l'avait toujours fait.

À plusieurs reprises ces derniers mois, il avait été tenté de la mettre dans le secret, mais Adélys l'en avait dissuadé : la mort de Pascal avait fragilisé Myriam, mieux valait la laisser faire son deuil, gérer sa famille, mener sa grossesse à terme.

Il n'avait pas insisté. Il connaissait l'affection que la jeune nonne portait à Myriam, et surtout, elle lui avait avoué dans un sourire d'ange que, depuis que Luquine était aux fers, elle recevait directement ses ordres de la Madone.

Il devait obéir, faire tout ce que la Très Sainte Mère exigerait.

Cela avait impliqué de récupérer le cadavre de la messagère là où Adélys avait assuré qu'il le trouverait, puis de le déposer sur le rocher au-dessus de la maison de Myriam. Il n'avait pas eu besoin de trancher une main à cette femme, le baron s'en était chargé après l'avoir tuée, lui avait dit Adélys, terrifiée par ses visions. Cette cruauté l'avait conforté dans son action, lui avait donné le courage de clouer cette main à la porte du sanctuaire et de se cacher dans les buissons tandis qu'Hersande ouvrait.

Bien sûr, il avait trouvé étrange cette procédure venant de la Madone, mais la frayeur de l'herboriste l'avait vengé de tous ces regards dégoûtés qu'elle lui avait jetés dans leur jeunesse, préférant à sa pieuse laideur la beauté diabolique du baron.

Et puis Adélys l'avait convaincu, encore.

— Le nom du baron est sur ce billet. Hersande ne voudra pas le faire exécuter, elle l'aime trop. La preuve, n'a-t-elle pas couvert son mensonge ? Ne lui permet-elle pas de torturer Luquine ? Malgré ce qu'il en coûte à Camilla qui ressent les douleurs de sa sœur ? Il faut qu'Hersande soit convaincue de l'arrivée du diable, qu'elle ait peur pour Myriam. C'est le seul moyen que nous ayons pour l'obliger à passer outre son attachement à cet homme. Car elle seule connaît le nom de l'exécuteur en Vésubie. Nous n'allons pas laisser le baron sacrifier l'enfant de Myriam au diable ? devenir le plus puissant sorcier que cette Terre ait porté, ma gargouille ?

Il n'avait rien trouvé à opposer à cela, faible dans sa chair, subjugué par la sainteté d'Adélys. La jeune nonne le branlait si bien quand elle s'exaltait.

Il était arrivé exténué devant la grotte. Là, s'efforçant de ne pas réveiller Marie, enfin calmée, il avait déplié le billet que Luquine lui avait remis juste avant d'être emprisonnée.

Il s'en était scrupuleusement tenu à ses recommandations : ne le lire qu'une seule fois, devant ce mur, quand il y viendrait.

S'interrogeait-il sur la divinité de cette grotte secrète ? Qu'il regarde son emplacement : au cœur de la montagne qui supportait le sanctuaire de Notre-Dame.

Il n'avait pas eu besoin d'autres preuves de la culpabilité du baron.

Tout ce qu'il voulait, c'était donner du sens à sa foi. Et offrir à Myriam un peu de soulagement après les terribles épreuves qui l'avaient endeuillée.

Il avait donc lu, sans réfléchir, sans se poser la moindre question.

— *Aperire, mutus in ore putridam, lets servus sum*[1].

Le passage s'était ouvert. Pressé de se reposer, il était entré, avant de s'immobiliser à l'intérieur, brusquement frappé par les mots qu'il venait de prononcer.

Bouche putride ? Depuis quand Dieu offrirait-il une bouche putride à ses serviteurs ?

Il avait pivoté, dégoulinant brusquement d'une sueur froide, décidé à ressortir, mais la paroi s'était refermée, le plongeant dans l'obscurité. Une flamme avait crépité

1. Ouvre-toi, bée de ta bouche putride, laisse entrer le serviteur que je suis.

dans son dos, embrasant d'un rouge flamboyant le granit des parois.

S'attendant au pire, il avait saisi le crucifix qui pendait à sa ceinture. N'ayant trouvé personne devant lui, il en avait conclu, plus effrayé encore, que la magie noire régnait sur ce lieu.

La flamme s'était mise à reculer, l'invitant à la suivre à l'intérieur du corridor de pierre. L'espace d'un instant, devinant qu'Adélys et lui avaient été trompés par Luquine, il s'y était refusé, espérant encore fuir, mais il s'était senti poussé de l'avant. Il avait invoqué l'aide de Dieu, n'avait obtenu qu'un ricanement en réponse, un souffle glacial à son oreille.

C'est alors qu'il avait compris. À son insu, le diable avait perverti sa foi, fait de lui son serviteur. Et rien ne le sauverait plus. Ni lui ni Marie.

Lors, la serrant sur son cœur, lui demandant pardon mille fois et à Myriam aussi, il s'était enfoncé dans la montagne, craignant à tout instant de voir surgir une créature des hauteurs vertigineuses du plafond. Des centaines d'yeux y rougeoyaient.

Il avançait encore, peu pressé de marcher vers sa fin, surveillant ces mouvements furtifs, ces clignements de paupières sur des braises dans les replis tourmentés de la roche, lorsque soudain, derrière lui, il entendit Adélys qui l'appelait d'une voix suave.

— Claudio…

Un instant, il faillit répondre, mais se retint.

Elle ne connaît pas l'incantation pour entrer. Luquine est donc avec elle. Je dois me cacher, lui soustraire Marie. Mais où ?

La flamme avançait toujours, illuminant à peine les contours de la salle qui venait de s'ouvrir devant lui. Il en mesura la profondeur, plus de deux cents coudées au jugé, au moins autant en largeur, envahie par des concrétions calcaires, en haut, en bas, parfois formant des piliers. Sur sa droite, il vit un autel sur lequel trônait une vasque de pierre. Fortement ébréchée.

– Claudio..., insistait la voix d'Adélys dans le corridor.

Il se douta qu'elle voyait la lueur depuis le tunnel. Cette dernière ne bougeait plus, comme s'il avait atteint sa destination.

Il la contourna.

M'enfoncer, le plus loin possible, chercher une autre issue.

Le cœur battant à tout rompre, n'espérant plus que le silence de Marie, il se faufila parmi les concrétions, se fondit dans l'ombre et avança jusqu'à ce qu'il ne le puisse plus.

69.

Grotte du diable
24 juin 1494
Une heure quarante du matin

À peine furent-ils entrés que la paroi reprit sa place, les enfermant à l'intérieur de la montagne. Répondant à l'incantation qui avait ouvert le passage, la flamme apparut devant eux. Le baron n'avait pourtant pas le temps de suivre les protocoles du diable.

Cueillant le flambeau au bout de son fer, il s'élança dans ce long couloir étroit mangé par l'obscurité, le viguier à ses côtés, les autres sur les talons.

Myriam s'était munie d'une dague, Camilla de sa serpe. Jacquot s'était armé d'un braquemart et d'un fléau, proche du maniement de ses couteaux et de ses fouets ; Benoît et le viguier d'une lame plus longue, d'un arc et de flèches. Tous, bouclier au poing, étaient décidés à vaincre Luquine, à sauver les enfants, quitte à y perdre la vie.

Le baron, lui, n'avait à opposer à la sorcière que cette épée trempée dans la potion dont le bout, lumineux, crépitait. Mais au hurlement de fureur qui lui parvint de la salle, il comprit qu'elle venait d'en mesurer l'efficacité en découvrant le creuset du diable fracturé.

Elle savait donc désormais qu'il était entré dans ce lieu, avait anéanti ses créatures et en était ressorti vivant.

Il accéléra l'allure, refusant de lui concéder ce temps dont elle avait besoin pour préparer son sacrifice.

– Grimaldi ! Sors de ton trou, rat de messe ! Sors immédiatement de ton trou avec la petite ou je te pulvérise ! entendirent-ils tandis qu'ils approchaient.

– Il lui a soustrait Marie ! s'époumona Myriam, reprise d'espoir face à la rébellion du prieur.

Il fut de courte durée.

– Retrouve-les, Adélys ! Retrouve-les et pétrifie-les. Je me charge de ces vermines, aboya Luquine.

Presque instantanément, des yeux rouges s'allumèrent sur les parois du tunnel. Puis ce fut le bruit assourdissant de centaines de battements d'ailes qui fondaient sur eux.

Les chauves-souris vampires, comprit le baron en regrettant de ne pas les avoir occises cet après-midi.

Comme elles ne l'avaient pas agressé, il en avait déduit qu'elles étaient de simples nocturnes venus nicher. Il s'était trompé. De toute évidence, elles ne réagissaient qu'aux maléfices de Luquine.

– Une seule griffure et vous pourrirez en quelques minutes ! Baissez-vous ! Protégez-vous ! prévint-il en s'immobilisant pour les affronter.

Les bêtes tombaient à présent du plafond évasé en cheminée, arrivaient de partout, visant visages et mains.

D'un même geste, Camilla et Myriam entrèrent la tête dans leur cou et barrèrent les attaques de leurs boucliers. À l'instar du baron, Jacquot, Benoît et le viguier tranchaient à la volée. Las, ils parvinrent à peine à réduire leur nombre. Les volatiles démoniaques grouillaient autour d'eux, comme si la montagne tout entière se vidait.

Le baron hésitait pourtant encore à lancer une nouvelle incantation. Chaque fois qu'il utilisait la magie noire, sa part d'humanité faiblissait. Et il avait conscience qu'elle ne reviendrait pas dans la lumière.

Et soudain, Camilla hurla, le forçant à jeter un coup d'œil en arrière. Agrippée à sa guimpe, la créature au nez plat et aux oreilles démesurées tentait de mordre Myriam, la forçait à s'écarter, à se coller au mur sur lequel d'autres rampaient.

Il n'avait plus le choix.

— *Satanas et per fidem, et hoc praedicate tenebris ipse magister est. Computruerunt jumenta tua, et alas iste uester expolitior lapsum, rufus luscus lamia*[1], hurla-t-il.

Tout s'éteignit aussitôt. Myriam n'eut pas le temps de souffler que déjà le baron se remettait à courir sur cette jonchée de petits cadavres.

Luquine allait désormais se dresser elle-même devant eux. Et il préférait que ce ne soit pas dans ce boyau étroit où ils seraient vite acculés.

— J'ignore quelle est l'influence de ce lieu sur ses pouvoirs, alors utilisez les concrétions pour vous mouvoir et vous abriter, recommanda-t-il.

Il les laissa se déployer, se mettre à couvert, Benoît et le viguier d'un côté, prêts à tirer, Jacquot, Myriam et Camilla de l'autre, à la recherche de Marie.

1. Par la foi de Satan, je me proclame maître des ténèbres de ce lieu. Que vos ailes pourrissent et que vos dents tombent, vampires aux yeux rouges.

Lui s'avança entre les piliers et remonta jusqu'au cœur de la grotte.

C'était à lui et à lui seul d'affronter Luquine.

Elle avait embrasé les torches piquées aux parois, tout autour de la plate-forme que dominait le creuset. Une fumée nauséabonde en remontait, s'ajoutant à l'odeur du suif.

La diversion des chauves-souris lui a été suffisante pour ouvrir les portes de l'enfer, en conclut-il, furieux.

À la faveur de ces lueurs fantasmagoriques qui dansaient sur le granit, elle lui apparut, froide, déterminée. À quelques pas de leurs fils étendus à terre, ficelés dos à dos, les yeux bandés. Inconscients.

C'est aussi bien. Au moins ne verront-ils pas leurs parents s'entretuer.

Enlaidie par la torture, échevelée, le bliaud déchiré, taché de sang, Luquine n'avait que ce regard, d'une intensité profonde, pour asseoir sa superbe. Et ce sourire mauvais pour lui confirmer qu'elle ne le laisserait pas l'emporter.

Il la vit se glisser derrière le creuset. De sa faille débordait à présent une matière noire, épaisse et visqueuse traversée de lueurs rougeâtres.

Alerté par son instinct, il balaya les profondeurs de la salle du regard, craignant qu'elle n'ait rappelé la gorgone et que celle-ci ne surgisse devant lui brusquement. Mais Adélys lui tournait le dos, loin sur la gauche, la nuque habitée de fins serpents agressifs, tout entière à l'idée de retrouver le prieur et à l'opposé du petit groupe qui, lui aussi, le cherchait.

Pour l'heure, aucun d'eux ne risquait rien.

Le danger ne viendra que de Luquine, comprit-il à son air narquois.

— Il est encore temps de tout arrêter, lança-t-il. Libère nos fils, rends sa forme humaine à Adélys.

Pour toute réponse, elle plongea la main dans le creuset, en ressortit une épée de la même couleur que le magma. Comme si c'était lui qui l'avait forgée.

Il chercha dans ses souvenirs, ne retrouva rien dans le grimoire qui se rapportât à semblable sortilège. Mais à ses poils qui se dressèrent, il sut que cette lame serait redoutable contre la sienne.

Il entendit siffler des flèches. Benoît et le viguier avaient compris qu'il valait mieux en cribler Luquine le plus tôt possible. L'affaiblir à l'aide des pointes trempées dans la potion.

Il la vit encaisser les impacts sans sourciller, descendre les marches du tertre que le magma commençait à envahir.

Lors, cédant à son besoin d'en finir, il se jeta au-devant d'elle.

70.

Grotte du diable
24 juin 1494
Une heure cinquante du matin

Depuis quelques minutes déjà, Claudio Grimaldi transpirait la terreur. La femme qu'il avait vue entrer dans la salle souterraine derrière Luquine ne ressemblait plus à celle qu'il avait aimée. De la jouvencelle à la beauté pure, il ne restait qu'un visage froid, amer, parsemé de croûtes jaunes, aux yeux blancs, aux dents pointues. Un visage autour duquel, en place de cette blondeur magnifique, sifflaient à présent de fins serpents. Ce n'était plus Adélys. Même si c'était toujours par sa voix que le monstre l'appelait pour répondre aux ordres de sa maîtresse.

Il s'était souvenu de ses lectures mythologiques. Même s'il ne pouvait attribuer la transformation de la nonne qu'à la magie noire, il savait à présent que c'était face à une gorgone qu'il se trouverait. Une gorgone qui se rapprochait de lui, adossé au mur derrière une épaisse rangée de piliers avalés par l'obscurité.

Confiné dans cet espace étroit, les genoux repliés, il enveloppait Marie de ses bras, n'osant bouger de peur de la réveiller.

L'œil entre deux concrétions, il regardait le baron s'opposer avec force et habileté à la lame noire que

Luquine avait arrachée du creuset. Elle encaissait toujours les jets de flèches, préférant visiblement combattre son époux que s'occuper de Benoît et du viguier.

Abattez-la ! Abattez-la avant qu'Adélys ne surgisse ! priait-il, conscient pourtant de ses maigres chances.

Elles s'amenuisèrent d'un coup lorsqu'il perçut une voix, à une dizaine de pas de lui :

— Cette odeur de transpiration et d'encens. Oui... Te voilà enfin, ma gargouille. Ne bouge pas. Ne bouge surtout pas et ferme les yeux. J'ai bien l'intention de jouir de ton jonc, quitte à ne figer que lui.

Il ruissela d'une sueur aigre, frappé d'un sursaut de conscience : Adélys était toujours là, derrière ce masque hideux.

Elle ne m'a aimé que parce que ma laideur faisait écho à la sienne, celle de l'intérieur qu'elle a su si bien cacher, songea-t-il, bouleversé de honte et de remords.

Un long tremblement lui vrilla le corps, provoquant ce qu'il avait craint : Marie s'éveilla et se mit à pleurer.

Il se recroquevilla au-dessus d'elle, baissa les paupières, les crispa dans un accès de bravoure. Il faudrait qu'Adélys lui arrache les bras pour s'emparer de la petite.

Il entendit les concrétions éclater devant lui, sentit des mains cupides se glisser sur ses cuisses, tenter de les écarter, de se faufiler dans le moindre interstice que lui laissait son corps noueux, tétanisé, pour atteindre son vit.

Il ne lui céderait rien. Il n'éprouvait plus de désir. Son jonc était aussi ratatiné que lui.

— Donne-le-moi, ma gargouille. Tu me l'as toujours refusé en entier. Donne-le-moi. Je veux qu'il me reste jouet quand tu seras pétrifié, susurra-t-elle, l'horrifiant plus encore.

Était-ce bien là cette enfant de la Madone que tous au village avaient révérée ? Comment avait-elle pu devenir cette chose lubrique, calculatrice, impitoyable ? Il fut soudain convaincu que c'était elle qui avait assassiné la messagère. Qui d'autre, puisque ce n'était le baron et que Luquine était emprisonnée ? Comment avait-il pu clouer cette main, se laisser abuser ?

Il n'avait été que sa chose.

Et pourtant c'est toi qui l'as créée, lui jeta sa conscience au souvenir de ces jeux auxquels il l'avait initiée.

Il entendait siffler les serpents autour de son oreille, sur le haut de son crâne. Mais il ne bougeait pas, emprisonnait les pleurs de Marie entre ses bras noués. Il l'étoufferait plutôt que de la lui donner.

— Ne me force pas à te faire mal, ma gargouille. Je t'aime, tu sais. Je pourrais encore te sauver, insista-t-elle.

Il résista. Il claquait des dents, se mit à prier. À prier la Madone de sauver Marie, comme elle l'avait aidée à naître, à l'abri du séisme. Il pria de toute son âme.

Il perçut le sifflement aigu des serpents qui couraient sur son cou, sentit soudain une morsure, puis une autre et une autre. Il eut l'impression brusquement que l'enfer se répandait dans sa nuque, dans ses membres, refoulait sa résistance dans le tréfonds de sa volonté vacillante. Il releva la tête, écarta les bras en pleurant, resta là, immobile, crucifié, luttant intérieurement tout en se sachant vaincu.

— Te voilà enfin, ma beauté. Ouvre les yeux. Regarde tante Adélys, siffla la gorgone.

— Nooonnn !

Il reconnut la voix de Myriam, puis celles de Camilla qui suppliait Adélys de racheter son âme, de Jacquot qui implorait.

Tous trois se rapprochaient à vive allure, espérant encore sauver Marie au mépris de leur vie, et il s'en voulut plus encore de s'être laissé si misérablement corrompre.

Il ne parvint pas à ouvrir la bouche pour leur demander pardon. Encore moins à relever les paupières, se douta qu'Adélys les avait soudées par quelque enchantement. Il s'en épouvanta plus encore. Nul doute qu'une fois débarrassée des importuns elle lui arracherait cette jouissance trop de fois refusée.

Et puis soudain Marie cessa de pleurer et le hurlement de Myriam lui déchira la poitrine.

C'est fini, comprit-il.

Tout aussitôt, la mobilité revint dans ses membres, ses paupières se détendirent.

Allons, affronte ce que tu as créé et meurs en brave, décida-t-il en puisant en lui un élan de courage.

Il ouvrit les yeux, les écarquilla plus encore.

Fraîche et rose, Marie souriait, l'œil dans celui de la gorgone pétrifiée.

71.

Grotte du diable
24 juin 1494
Deux heures du matin

À l'instant où Myriam découvrait que le regard de Marie avait renvoyé à Adélys l'insoutenable reflet de son vrai visage, le baron était plongé dans l'expectative. Il avait pensé que ce combat serait bref, que Luquine faiblirait vite sous l'impact des flèches et qu'il pourrait l'achever. Or, il ne parvenait pas même à la blesser. Au contraire, malgré son peu de connaissance du combat, elle feintait avec l'agilité d'un guerrier et déviait toutes ses attaques, comme si elle pouvait les anticiper. Une nouvelle fois, elle riposta, virevolta, s'enroula autour d'un pilier, laissant les flèches s'y écraser.

Elle jeta un regard en arrière en direction du creuset qui bouillonnait. Le magma coulait désormais abondamment, rampait de plus en plus vite sur le sol. Plus ils sautaient, plus leurs épées s'entrechoquaient, plus la voûte rocheuse résonnait d'une vibration maléfique.

Et cette chose visqueuse s'en nourrit, comprit-il brusquement.

Et si tout cela n'était pas le fruit du hasard ? Si le tremblement de terre n'avait servi qu'à les libérer, elle et cette épée ?

Luquine avait l'air si sûre d'elle ! Il avait pensé que c'était par bravade. S'était-il fourvoyé depuis le début ? Il avait cru trouver seul la cache du grimoire, réussir à lui subtiliser la clef du coffret qui le contenait puis à la lui remettre au cou sans qu'elle se réveille. Il avait trouvé cela un peu trop facile cette nuit-là, mais il s'était refusé à y voir autre chose que de la chance.

Et si Luquine l'avait laissé faire, pour qu'il absorbe la noirceur de ces pages, qu'il en vienne lui aussi à servir le diable ?

Il devait coûte que coûte y mettre fin.

Il hurla par-dessus son épaule :

— Rapprochez-vous ! Visez le cœur !

Le viguier sortit de derrière l'une des stalagmites, lança ses flèches à la volée.

Benoît s'élançait à son tour, lorsqu'un mouvement dans le fond de la salle détourna son attention. Il s'immobilisa, son arc au poing, vit surgir Myriam, Camilla et Jacquot qui revenaient saufs en compagnie du prieur. Ils rasaient les concrétions pour que Luquine ne remarque pas Marie dans les bras de sa mère. Il chercha Adélys des yeux. Ne la trouva pas. Il lui sembla inconcevable qu'elle ait pu périr de leurs mains. Pourtant le sourire que Myriam lui retourna semblait affirmer le contraire. S'en réjouissant, il reporta son attention sur le baron.

Il combattait toujours contre Luquine, non loin du tertre sur lequel se trouvait le creuset. Les tirs rapprochés et ciblés du viguier semblaient cette fois affaiblir la sorcière. Elle esquivait les attaques avec moins de fermeté.

La reprenant en visée, Benoît décocha sa flèche, se réjouit de la voir percer le gras de l'épaule, juste au-dessus de celle du viguier.

Il bandait à nouveau son arc lorsque le sol se remit à trembler.

Déséquilibrée, Luquine dut se rattraper à l'un des piliers, évitant de justesse l'impact du fer sur sa clavicule. Laissant le baron à son avantage, Benoît lutta pour rester debout tout en cherchant Myriam et les autres du regard. Ils tentaient maladroitement de s'écarter des concrétions qui, sans doute fragilisées par le premier séisme, et bien que celui-ci fût nettement moins violent, éclataient ou s'effondraient.

La peur s'insinua dans ses veines. Et si, avant même d'avoir achevé ce combat, ils périssaient tous, ensevelis dans cette grotte ?

Appuyant ses craintes, l'un des piliers se brisa, projetant Jacquot en arrière, l'isolant derrière un éboulis. Myriam chut avec sa fille dans les bras, appelant aussitôt le prieur et Camilla près d'elle.

— Dugat ! Mes fils ! entendit-il hurler devant lui.

Saisi par l'appel du baron, il reporta son attention sur les deux garçons prisonniers non loin du creuset. Secoués par le séisme, ils glissaient en direction du magma. Benoît vit Dugat monter l'escalier en titubant et presque aussitôt s'effondrer, terrassé par la chute d'une stalactite. Ne le voyant pas se relever alors que les enfants se rapprochaient de plus en plus de la substance brûlante, il voulut s'élancer à son tour.

Luquine l'en empêcha. Abandonnant brusquement le combat, elle se détourna de Raphaël, sauta par-dessus le viguier au crâne éclaté et retint ses enfants avant qu'ils ne soient avalés par la masse rampante.

La montagne eut un dernier sursaut puis le silence, un silence pesant, retomba.

Un instant le baron crut que Luquine voulait sauver ses garçons, mais son espoir fut de courte durée. Déjà, elle relevait sa lame et en menaçait leurs gorges, un sourire pervers aux lèvres.

Ils sont toujours inconscients. Ils ne se rendront compte de rien, voulut-il se rassurer face à son impuissance.

Mais tout en lui se révulsait. Il s'immobilisa au bas des marches et Benoît baissa son arc, craignant lui aussi qu'une tentative malheureuse ne précipite l'exécution.

— Je te laisse une chance de déposer ton épée, mon époux. Affranchis-toi de ta faiblesse humaine, réveille le sorcier qu'à ton corps défendant tu es devenu. Et triomphe avec moi, le défia Luquine.

Raphaël ricana, désabusé.

— Je n'ai que faire de ce pouvoir-là.

— Tu mens. Il est déjà en toi. Regarde tes mains, tes avant-bras.

Il n'en avait pas besoin. Il avait déjà remarqué ces sillons noirs qui remplaçaient ses veines, identiques à ceux qui traversaient le visage de Luquine.

Il savait qu'il lui suffirait de cesser de lutter pour que tout devienne simple, facile. Une part de lui avait envie de cette puissance à laquelle il avait goûté dans l'après-midi, tandis que, l'une après l'autre, les créatures qu'il invoquait s'agenouillaient devant lui au pied même de cet autel. Une part de lui qu'il avait dû taire pour les renvoyer toutes en enfer. Elle était à présent avide d'étouffer l'autre, tourmentée par le sort de Myriam, de Marie, de Barthélemy, de Léonard.

Avide de l'écraser.

Luquine caressa la joue de leur cadet.

— Laisse-toi emporter, Raphaël. Ces créatures humaines ne sont rien. Juste bonnes à ensemencer notre avenir. Nous aurons d'autres enfants, nés de l'ombre, nés de nos chairs entrelacées. L'étreinte du diable. Tu sais déjà ce que c'est. Tu en as joui dans le donjon.

— Pour te vaincre.

— Non. Tu t'efforces de le croire. Mais ta lame pend, pitoyable au bout de ton bras quand déjà tu aurais dû t'élancer et m'en transpercer.

Il se crispa. Elle avait raison.

— Je t'ai toujours aimé, mais tu ne me voyais pas. Tu n'as toujours vu qu'Hersande. C'est fini. Elle est morte sous la main d'Adélys. Il n'y a plus que toi et moi. Prends ce royaume que je t'offre. Règne avec moi sur ce monde, mets-toi au service des ténèbres. Le diable sera bientôt là, assura-t-elle en tendant une main en direction du creuset, plus bouillonnant que jamais.

Ce fut cette imminence qui le rendit à lui-même. Cette imminence et la silhouette ramassée de Jacquot. L'aubergiste s'était avancé pour prendre Luquine à revers. Elle n'avait pas encore perçu sa présence. Elle était trop obnubilée par son désir de le convaincre.

Voulant laisser à Jacquot toutes ses chances de la frapper, il monta l'escalier de granit, narquois.

— Tu te trompes. Hersande a survécu. Protégée par la Madone, tout comme Camilla. Tout comme Myriam que tu as tenté de faire assassiner en dévoyant l'Ordre, en faisant inscrire son nom à la place du tien sur le message divin. Alors je te le redemande : rends sa forme humaine à Adélys, libère nos enfants et referme ce chaudron !

Ses yeux s'embrasèrent.

— Hersande ! Toujours Hersande ! rugit-elle en tendant une main vers le sol.

Raphaël sentit sa botte se racornir autour de ses chairs. Le magma venait de s'y enrouler, de l'absorber, comme commandé par Luquine. Surpris de ne pas éprouver plus de chaleur, il tenta de relever le pied, resta englué.

— Tes manœuvres ne changeront rien. Je ne serai jamais à toi, la provoqua-t-il.

— Alors, dis adieu à tes fils ! rugit-elle.

Jacquot lui sectionna le poignet avant qu'elle n'ait pu les égorger. Dans la foulée, Raphaël lança son épée, la regarda avec satisfaction perforer cette poitrine au cœur sec.

Luquine hoqueta, ahurie. Elle chancela, tomba à genoux. Continua de fixer ce sang qui jaillissait de son moignon. Jusqu'à ce qu'une ombre se dessine au-dessus d'elle.

Par réflexe, elle releva la tête. Et Jacquot lui trancha la gorge.

— Les enfants ! Écarte les enfants ! hurla Raphaël sitôt qu'elle s'effondra.

L'abandonnant à cette gangue reptilienne, Jacquot chargea Barthélemy et Léonard sur ses épaules comme un vulgaire ballot, puis sauta de la plate-forme pour les mettre à couvert.

Rassuré enfin, Raphaël se tourna vers Benoît qui montait les marches dans l'espoir de le dégager.

D'une main tendue, il l'arrêta.

— Cette chose ne me lâchera pas, quoi que vous tentiez. Et je ne veux pas qu'elle vous emprisonne aussi.

— Alors que faire ? se troubla Benoît.

Le baron baissa les yeux. Sa jambe était entièrement prise à présent et la coulée continuait son chemin, recouvrant déjà son autre semelle. Avide de le posséder, de le transformer. Pour l'instant, il était encore l'homme bon qui avait tenté de sauver ses enfants. Un homme qui luttait pour le rester.

Cela ne durera pas, augura-t-il, lucide.

Devinant que Benoît ne l'exécuterait pas de son plein gré, il captura son regard indécis.

— Ce n'est plus qu'une question de secondes avant que je ne devienne un monstre à mon tour, Benoît. Ne me laissez pas faire du mal à ceux que j'aime. Sauvez mon âme. Maintenant.

— Père ! Non ! hurla Myriam.

Soutenue par le prieur, elle s'approchait de lui, un bras ballant, cassé probablement, des larmes plein les yeux.

— Veille sur ta mère, Myriam. Veille sur tes frères, Barthélemy et Léonard, comme sur tes propres enfants, la supplia-t-il avant de se tourner vers Camilla que Jacquot avait rejointe avec les deux garçons.

— Appelez-en à la Madone, Camilla ! Rabattez le diable en enfer ! lui demanda-t-il, luttant encore contre cette noirceur qui de plus en plus envahissait ses veines.

— Non, Raphaël. Si quelqu'un le peut, c'est Marie. Elle a figé la gorgone, affirma-t-elle en soulevant l'enfant à bout de bras.

Comprenant enfin pourquoi Luquine craignait tant l'avènement de ce petit être, il la contempla et se mit à prier en même temps que Myriam, Jacquot, Grimaldi et Benoît qui montait les marches, l'épée au poing.

À prier pour que tout s'arrête et qu'il meure en paix.

— Je vous salue, Marie pleine de grâce…

Épilogue

Ce 23 juin 1495 marquait pour Utelle un double anniversaire. Celui d'une victoire contre les forces du mal et celui de Marie.

Elle était née sous l'égide de la Madone, dans la glacière d'une auberge, en plein tremblement de terre.

Un an plus tôt.

Elle était née dans le sang, la peur, les ténèbres, mais aussi dans le courage, l'espoir et la certitude qu'une lumière apparaîtrait au bout de la nuit.

Elle n'avait pas failli.

Ce 23 juin 1495 marquait la fin de la reconstruction du village. Utelle recommençait à vivre et, pour la première fois depuis cette étrange nuit, la cloche de Saint-Véran répondait à celles du prieuré et du sanctuaire de Notre-Dame.

Ce n'était pas un jour comme les autres. Parce que personne ne voulait oublier ce qui les avait unis, Benoît moins que tout autre. Et parce que Myriam riait dans sa robe de mariée, face à une petite fille qui s'était mise à marcher pour lui tendre son bouquet.

Marie avait un an et était pleine de vie.

Grâce à son puissant lien avec la Madone.

À l'instant où la prière s'était achevée, le magma s'était figé autour de Raphaël agonisant. Il était mort soulagé d'avoir accompli son destin.

Il s'était ensuivi une explosion de lumière qui les avait tous aveuglés. Lorsqu'elle était retombée, la grotte étincelait et le creuset du diable refermé était devenu pierre.

Ils avaient quitté la montagne dans les premières lueurs du jour, y laissant dormir à jamais les corps de Raphaël, de Luquine et la statue d'Adélys.

Dès le lendemain, Hersande avait écrit à l'Ordre pour raconter ce qui s'était passé à Utelle, la manière dont on avait perverti l'usage de la roue. Elle ignorait toujours si le diable avait pénétré ce lieu sacré et tué sauvagement sa gardienne. Ou si ce crime était l'œuvre d'un humain, au service de Luquine et de ses ambitions, rêvant peut-être d'une récompense. Le prieur Grimaldi n'avait pas su apporter de réponses.

Il s'était reclus pour expier et retrouver Dieu, mais, avec la bénédiction de Myriam, Hersande avait réussi à le convaincre de revenir à Utelle. Parce que le pardon ne vaut que s'il est partagé. Et parce que l'on ne peut se reconstruire qu'à travers lui.

Ce 23 juin 1495, donc, dans l'auberge rebâtie, dans cette chambre qu'avait mise Jacquot à sa disposition pour ses préparatifs de noces, Myriam était heureuse.

Benoît était déjà en haut, au sanctuaire que le tremblement de terre avait épargné.

Il avait reconstruit sa maison, en pierre cette fois, réalisant le rêve de Pascal. Une maison qui allait devenir la leur.

Assise derrière elle sur le lit, Margaux achevait de tresser sa longue chevelure parfumée. À ses pieds, Antoine jouait avec une délicatesse touchante avec sa petite sœur, sous l'œil attendri des trois filles de Jacquot.

– C'est fini, maman. Vous pouvez vous lever, annonça Margaux avec fierté.

– Tu es magnifique, s'émut Élise en la prenant aux épaules.

Myriam lui recouvrit la main de la sienne.

– Tu le seras aussi, bientôt.

– C'est vrai, sourit son amie qui avait accepté la demande de Patrice.

Malgré ce parler un peu particulier, c'était un homme bon, intelligent et généreux. Un bon cuisinier aussi, avait admis Jacquot qui voyait en lui son successeur lorsque l'âge l'écarterait des fourneaux. Il se disait prêt aussi à marier ses deux autres filles. En avaient-elles envie ? C'était une autre affaire.

– Allons-y, décida Myriam après avoir embrassé Margaux tendrement.

Elle pivota dans ce bliaud rouge rehaussé de fils d'or et souleva Marie. Pour sa fille aussi, cet anniversaire avait quelque chose de particulier. Il marquerait le jour de son baptême.

Myriam avait tenu à ce qu'il soit célébré juste après son mariage.

Elle descendit l'escalier, encadrée par ses amies, suivie par ses enfants qui soutenaient sa traîne de dentelle.

Jacquot l'attendait dans la rue, près d'une charrette décorée.

Comme lui, Myriam était émue. Elle avait perdu son père, mais il lui restait cet homme qu'elle avait toujours considéré comme tel. Et c'était sa mère, si différente des autres, qui allait bénir son union, la rendre à la vie qu'elle avait reconstruite à force de courage et de foi.

Ce 23 juin 1495, l'air était doux comme une caresse, le chemin de Notre-Dame embaumait.

Les arbres déracinés avaient été coupés, débités, mis à sécher. Déjà les châtaigniers, les hêtres, les pins sylvestres repoussaient en contrebas du sentier. Du tremblement de terre, du chaos qu'il avait engendré, il ne restait plus qu'une blessure secrète. Qui peu à peu se refermait.

La mule, devant eux, agita ses oreilles pour chasser une abeille qui voletait autour du collier de fleurs dont on l'avait affublée.

La lumière qui tombait des frondaisons était belle. Traversée par des volées d'oiseaux.

Marie riait sur les genoux tressautants de sa mère. Margaux chantonnait, légère, entre Élise et Catherine. Assis à l'avant, Antoine conduisait avec Christine.

— Merci, Jacquot, murmura Myriam en serrant sa main qui venait de se poser sur la sienne.

— Pourquoi donc ? s'étonna-t-il devant son regard humide.

— Parce qu'il y a tout juste un an, dans cette glacière, c'est votre amour qui m'a tenue debout. Dans la grotte aussi.

Il hocha la tête, troublé.

— C'est du passé. Une nouvelle page est à écrire. Elle ne sera dans aucun grimoire. Seulement dans ton cœur, ma fille.

— Vous y avez toujours eu votre place.

— Alors je suis un père comblé, assura-t-il en lui entourant les épaules de son bras pour mieux la serrer contre lui.

Le grimoire.

Il avait été jeté aux flammes. Sans remords.

Lorsqu'ils arrivèrent sur le plateau, tout le village les attendait.

Myriam descendit de voiture sous les « Noël ! » des gens qui l'aimaient depuis sa naissance, qui avaient partagé ses peines et se félicitaient de sa joie retrouvée.

Hersande se tenait avec Camilla aux portes du sanctuaire. Tour à tour, elles ouvrirent leurs bras pour l'enlacer. Puis la rendirent à celui de Jacquot, le temps que tous entrent dans l'église où Benoît étouffait de nervosité.

Il y eut de la musique, un chœur de voix, celui des nonnes, mais Myriam ne l'entendit pas. Les battements de son cœur emplissaient ses oreilles.

Ses enfants avaient rejoint son promis au pied de la Sainte Vierge, et c'est auprès d'eux, dans les larmes d'Hersande, qu'elle lui dit :

— Oui… Oui, je veux être ta femme comme tu veux être mon mari. Car tu m'es apparu dans la générosité de ton âme, telle que Pascal l'avait reconnue. Je veux être ta femme parce que, grâce à toi, je suis redevenue celle qu'il savait faire rire. Je veux être ta femme parce que je t'aime aujourd'hui pour ce que tu es, toi. Juste toi, Benoît.

Hersande essuya une larme, puis noua leurs mains aux siennes.

— Je vous déclare ce jour, 23 juin 1495, mari et femme, et je vous bénis au nom du Père, du Fils, du Saint-Esprit…

— Et de la Madone ! ajouta Antoine en ébauchant un signe de croix sur sa poitrine.

Il y eut un grand éclat de rire dans la chapelle. Puis une voix venue de l'extérieur s'écria :

— Il pleut ! Il pleut des étoiles !

Interloqués, tous suivirent Myriam, Benoît et les enfants dehors.

Autour du sanctuaire, le plateau n'était plus qu'un parterre de petites étoiles pétrifiées.

Marie éclata de rire lorsque l'une d'elles se déposa délicatement sur sa tête.

Et Myriam fut soudain certaine que c'étaient les larmes d'Adélys.

Adélys que la Madone avait enfin rappelée à ses côtés.

Chers amis, ainsi s'achève cette belle histoire entre fiction et réalité. Une fois de plus, je vous remercie chaleureusement, ainsi que mes éditeurs Bernard Fixot et Édith Leblond, pour votre confiance renouvelée.

Je vous embrasse, bien amicalement, de même que toute l'équipe de XO qui me porte depuis l'an 2000, avec une pensée particulière pour Bruno Barbette, le concepteur graphique de toutes mes couvertures depuis Le Lit d'Aliénor, *Stéphanie Le Foll et Mélanie Rousset, mes attachées de presse.*

Merci aussi à Aurélie de Gubernatis qui m'a ouvert les portes d'Utelle et à André Martinon dont le restaurant domine si joliment la combe.

Je ne peux boucler ces pages sans te dire, à toi, ma Gwenaëlle, combien ton aide, ton soutien et ton affection me furent salutaires. À toi, Gérard, mon amour depuis vingt-neuf ans, combien ta présence, ta constance et ta lumière balisent mon chemin. À vous mes enfants, mes petits-enfants, combien me sont doux le son de vos rires et la caresse de vos bras tendus.

Dès demain, je me remets à écrire. Alors je vous dis à très vite pour une nouvelle aventure que je vous promets palpitante, dans le sillage de ces belles femmes courageuses que vous, amies lectrices, incarnez chaque jour au quotidien.

Prenez soin de vous… Toujours… Encore…

Mireille Calmel

Bibliographie

Le Mesnagier de Paris, texte édité par Georgina E. Brereton et Janet M. Ferrier, Librairie générale française, 1994.

« Jardin monastique, jardin mystique. Ordonnance et signification des jardins monastiques, médiévaux », Bernard Berck, *Revue d'histoire de la pharmacie*, n° 327, 2000.

Les Causes et les remèdes, Hildegarde de Bingen, traduction Pierre Monat, éditions Jérôme Million, 1997.

Le Livre des subtilités des créatures divines, Hildegarde de Bingen, traduction Pierre Monat, éditions Jérôme Million, 1997.

« La pharmacopée au Moyen Âge. II. Les médicaments », Georges Dillemann, *Revue d'histoire de la pharmacie*, n° 200, 1969.

L'Art et la société, Moyen Âge-XXe siècle, Georges Duby, « Quarto », Gallimard 2002.

Le Moyen Âge, Claude Gauvard, Éditions de la Martinière, 2010.

Violence et ordre public au Moyen Âge, Claude Gauvard, Éditions Picard, 2005.

Familles et patrimoines à Saint-Martin-Vésubie, XVIe-XIXe siècles, Éric Gili, thèse de doctorat en histoire moderne.

Un autre Moyen Âge, Jacques Le Goff, « Quarto », Gallimard, 1999.

Une histoire du corps au Moyen Âge, Jacques Le Goff, Nicolas Truong, Liana Levi, 2003.

« La botanique d'Hildegarde de Bingen », Laurence Moulinier, *Médiévales*, nº 16-17, 1989.

« Quand la lune nourrissait le temps avec du lait. Le temps du cosmos et des images chez Hildegarde de Bingen (1098-1179) », Jean-Claude Schmitt, *Images Revues*, hors-série nº 1, 2008.

Les Lendemains des catastrophes naturelles au Moyen Âge, actes du 16e colloque de la villa Kérylos à Beaulieu-sur-Mer les 14 et 15 octobre 2005.

Publications en ligne

Publications de l'Académie des inscriptions et belles-lettres, Jacques Berlioz, année 2006, 17, p. 165-181. Fait partie d'un numéro thématique : « L'homme face aux calamités naturelles dans l'Antiquité et au Moyen Âge », https://www.persee.fr/doc/keryl_1275-6229_2006_act_17_1_1125

Dictionnaire géographique, historique et politique des Gaules et de la France, https://casternou.wordpress.com/page/5/

Administration d'une baillie provençale au temps du roi Robert : le comte de Vintimille et val de Lantosque (1), Jean-Paul Boyer, p. 5, réf. : A.A., Saint Martin, FF II, fol. 60 et Utelle nº 63, https://www.departement06.fr/documents/Import/decouvrir-les-am/rr85-1983-01.pdf

Contribution à la démographie de la Provence savoyarde au XIVe siècle, provence-historique.mmsh.univ-aix.fr/Pdf/PH-1984-34-135_02.pdf

La Montagne nicoise au Moyen Âge, l'exemple de la Vésubie (XIVe-XVe siècles), Jean-Paul Boyer, https://www.departement06.fr/documents/Import/decouvrir-les-am/rr73-1980-01.pdf

Dictons et expressions médiévales, http://nonnobisdomine-nonnobissednominituodagloriam.unblog.fr/2006/12/02/les-dictons-et-expressions-medievales/

Les moulins d'Utelle, http://www.archeo-alpi-maritimi.com/moulinsdutelle.php

Petit lexique du pastoralisme en Provence, https://www.persee.fr/doc/mar_0758-4431_1995_num_23_1_1554

Regard sur la sismicité historique régionale, https://docplayer.fr/30161194-Regard-sur-la-sismicite-historique-regionale-presentation-andre-laurenti-membre-du-conseil-d-administration-du-groupe-a-p-s.html

Histoire et généalogie de la famille Gallean, https://fr.calameo.com/read/001513011d6f5145a0ab3

Carte des terres neuves de Provence, https://www.departement06.fr/documents/A-votre-service/Culture/archives/cg06-archives-outilrecherche_carte_les-terres-neuves-de-provence-1388.pdf

Les seigneurs de la Vésubie, http://gili-eric.e-monsite.com/pages/articles/seigneuries/les-seigneurs-de-la-vesubie-xie-xviiie-s.html

Pour suivre l'actualité de Mireille Calmel
et en savoir plus sur ses ouvrages :

mireillecalmel.com

facebook.com/mireillecalmelofficiel

Du même auteur chez le même éditeur

Le Lit d'Aliénor, 2002

Le Bal des louves, 2003
 * *La Chambre maudite*
 ** *La Vengeance d'Isabeau*

Lady Pirate, 2005
 * *Les Valets du roi*
 ** *La Parade des ombres*

La Rivière des âmes, 2007

Le Chant des sorcières, tomes 1 à 3, 2008-2009

La Reine de lumière, 2009-2010
 * *Elora*
 ** *Terra incognita*

Aliénor, 2011-2012
 * *Le Règne des Lions*
 ** *L'Alliance brisée*

Richard Cœur de Lion, 2013-2014
 * *L'Ombre de Saladin*
 ** *Les Chevaliers du Graal*

La Marquise de Sade, 2014

Aliénor, un dernier baiser avant le silence, 2015

Les Lionnes de Venise, tomes 1 et 2, 2017

La Fille des Templiers, tomes 1 et 2, 2018

Du même auteur

Les Tréteaux de l'enfance, 2004, Elytis.

Mise en pages : Sylvie Denis

Achevé d'imprimer sur Roto-Page
par l'Imprimerie Floch à Mayenne
en mai 2019

N° d'édition : 3968/01 – N° d'impression : 94390
Dépôt légal : mai 2019

Imprimé en France